Un été de folie

TONI

BLAKE

DESTINY - 1

Un été de folie

Traduit de l'anglais (États-Unis)
par Sophie Dalle

Titre original
ONE RECKLESS SUMMER

Éditeur original
Avon Books, an imprint of HarperCollins Publishers, New York

Ce livre est dédié aux professeurs
qui m'ont le plus encouragée
à poursuivre mon rêve de devenir romancière :
Sandra Lillard Adams, feu Dolly West
et le Dr Peter Schiff.

Prologue

— Minou, minou, miaou…

Jenny somnolait au soleil sur une chaise longue quand une voix masculine ramena ses sens à la vie. C'était le genre de voix qui vous enveloppait comme une couverture et vous donnait envie de vous y blottir, même par une chaude journée d'été.

— Hé ! Réveille-toi ! Debout là-dedans !

Tiens ! Une autre voix. Acerbe, celle-là… et vaguement menaçante. Jenny s'arracha à sa torpeur et ouvrit les yeux.

Au bout du petit ponton flottait une vieille barque occupée par trois garçons qui la lorgnaient dans son Bikini neuf. Seigneur ! Son estomac se noua – ils étaient plus âgés qu'elle et avaient une allure de voyous. D'où sortaient-ils donc ?

Puis elle reconnut deux d'entre eux – les frères Brody qui habitaient de l'autre côté du lac. Elle ne les avait jamais vus d'aussi près.

Elle voulut répliquer, mais que répondre à « Minou, minou, miaou » ? Son chat, Flocon, déambulait à quelques mètres de là, et, étant encore dans les brumes du sommeil, Jenny s'interrogeait : Était-ce à elle qu'ils s'étaient adressés ou à Flocon ?

— Tu as perdu ta langue ? s'enquit Wayne Brody, l'aîné.

Il devait avoir au moins vingt et un ans, et apparemment la voix acerbe était la sienne. Quant au « miaou », il lui avait bien été destiné, même si ce n'était pas lui qui l'avait prononcé.

— Que voulez-vous ? articula-t-elle en s'efforçant d'afficher un air mauvais, histoire de leur faire peur.

« Ridicule », se reprocha-t-elle instantanément. Comment une fille de seize ans en maillot de bain deux pièces pourrait-elle faire peur à qui que ce soit ? Au contraire, elle ne pouvait que paraître vulnérable.

— Comment tu t'appelles ? demanda Mick Brody.

D'après les calculs de Jenny, lui n'avait pas plus de dix-neuf ans – lorsqu'elle était entrée en troisième, il était déjà en terminale. Un élève qui séchait les cours, buvait et « cherchait constamment les embrouilles » d'après son père. Mick Brody avait une canette de bière à la main, et tous trois fumaient des cigarettes.

Elle demeura figée. Elle n'avait aucune envie de leur révéler son prénom ni de discuter avec eux, car il lui semblait qu'elle serait encore plus vulnérable. Toutefois, son silence pouvait être interprété comme le signe qu'elle avait trop peur pour parler. Son cœur battait beaucoup trop fort.

— Très bien, décida Mick Brody. Je vais devoir t'appeler Minou, dan ce cas.

Mince ! Pourquoi son pouls s'emballait-il ? Ce surnom aurait dû la faire rougir, au lieu de quoi, il lui faisait l'effet d'une caresse sur la peau. À moins que ce ne soit la manière dont Mick Brody la contemplait ? Tout chez lui inspirait la méfiance, et en même temps, ses yeux bleus aussi brillants que des étoiles dans la nuit la fascinaient.

Tout à coup, elle se rappela dans quelle tenue elle était. Quelques jours auparavant, elle avait porté ce Bikini pour la première fois devant ses amis, dont plusieurs garçons, et s'était sentie parfaitement à l'aise. Là, ce n'était plus le cas. Elle avait l'impression d'être presque nue.

Flocon choisit ce moment pour s'aventurer à l'extrémité du ponton.

— Tu veux quelque chose à boire, le chat ? lança le troisième garçon.

C'était Lucky Romo, un énergumène aux cheveux longs qui traversait fréquemment la ville à toute allure dans sa voiture trafiquée. Le père de Jenny lui avait collé une amende pour excès de vitesse pas plus tard que la semaine précédente.

Lucky s'inclina pour verser une rasade de bière mousseuse devant l'animal. Alors que Flocon tendait le cou pour y goûter, un flot de colère submergea Jenny. Elle se leva d'un bond et fonça vers le bout du ponton.

— Laissez mon chat tranquille ! Fichez le camp !

Flocon s'enfuit, de toute évidence bien plus effrayé par sa maîtresse que par les trois indésirables qui riaient maintenant à gorge déployée. La rage de la jeune fille était telle qu'elle se sentit devenir écarlate sous son bronzage. À en juger par la façon dont Mick Brody l'observait, ses mamelons devaient pointer sous son maillot. Elle croisa les bras dans le but de cacher ses seins, mais ne réussit en fait qu'à les remonter plus haut. Pitié !

Mick, lui, continuait à la fixer avec un sourire malicieux.

— Approche, Minou. Tu veux faire un tour ?

Malgré elle, elle décela le sous-entendu sexuel, et bien que révulsée, elle dut admettre que cela l'excitait.

Elle inspira profondément, leva les yeux au ciel pour bien montrer que la suggestion en soi était d'un grotesque achevé, puis répliqua :

— Euh… non, merci.

— Allez, minette, on ne mord pas ! insista Wayne Brody.

— Sauf si tu nous le demandes, ajouta Mick, les sourcils en accent circonflexe.

Au secours ! Pourquoi était-elle à ce point troublée ? Mick Brody était… dangereux. Le genre de type à fuir absolument. Il y avait quelque chose qui ne tournait pas rond chez elle, là.

— Vous m'avez entendue. Allez-vous-en.

— Sinon ? rétorqua Lucky Romo. Tu vas envoyer ton grand méchant papa flic à nos trousses ?

Tous trois s'esclaffèrent comme s'ils n'avaient jamais rien entendu d'aussi drôle.

— Très bien, souffla Jenny, excédée. Vous ne voulez pas partir ? Dans ce cas, c'est moi qui m'en vais.

Après tout, ils étaient soûls, elle en était presque sûre. Et pour autant qu'elle sache, aucun de ses voisins le long de la rive n'était dehors. Elle était donc seule. Son père lui avait appris qu'il valait mieux tourner le dos à une situation potentiellement fâcheuse avant qu'elle dérape ; plutôt prévenir que guérir.

Elle ramassa son drap de bain, sa serviette et sa canette de soda light, enfila ses tongs et s'éloigna.

— Joli petit cul ! lança Mick Brody.

Jenny était soulagée de leur tourner le dos car elle était sûrement rouge pivoine. Tandis qu'elle empruntait le sentier qui remontait vers sa maison, elle sentit leurs regards peser sur elle.

Surtout celui de Mick Brody.

1

Elle marche tout en beauté, comme la nuit
Des climats sans nuages et des cieux étoilés.

LORD BYRON

Quinze ans plus tard

Alors que le crépuscule tombait sur le lac de Blue Valley, Jenny Tolliver poussa dans l'eau le vieux canoë vert qui reposait sur la rive herbeuse. Elle portait encore la jupe légère et le chemisier de coton qu'elle avait enfilés pour l'après-midi de mah-jong chez Mme Kinman. Les seules concessions qu'elle avait faites pour cette excursion avaient consisté à troquer ses sandales à talons pour une paire de tennis et à fourrer son télescope dans un grand sac en plastique.

Alors qu'elle grimpait avec précaution à bord de l'embarcation en s'agrippant au ponton pour conserver son équilibre, elle eut l'impression de remonter dans le temps. Elle n'avait pas traversé ce lac depuis ses dix-huit ans, et à l'époque, son amie Sue Ann l'accompagnait. Sue Ann se serait sans doute volontiers jointe à elle aujourd'hui, mais elle avait d'autres obligations désormais – notamment un mari et une fille.

Du reste, Jenny avait envie d'être seule. Elle avait besoin de... s'échapper.

Deux jours à peine que tu es de retour à Destiny et déjà, tu rêves d'évasion ? Mauvais signe.

À force de s'entendre couvrir de compliments chez Mme Kinman, elle avait craqué. Cela pouvait paraître idiot, mais toutes ces louanges finissaient par l'exaspérer, d'autant que ces derniers temps, sa vie semblait totalement dénuée de sens.

Quand Rose Marie Keckley avait vu la tarte au citron qu'elle avait confectionnée pour l'occasion, elle s'était exclamée :

— Comme c'est gentil de ta part, Jenny !

Et quand elle avait rempli les verres de thé glacé afin que Mme Kinman puisse rester assise, LeeAnn Turner avait déclaré :

— Tu es adorable, Jenny.

Puis Lettie Gale avait ajouté son grain de sel parce qu'elle avait aidé Mme Lampton à quitter son fauteuil :

— Tu es tellement formidable, Jenny !

C'était la goutte d'eau qui avait fait déborder le vase. Jenny avait pris ses jambes à son cou.

À présent, ces mots résonnaient dans sa tête, moqueurs : « Tu es tellement formidable. Tu es tellement formidable. » Eh bien, elle en avait par-dessus la tête d'être formidable !

Comment avait-elle décidé d'y remédier ?

En traversant le lac en canoë.

Pas vraiment un acte de rébellion contre la société, certes.

L'avantage, c'était qu'elle avait pu s'éclipser de la réunion, fuir ces gens avec qui elle avait grandi, tous convaincus de ses qualités exceptionnelles. Et que cette escapade lui permettrait de retarder encore un peu une épreuve redoutée : franchir le seuil du chalet familial de l'autre côté de la route.

Consciente que pagayer au coucher du soleil ne résoudrait pas davantage ses problèmes que ce retour à

Destiny, elle s'éloigna du ponton. Un vieux dicton lui revint soudain en mémoire : « Où que tu ailles, tu y es déjà. » En d'autres termes, il n'existait aucune échappatoire. Génial.

Elle fronça les sourcils. « Arrête, s'ordonna-t-elle. Ce n'est pas toi. Tu es la fille dont le verre est toujours à moitié plein, la fille qui a toujours le sourire. Où est passé ton sourire ? »

Elle se répondit avec morosité : « J'ai dû le perdre dans la salle de cours de Terrence avec les têtes fracassées de George Washington et d'Abraham Lincoln. » Les bustes en céramique qu'elle lui avait offerts pour leur premier anniversaire de mariage. Ceux qu'elle avait jetés au sol en le découvrant en train d'embrasser Kelsey, professeur stagiaire de vingt et un ans qui avait travaillé durant tout le semestre dans sa classe de sciences à *elle*.

— Ce n'est pas ce que tu crois, avait-il tenté de se défendre lorsqu'elle était entrée dans la pièce en cette fin d'après-midi du mois de mars.

Incrédule, elle l'avait dévisagé.

— Tu es sérieux ? C'est vraiment la voie que tu veux prendre ?

— Nous devrions en discuter en privé, Jenny. Je ne voulais pas que tu l'apprennes ainsi.

— Dans ce cas, tu aurais peut-être dû, disons, fermer la porte *à clé* !

C'est alors que George avait volé en éclats. Elle ne se souvenait pas exactement d'avoir pris la décision de s'emparer du buste et de le lancer à terre – c'était arrivé comme ça.

— Jenny, calme-toi, avait ordonné Terrence, effaré – comme si c'était *elle*, qui avait fait quelque chose de répréhensible !

— Donc, si je comprends bien, je rentre dans la salle de classe de mon mari pour lui apporter une part du gâteau d'anniversaire du proviseur et je le trouve en train de peloter ma stagiaire, mais je dois rester calme ?

C'est là qu'Abraham avait mordu la poussière à son tour, explosant en mille morceaux.

Jamais encore la « tellement formidable Jenny » ne s'était comportée ainsi. Mais jamais Terrence ne l'avait trompée. Ce soir-là, à la maison, quand la rage avait laissé place à la douleur, elle lui avait posé la question fatidique :

— Pourquoi ? Explique-moi juste *pourquoi* ?

C'est là que Terrence avait porté le coup fatal. Il l'avait traitée de « June Cleaver[1] du XXIe siècle ». Loin de s'arrêter là, il avait mis le doigt sur le cœur du problème.

— Ce n'est pas que je ne t'aime pas. C'est juste que tu es trop douce pour... euh, me satisfaire sur le plan sexuel. Pour le genre de pratiques dont je meurs d'envie depuis des années.

Elle avait eu l'impression de recevoir un direct à l'estomac.

— Celles que te propose Kelsey, tu veux dire.

Il avait fixé le tapis du salon qu'ils avaient acheté ensemble l'année précédente.

— Eh bien... oui.

Deuxième direct à l'estomac. Car jusque-là, ils n'avaient pas spécifiquement établi le fait que Terrence et Kelsey couchaient ensemble.

— Tu es tellement... sage, Jenny. Trop sage, avait-il ajouté d'un ton peiné.

Elle avait jugé inutile de lui rappeler que pas une fois il ne lui avait laissé entendre qu'il voulait autre chose. Ni qu'il était le seul homme avec qui elle avait jamais fait l'amour et que, par conséquent, c'était *lui* qui lui avait tout appris.

— Que veux-tu ? avait-elle glapi. Des fouets et des chaînes ? Un poteau de strip-teaseuse dans la chambre ? *Quoi* ?

---

1. June Cleaver est le personnage principal d'une sitcom américaine des années 1950 qui a connu un immense succès aux États-Unis, *Leave it to Beaver*. Elle y incarne une femme modèle, épouse et mère entièrement dévouée à sa famille. *(N.d.T.)*

Une fois de plus, il avait eu le culot de la regarder comme si c'était elle qui ne se montrait pas raisonnable.

— Il ne s'agit pas d'accessoires mais de... de chaleur. De passion.

Depuis, Sue Ann se plaisait à le traiter de « salopard » – qualificatif qu'approuvait Jenny malgré son manque d'originalité – et Kelsey de « pouffiasse » ou de « pétasse » ce qui apaisait plus ou moins le chagrin de Jenny.

Tandis qu'elle atteignait le milieu du lac, une émotion passagère la traversa. L'espace d'un instant, elle se rappela sa vie d'antan, normale, heureuse et gratifiante.

Terrence et elle avaient mené une existence simple mais agréable : elle n'était pas du genre à lui demander de lui décrocher la lune même si elle adorait observer cette dernière au télescope. Ils s'étaient connus à l'université et avaient enseigné dans le même collège. Lui s'était spécialisé en histoire, elle en sciences. Elle aspirait à devenir astronome, à travailler pour la NASA ou comme chercheuse, mais Terrence l'avait poussée à être professeur. Quand on est jeune et amoureuse, il est facile d'accepter tout et n'importe quoi – même de renoncer à ses rêves.

Ils avaient donné leurs cours. Organisé des dîners. Participé à la vie de la communauté. Ils n'avaient pas eu d'enfants (Jenny n'était jamais tombée enceinte, tout simplement), mais ils avaient aimé leurs élèves et formé un couple stable, envié de tous. Avant l'arrivée de la pouffiasse.

La rupture l'avait anéantie. Mais ce qui la rongeait le plus, jour après jour, c'était l'impression d'avoir été trahie. Terrence avait été séduit par sa douceur, sa gentillesse, mais en secret, il avait désiré une *bad girl*. Jamais elle ne pourrait être tout ce qu'il voulait.

Elle avait donc précipité le divorce et quitté son poste parce qu'elle se sentait incapable de croiser Terrence au quotidien. Du jour au lendemain, elle s'était retrouvée à Destiny, Ohio, où le vieux chalet familial au bord du lac de Blue Valley était libre depuis que son père, chef de la police municipale, s'était acheté un appartement en ville. Une ville où l'image de fille parfaite lui collait à la peau. Qu'elle le veuille ou non.

Elle était revenue pour réfléchir, pour panser ses plaies. Le temps d'un été. D'une part, parce que son père avait insisté, et d'autre part, parce que la maison qu'elle avait partagée avec Terrence avait été vendue en un tournemain. Au cours des deux mois à venir, elle devrait prendre des décisions importantes. Où s'installer, par exemple. Comment gagner sa vie. Comment se sortir de ce marasme sans dommages. Car à Destiny, on ne divorçait pas. Surtout pas les filles parfaites comme Jenny.

Bien entendu, quand on lui avait demandé à la réunion chez Mme Kinman ce qui l'amenait dans la région, elle avait dû expliquer :

— Terrence et moi nous sommes séparés, je suis venue passer l'été ici pour me rapprocher de papa.

Tel était le discours qu'elle avait préparé avec l'aide de Sue Ann. Inutile d'évoquer le salopard et la pétasse ni son nouveau statut de SDF. Cependant, l'image de June Cleaver l'obsédait.

À présent, elle traversait le lac de sa jeunesse, se dirigeant vers l'obscurité, le bois enchevêtré sur l'autre rive dans l'espoir d'apercevoir l'amas d'Hercule avec ses millions de points scintillants. Les cieux... encore une forme d'échappatoire.

À Colombus, elle n'avait pratiquement rien pu voir à travers son télescope – trop de pollution lumineuse mais surtout, pour être honnête, parce que Terrence n'avait pas plus encouragé sa passion pour l'astronomie que ses progrès sous la couette. Elle pouvait donc se féliciter d'être revenue à Destiny. Enfin, elle reverrait les étoiles.

Elle avait encore du mal à croire à ce retour. Enfant, elle n'avait enfreint qu'une seule règle : traverser ce lac sans la permission de son père, le plus souvent en compagnie de Sue Ann. Contrairement à *son* rivage où chalets et bungalows de couleurs pastel s'alignaient au bord de la plage, le côté sud était bordé de collines rocailleuses et de bois indomptés. Personne n'y avait jamais vécu hormis les Brody, dans une cabane délabrée, et en ce temps-là, s'aventurer sur ces terres revenait à braver un interdit – une transgression qui apparaissait à la fois terrifiante et libératrice.

Avec le recul, Jenny convenait que c'était un peu stupide, mais la propriété était dotée d'un affleurement rocheux idéal pour l'escalade et l'observation des étoiles. À l'époque, vu la prolifération d'arbres dans son propre jardin, dont certains étaient si grands qu'ils ombrageaient le ponton – à quoi s'ajoutait probablement l'inavouable espoir de croiser l'inquiétant mais craquant Mick Brody –, le jeu lui avait semblé en valoir la chandelle.

C'était toujours le cas mais, Dieu merci, elle ne risquait plus de rencontrer les Brody. D'après ce que lui avaient raconté son père et Sue Ann au fil des ans, Wayne Brody était en prison, les parents morts depuis longtemps et Mick Brody était... parti. Personne ne savait où. Personne ne s'en souciait. À Destiny, tout le monde était soulagé d'être débarrassé d'eux.

Elle entendait encore Sue Ann lui chuchoter nerveusement, toutes ces années auparavant, tandis que leur canoë glissait paisiblement sur l'eau :

— Tu te rends compte que si on chavire et qu'on se noie, personne ne saura ce qui nous est arrivé.

— Faux. Quelqu'un trouvera le canoë, et ensuite, ils dragueront le lac, rétorquait systématiquement Jenny.

Elle était fille de flic. Elle était au courant de ce genre de chose.

— Et si l'un des Brody nous tire dessus et nous enterre dans la forêt ?

— Oh ! Relaxe Max ! Tout ira bien, assurait-elle bien que n'en étant pas sûre à cent pour cent.

En l'absence des Brody, lorsque son embarcation s'immobilisa sur le banc de sable comme autrefois,

Jenny n'éprouva pas la même sensation de fébrilité – et c'était tant mieux. Après tout, elle était venue ici en quête de paix. Elle mit pied à terre, tira le canoë sur la rive puis s'empara de son matériel. La paix, elle s'en approchait. Du moins pour ce soir.

Le tournoi de mah-jong chez la mère de Sue Ann n'avait pas été désagréable, mais pour l'heure, Jenny avait besoin d'observer les étoiles, les planètes, le cosmos, histoire de se rappeler que dans le grand tableau de l'univers, ses soucis n'étaient que des vétilles. Le ciel nocturne la transporterait dans un autre monde.

Elle s'était munie d'une torche électrique, mais n'en avait pas encore besoin. Toutefois, comme elle attaquait l'ascension dans les rochers, les feuillages des arbres se refermèrent sur elle. Des ronces s'accrochèrent à sa jupe et elle songea qu'elle aurait mieux fait de se changer, mais elle se dégagea et poursuivit son chemin. Puis, jetant un coup d'œil sur sa tenue, elle songea : « C'est vrai ! Je suis June Cleaver ! Mais June aurait eu le bon sens de mettre un jean pour une randonnée dans les bois. »

Certes, le mari de June ne l'avait jamais trompée sous prétexte qu'elle manquait d'audace au lit. Elles n'avaient donc pas tant de points communs que cela.

À cet instant, Jenny aperçut la cabane des Brody au loin, à peine visible tant la vigne montait à l'assaut de ses murs. Sombre, désolée, négligée et mystérieuse, elle semblait se fondre dans la nature tout en invitant Jenny à l'explorer, à aller jeter un coup d'œil par les fenêtres maintenant qu'elle n'était plus habitée. Les Brody y avaient-ils laissé des affaires ? Des indices sur leur véritable personnalité ? Elle avait entendu dire qu'il existait un petit cimetière derrière la bâtisse. Qui y reposait aujourd'hui et pourquoi ?

C'est alors... Qu'est-ce que c'était ? Une lumière ? Impossible. Elle hallucinait.

Les feuilles mortes craquant sous ses pieds, elle continua d'avancer, la tête toujours tournée vers la baraque, l'esprit en ébullition. Elle ne voyait plus la lumière, mais sans doute était-ce une question d'angle.

À moins qu'elle ne l'ait vraiment *imaginée*. Et si ce n'était que le reflet d'un ultime rayon de soleil ? Ridicule. Le soleil était déjà *couché*.

« N'y pense pas », s'intima-t-elle.

Toutefois, son cœur se mit à battre sourdement.

Et c'est à ce moment précis que son corps percuta... un autre corps.

Forcément. Ce ne pouvait pas être un arbre. Cette masse était trop chaude, trop large, trop... Aïe ! Aïe ! Aïe !

Un sentiment de panique la submergea comme elle levait les yeux. L'homme était grand, difficile à discerner dans la pénombre hormis son tee-shirt blanc. Elle recula d'un pas, s'efforça de respirer normalement. Qui diable... ?

— Vous êtes sur une propriété privée, déclara-t-il d'un ton brusque. J'ignore qui vous êtes, mais vous devez déguerpir.

Bonté divine ! Elle inspira si fort qu'elle craignit un instant de s'évanouir. L'inconnu qui se dressait devant elle mesurait au moins un mètre quatre-vingt-cinq, il émanait de lui une odeur de bois et de terre, et sa voix profonde l'enveloppait comme un liquide chaud. Comme... un vieux souvenir.

Elle aurait voulu s'éloigner davantage mais pour l'heure, elle avait appuyé la main à un tronc d'arbre et avait peur de perdre l'équilibre.

— Je... j'allais juste observer les étoiles, bafouilla-t-elle en lui montrant son sac. Au sommet de la colline.

De sa main libre, elle indiqua l'endroit.

— Je m'en contrefiche. Vous êtes sur un terrain privé.

Eh bien, elle qui pensait que son explication le calmerait. Encore qu'on pouvait se poser la question : quel intérêt avait-il à l'empêcher de traverser ce lopin de terre inhabitable ? Sauf que... elle avait peut-être bel et bien vu de la lumière. Ce type vivait-il dans la cabane ? Qui était-ce ?

— Je ne fais rien de mal, se défendit-elle. C'est juste que ce sommet est le meilleur endroit pour placer mon télescope.

Il inclina la tête de côté, baissa le menton. Jenny en profita pour examiner ses yeux, sa barbe de plusieurs jours. Bouche sensuelle, cheveux épais, torse musclé.

— Je crois que vous ne m'avez pas entendu. Allez-vous-en. Retournez d'où vous venez.

Elle déglutit mais soutint son regard, consciente des mouvements de sa poitrine alors qu'elle s'efforçait de se concentrer sur sa respiration.

— Je viens de traverser le lac en canoë. Je ne vous importunerai pas.

En temps normal, elle aurait tourné les talons et serait partie. Là, elle ne parvenait pas à s'y résoudre. Elle voulait... Flûte ! Elle voulait que tout se passe comme elle l'avait prévu, pour une fois.

— C'est sûr, répliqua-t-il, parce que vous allez remonter dans ce canoë et disparaître.

— Écoutez, protesta-t-elle, soudain furieuse, où est le problème ?

Peut-être était-ce stupide – non, *c'était* stupide –, mais elle en avait assez de faire ce qu'on lui demandait, assez de maîtriser si peu de choses.

Comme il plissait les yeux, elle se dit tout à coup qu'elle ne s'était pas trompée, que c'était bien celui qu'elle croyait. Ah ! Cette voix !

— Seriez-vous... Mick Brody ? hasarda-t-elle.

Sa stupéfaction suffit à convaincre Jenny qu'elle avait raison. Mais pourquoi était-il à ce point surpris qu'on l'identifie sur un terrain qui appartenait à sa famille ? Elle pensait que ce dernier avait été vendu, mais, apparemment, elle s'était trompée.

— Et vous, qui êtes-vous ? aboya-t-il.

— Nous... nous nous sommes rencontrés une fois, bredouilla-t-elle en indiquant le lac. Sur le ponton du chalet de mes parents. C'était il y a très longtemps.

« Vous m'avez proposé de faire un tour dans votre barque. Je suis presque sûre que vous vouliez dire dans votre lit. »

— Vous n'êtes pas... la fille Tolliver ?

— Si. Jenny. Mais vous ne connaissiez pas mon prénom. Vous m'avez appelée...

Tais-toi, espèce d'idiote !

— Minou, acheva-t-il à sa place, la voix soudain moins rude.

Le ventre de Jenny se contracta. Il n'avait pas oublié. Elle se réfugia dans un silence gêné, le souffle un peu court, son sac de plus en plus lourd au bout de son bras.

— Eh bien, Minou, il est temps de partir, décréta-t-il enfin.

À présent, c'était à son tour d'être étonnée. Elle avait cru qu'une fois rassuré quant à son identité, il la laisserait poursuivre son chemin.

— Sérieusement ? Ça vous ennuie à ce point que je grimpe en haut de ces rochers pour observer les étoiles avec mon télescope ?

— Sérieusement, répliqua-t-il sans l'ombre d'un sourire. Je sais que vous avez l'habitude d'obtenir tout ce que vous désirez, mais pas cette fois.

Jenny se raidit. Pour qui la prenait-il ? Il ne la connaissait pas du tout. Il ne savait rien d'elle. Tout ce qu'elle voulait, c'était se distraire de ses ennuis, savourer un moment de paix. Était-ce trop demander ? Une boule de colère lui monta à la gorge.

— Je constate que vous êtes aussi grossier qu'autrefois.

— Peu importe. Et maintenant, Minou, soyez une gentille petite fille et rentrez chez vous.

Sur ce, il la prit par les épaules et commença à la faire pivoter vers le lac.

La coupe était pleine. Sous aucun prétexte Jenny ne se laisserait malmener par un homme. Elle en avait par-dessus la tête de tous ces gens qui confondaient gentillesse avec faiblesse. Ras le bol d'être la douce, l'obéissante Jenny, de laisser les autres prendre des décisions à sa place – de Terrence, qui l'avait forcée à devenir enseignante plutôt qu'astronome, à son père, qui l'avait poussée à passer l'été au chalet. Et voilà que ce type, ce Mick Brody à la noix, l'empêchait d'aller là où elle le souhaitait ? La colère et le dégoût qui bouillonnaient en elle depuis des mois débordèrent d'un seul coup.

Elle résista, les pieds bien ancrés dans le sol. Lui faisant de nouveau face, elle cria :

— Bas les pattes et dégagez !

Elle n'en croyait pas ses oreilles, mais les mots étaient sortis tout seuls. Puis elle voulut le contourner.

Sauf que Mick Brody ne l'entendait pas de cette oreille. Avant qu'elle ait compris ce qu'il se passait, sa main se referma sur sa hanche, son bras se retrouvant plaqué en travers de sa poitrine. Sa force arrêta net sa progression.

— Écoutez-moi, ma belle, lui murmura-t-il à l'oreille d'une voix menaçante. Je vous conseille de ne pas me chercher, d'accord ? Regagnez votre rive tant que vous le pouvez encore.

Elle inspira profondément, leva les yeux – effrayée mais téméraire.

— Sinon ?

Leurs regards se verrouillèrent, si proches qu'elle se demanda comment elle en était arrivée là. Avec Mick Brody, en plus ! Mick Brody qui, à une époque, l'avait à la fois terrorisée et excitée alors qu'elle était beaucoup trop jeune et protégée pour comprendre des émotions aussi conflictuelles. Or elle se retrouvait aujourd'hui dans la même position – mais presque corps contre corps – et quelque chose en elle crépitait d'un désir aussi étrange que désespéré.

Mick ne répondit pas – à moins que sa réponse ne fût contenue dans le geste qui suivit. Il la plaqua, le dos contre un tronc d'arbre, et son regard passa de ses yeux à sa bouche. Jenny entendit vaguement son sac glisser de sa main et atterrir sur un tapis de lierre sauvage.

Elle ne comprenait plus rien.

À ce qui était en train de se passer.

À ce qu'elle voulait.

À ce que réclamait son corps.

C'était insensé. Irréel.

Lorsqu'il se laissa aller contre elle, capturant ses lèvres, elle se débattit. Non pas parce qu'elle ne voulait pas de son baiser, mais parce qu'elle savait que c'était mal. Elle ne pouvait pas avoir envie de *ça* avec *lui*. C'était virtuellement un inconnu. Pas un homme pour elle.

Aussi, tandis qu'il pressait les mains de part et d'autre de son visage, elle serra les poings de toutes ses forces et tenta de le repousser.

Son corps ne bougea pas, mais il mit un terme à son baiser. Il la dévisagea, les yeux vitreux de désir, le sexe durci et insistant au creux de ses cuisses.

— C'est bon ? Vous allez partir, à présent ?

— Non, murmura-t-elle, refusant toujours de céder.

C'était peut-être idiot, mais fléchir maintenant lui apparaissait comme un échec ultime. Or Jenny avait eu son lot d'échecs.

— En tout cas, vous ne grimperez pas là-haut, croyez-moi.

— Donnez-moi une bonne raison pour y renoncer, répliqua-t-elle, essayant de se dégager tout en sachant pertinemment qu'il l'en empêcherait.

Et malgré elle, quand il referma la main autour de son poignet, son ventre se contracta.

Une fois de plus, elle tenta de se libérer alors même qu'elle ne le pouvait pas – mais n'était-ce pas là le plus excitant ? Tant qu'elle s'efforcerait de lui résister, elle n'aurait rien à se reprocher, n'est-ce pas ? Tant qu'elle montrerait qu'elle n'était pas le genre de fille à céder aux avances d'un inconnu dans les bois sans résister.

Enfin sans résister *un peu*.

Car lorsqu'il la fit pirouetter sans relâcher son étreinte et qu'elle se retrouva le dos contre son torse, les fesses plaquées contre son érection, la respiration saccadée, elle n'eut plus la moindre envie de se rebeller. Elle était tellement bien ainsi. Trop bien. Elle s'abandonna, savourant cette sensation d'être captive, brûlante, prête.

Lui aussi haletait. Seul le froissement des feuilles mortes sous leurs pieds troublait le silence. Les oreilles de Jenny bourdonnaient, la forêt tout entière semblait pulser. Un filet de transpiration ruisselait entre ses seins.

Il glissa soudain la main sur son abdomen, doigts écartés. Tous les nerfs de Jenny répondirent avec un plaisir horrifié. Il remonta lentement, en la frôlant à peine, jusqu'à son sein sur lequel il referma la main. Elle poussa un petit cri étouffé. Serra instinctivement les cuisses. Et pensa : « Il te suffit de dire non. »

Elle eut l'impression qu'il n'attendait que cela, une protestation, un refus. Mais loin d'objecter, elle se mordit la lèvre inférieure et savoura cette énergie puissante d'un inconnu explorant ses courbes.

Et tandis qu'il commençait à lui pétrir le sein, elle laissa échapper des soupirs de satisfaction. Appuyant la tête contre son torse, elle aperçut la lune entre les branches touffues. Elle garda les yeux fixés sur cette planète qui lui était si familière. Elle l'avait étudiée sous cent angles différents, cent grossissements, pleine, demie, montante, descendante, sous éclipse partielle et totale. Pour l'heure, elle lui semblait presque palpable. Dommage que sa proximité ne soit qu'une illusion.

Quand Mick Brody relâcha son sein et insinua les doigts dans l'encolure de son chemisier pour en écarter brutalement les pans, elle émit un petit cri. Mais elle ne s'y opposa pas, même lorsque l'air tiède du soir chatouilla sa peau dénudée, même lorsqu'il entreprit de prospecter le devant de son soutien-gorge blanc comme s'il savait d'avance où se trouvait l'agrafe.

Les bonnets s'écartèrent, exposant sa poitrine à la nuit. Elle baissa les yeux, sidérée par son incapacité à se rebiffer. *Je voulais juste observer les étoiles. Je voulais juste éprouver autre chose qu'un sentiment de désillusion et d'échec*. Bravo. Pari gagné !

Comment est-ce possible ? Je rêve. Qu'est-ce qui me prend ?

Finalement, Mick lui libéra le poignet, lui octroyant une dernière chance de tout arrêter. Mais elle n'en fit rien. Elle se contenta de rester là, à s'imbiber de la chaleur de son corps par une nuit déjà torride. Sans bouger. Elle s'entendit geindre sous l'embrasement d'un plaisir interdit. Dieu, que c'était bon ! D'être touchée. Désirée. Pour la première fois depuis des *années* elle se sentait réellement féminine, attrayante.

Il moula ses seins avec ses paumes, et elle soupira, chavirée par le membre durci collé à son postérieur qui incendiait chaque centimètre de son corps. Elle gémit, s'affala contre lui comme si elle le connaissait.

Quand il la fit tourner pour lui plaquer le dos contre l'arbre, la situation devint plus compliquée, plus étrange. Parce qu'elle le voyait la regarder, et que c'était réel. Ses seins étaient nus et la lumière était encore suffisante pour qu'il voie ses mamelons aux pointes dressées se détachant sur sa peau pâle.

Leurs regards se heurtèrent. De toute évidence, Mick Brody était aussi perplexe qu'elle. Et inquiet. Pourquoi ? Qu'avait-il à perdre ?

Ah, ces yeux ! Plus elle les fixait, plus elle était envoûtée. En un éclair, elle se revit sur le ponton, quinze ans plus tôt – Mick Brody n'avait pas changé.

Il se pencha pour happer la pointe d'un sein entre ses lèvres ; ce qu'elle ressentit fut si intense qu'elle émit un son étranglé. Mick n'était pas un homme doux – elle s'en était doutée. Il la suçait avec vigueur, envoyant des éclairs de plaisir intense à travers tout son corps malgré l'écorce qui lui mordait le dos et ses genoux qui menaçaient de se dérober sous elle.

Elle gémit voluptueusement tandis qu'il s'attaquait avec la même voracité à son autre sein.

« Que fais-tu ? À quoi joues-tu ? Arrête ça tout de suite », s'ordonna-t-elle.

Impossible. Tout simplement impossible. À son immense surprise, il lui semblait que face à Mick Brody, elle s'était révélée bien plus solide à l'âge de seize ans.

À moins que… Adolescente, elle avait pris la fuite. Ce soir, il avait essayé de la chasser, mais elle n'avait pas cédé. Ce soir, elle s'affirmait – plus ou moins. Si tant est que s'affirmer rimait avec se laisser séduire.

Il se laissa tomber à genoux, l'entraînant dans sa chute. Ce fut si rapide qu'elle s'effondra sur lui, jupe remontée jusqu'à mi-cuisses, chemisier et soutien-gorge ouverts. Jamais elle ne s'était sentie aussi audacieuse ni étrangère à son propre corps.

Il s'adossa contre l'arbre de l'autre côté du sentier, celui auquel elle s'était rattrapée quand elle l'avait heurté de plein fouet. L'agrippant par les hanches, il la positionna à califourchon sur ses jambes, puis resserra son étreinte, la pressant contre le renflement sous sa braguette. Elle ferma les yeux comme si cela pouvait atténuer son excitation. Les mains de Mick s'immiscèrent sous sa jupe, sur ses fesses, palpant, pétrissant, malaxant, l'encourageant à se mouvoir sur lui.

Elle aspira une grande bouffée d'air alors que de nouvelles flèches de désir la transperçaient. L'envie de se frotter contre lui devenait presque insupportable.

Jusqu'ici, c'était lui qui avait pris toutes les initiatives, lui qui l'avait enlacée, caressée, stimulée. À présent, c'était à elle de jouer.

Comprenant très vite qu'elle n'aurait pas la force de revenir en arrière, elle succomba à l'irrépressible besoin d'onduler contre lui, sexe contre sexe, à travers l'étoffe de leurs vêtements.

Pour la première fois, Mick laissa échapper un gémissement rauque. Ses grondements, aussi grisants que ses mains qui la caressaient, la guidèrent jusqu'à ce qu'elle perde pied, oublie où elle était et ce qu'elle faisait.

Pourtant, curieusement, ce ne fut qu'à l'instant où il glissa la main entre eux pour déboutonner sa braguette qu'elle se rendit compte – bonté divine ! – qu'ils iraient jusqu'au bout. Ils n'étaient pas deux lycéens sur la banquette arrière d'une voiture qui se pelotaient et s'enflammaient, mais finiraient par se calmer.

Elle s'immobilisa tandis qu'il écartait les pans de son jean et baissait son caleçon. Au point où ils en étaient, il pensait probablement qu'elle était prête, qu'elle attendait. Et peut-être avait-il raison, peut-être qu'elle avait simplement du mal à accepter la réalité de la situation. Après tout, elle avait du mal à respirer et son corps entier pulsait de désir.

Toutefois, lorsqu'elle baissa les yeux et découvrit son érection, énorme, rigide, elle se figea. Elle n'avait fait l'amour qu'avec un seul homme et elle le détestait de lui avoir fait douter d'elle. Mais de là à avoir une relation sexuelle avec un inconnu, sur le sol, en pleine forêt…

Je ne peux pas. J'en ai envie mais je ne peux pas.

Avec Mick Brody, la peur et l'excitation semblaient toujours intimement mêlées.

Dis-lui que tu es désolée, que tu as commis une erreur. Tu n'es pas ce genre de femme. Peut-être aura-t-il la délicatesse de te laisser partir maintenant.

Certes, jusqu'ici, Mick Brody ne lui avait jamais fait l'effet d'un type « délicat ». Mais elle savait qu'elle ne pouvait pas continuer. C'était mal. Insensé.

« Je ne peux pas », se répéta-t-elle en silence.

Elle s'apprêtait à lui annoncer la mauvaise nouvelle quand Mick Brody souleva son postérieur d'une main, écarta l'élastique de sa culotte de l'autre et la positionna sur son sexe érigé.

La sensation était telle qu'elle retint son souffle.

C'est maintenant ou jamais. Dis-le.

Elle demeura muette.

Il la fit coulisser sur son érection.

Le rideau tomba sur sa vie de fille sage.

2

Mais ceux qui ont le courage d'explorer les méandres et la structure du cosmos en pénétreront les mystères les plus profonds, même s'il diffère profondément de leurs vœux et de leurs préjugés.

CARL SAGAN

Le plaisir fut aussi fulgurant que grandiose. Presque douloureux parce que Mick était imposant, et qu'elle n'avait pas fait l'amour depuis longtemps. Un cri lui échappa – mais c'était si étonnamment bon !

Il était en elle – profondément –, inutile, donc, de protester désormais.

Elle aurait voulu éprouver de la colère contre lui, pouvoir l'accuser de l'avoir contrainte, mais elle était tellement bien ! De surcroît, elle avait eu plus d'une occasion de lui dire non et n'avait pas soufflé mot. Le comble, c'était qu'elle était *sur* lui !

Alors qu'il laissait échapper un gémissement, elle songea qu'elle s'offrait enfin le « tour » qu'il lui avait proposé tant d'années auparavant. Cette scène, elle l'avait vaguement fantasmée à l'époque, s'imaginant à califourchon sur lui. À cette pensée, elle se mit à bouger comme elle l'avait fait dans ses visions illicites, à le prendre plus profondément en elle.

Il commença à se mouvoir à son tour, s'enfonçant en elle à coups de reins si puissants qu'elle en était presque aveuglée de plaisir et qu'elle enfonça les ongles dans ses épaules pour ne pas crier.

Elle avait envie de l'embrasser, mais y renonça car s'il lui avait donné un baiser un peu plus tôt, cela... n'avait rien eu de romantique. Il ne s'agissait que de désir, de faim primitive. De sexe pur. Dans les bois. Avec Mick Brody.

Elle accéléra le mouvement, sentit ses mains sur ses fesses. Paupières closes, elle huma les parfums de feuilles mortes et de terre humide. Mais elle rouvrit presque aussitôt les yeux tant l'instant lui paraissait irréel, un envol vers l'extase. Tout en chevauchant follement Mick, elle rencontra son regard et il lui chuchota :

— Jouis, Minou.

Et c'est ce qu'elle fit.

L'orgasme fut intense, aussi rude que le paysage alentour. Des cris étranglés lui montèrent à la gorge tandis qu'elle s'efforçait d'absorber toutes les sensations qui fusaient en elle. Elle noua les bras autour du cou de Mick, se mordit la lèvre pour retenir les sanglots qui menaçaient.

Quand les vagues de la jouissance s'atténuèrent enfin, son esprit se mit à bouillonner. Que faire à présent ? Elle n'en avait pas la moindre idée.

Elle n'eut pas à y réfléchir longtemps car Mick était prêt à reprendre les rênes. Sans un mot, il la fit rouler sur un tapis de mousse. L'instant d'après, il la pilonnait avec ardeur.

Il la fixait, le regard voilé, les dents serrées. Elle essayait de ne pas crier, mais bientôt, des gémissements lui échappèrent malgré elle.

La nuit était complètement tombée, les enveloppant telle une couverture. Un criquet solitaire se mit à striduler dans un arbre. Elle s'abandonnait complètement, concentrée uniquement sur ses sens et les sensations qui déferlaient en elle.

— Et merde, chuchota-t-il, et elle sut qu'il allait jouir à son tour.

Elle était incroyablement heureuse à l'idée que c'était à *elle* qu'il devait son plaisir.

Lorsqu'il s'écarta et bascula sur le côté, elle éprouva une sensation de vide indescriptible. Elle s'empressa de s'asseoir, anxieuse de se comporter comme une femme habituée aux aventures sans lendemain.

— Ça va ?

Qu'il lui pose cette question l'étonna.

— Très bien, oui.

— Je... euh... je n'avais pas l'intention que ça se passe ainsi, bredouilla-t-il.

— Des regrets ? s'enquit-elle, ne sachant trop comment prendre cette remarque.

— Certainement pas. C'est juste que je... je n'ai pas l'habitude de crier sur une femme puis de... faire *ça* ensuite.

Elle sentit qu'il se tournait vers elle.

— Vous en aviez envie, n'est-ce pas ? Je ne vous ai pas, euh... ?

Elle lâcha un soupir, avala nerveusement sa salive.

— Je n'ai pas dit non, admit-elle.

Au temps pour la fille moderne et branchée. À ses propres oreilles, elle venait de trahir ce qu'elle était vraiment : une femme qui n'avait jamais fait une chose pareille de sa vie et en serait sans doute irrémédiablement meurtrie. Plus tard, elle s'en voudrait. Elle n'avait jamais vécu d'aventures sans lendemain et les conséquences psychologiques ne manqueraient pas de se faire douloureusement sentir.

— Bon, parfait, répondit-il.

Jenny eut l'impression qu'il était moins à l'aise que ses paroles ne le laissaient entendre. Il se leva et lui tendit la main pour l'aider à se relever.

Elle se mit debout, un peu étourdie, les cuisses collantes. Se détournant, elle glissa la main sous sa jupe pour remettre son slip en place.

— Il ne faut dire à personne que vous m'avez vu ici, déclara-t-il d'un ton bourru.

Elle tressaillit. Question câlins après le sexe, il y avait mieux.

— Pourquoi ?

— Parce que.

— Vous me donnez des ordres ? Devinez quoi ? Vous n'êtes pas mon père.

Il pivota vivement vers elle, le regard luisant dans la pénombre.

— Ne vous inquiétez pas, Minou, après ce que nous venons de faire, ça me semble évident.

Elle prit une brève inspiration, les joues en feu.

— Je suis sérieux, reprit-il. Vous ne devez dire à *personne* que vous m'avez vu ici. Compris ?

— Mais oui, marmonna-t-elle en levant les yeux au ciel.

— Je ne suis pas convaincu.

— Très bien, aboya-t-elle. Je ne dirai à personne que je vous ai vu. Content ?

— Il ne faudra pas non plus revenir ici.

Elle laissa échapper un petit cri stupéfait.

— C'est quoi votre problème, à la fin ? Tout ce que je voulais, c'était observer les étoiles, pas voler des secrets d'État !

— Je m'en moque. Je veux juste que vous compreniez que c'est une propriété privée.

— En somme, je peux rester sur votre propriété privée suffisamment longtemps pour que vous me sautiez, mais pas assez longtemps pour observer les étoiles ?

— Ce n'est pas ça.

— Alors c'est quoi ?

— Ça n'a rien à voir avec moi, ni avec vous. Et ça ne vous regarde pas. Vous auriez tout intérêt à oublier cette soirée.

— C'est votre meilleur conseil jusqu'ici, commenta-t-elle, sarcastique.

— Parfait, rétorqua-t-il, avec conviction cette fois.

Jenny demeura immobile, puis se rendit rapidement compte qu'elle n'avait plus rien à dire. Le sentiment de vide qu'elle avait appréhendé la submergeait plus vite que prévu.

Sans un mot, elle pivota et s'éloigna entre les arbres en direction de la pente qui menait à la berge où se trouvait le canoë.

— Hé ! appela-t-il dans son dos. Vous... euh... Vous voulez que je vous raccompagne jusqu'au lac ?

— Allez au diable !

Il ne répondit pas et elle se rendit compte que, comme lors de leur toute première rencontre, elle le fuyait. Et qu'au bout du compte, elle n'avait pas eu ce qu'elle voulait – elle n'avait pas pu observer les étoiles. C'était encore lui qui avait gagné.

Allez au diable !

— C'est probablement le sort qui m'attend, grommela Mick tandis que le bruit des pas de Jenny s'estompait.

Il demeura immobile, aux aguets. Autour de lui régnait un calme parfait, divin.

Mais... *merde*.

Merde, merde, merde, merde, merde.

Qu'avait-il fait ? Quelle mouche l'avait piqué ?

À une époque de sa vie où il ne fallait surtout pas qu'on le retrouve, où il se devait d'être aussi transparent que possible... *il avait sauté la fille du chef de police !* Qu'est-ce qui lui avait pris ?

Il le savait. Elle était toujours aussi jolie mais elle était devenue adulte, ce qui était encore mieux. Et il y avait toujours quelque chose entre eux, ce quelque chose d'impalpable qu'il avait ressenti la toute première fois, cette espèce d'alchimie qui attirait un garçon et une fille l'un vers l'autre qu'ils le veuillent ou non.

La bêtise, c'était d'y avoir cédé.

Il avait vraiment couché avec elle ! Avec Jenny Tolliver.

Par le passé, il connaissait son prénom, et s'en souvenait quinze ans après. Pourquoi s'était-il comporté les deux fois comme s'il l'ignorait ? Sans doute pour ne pas se dévoiler. Pour ne pas avoir à avouer qu'il l'avait vue, lorsqu'ils étaient adolescents, encourager les joueurs de l'équipe de basket en jupette blanc et rouge. *Allez les Bulldogs ! Wouf ! Wouf ! Wouf !* Qu'il l'avait contemplée de dos alors qu'elle traînait au *Whippy Dip* avec des garçons beaucoup plus soignés que lui et qui tentaient probablement encore de se la faire par les chaudes soirées d'été.

Il cligna des yeux, encore sous le choc de ce qui venait de se passer. La fille du chef de police, au cœur de ses fantasmes de jeunesse et dont il était certain qu'elle ne se retournerait pas sur lui, venait de s'envoyer en l'air avec lui dans les bois.

Partagé entre l'émerveillement et l'horreur, il se laissa tomber à genoux, paupières closes, et se ratissa les cheveux.

Elle ne pouvait pas comprendre l'énormité de l'enjeu, ni en quoi il venait peut-être de commettre la plus grosse erreur de son existence – et il en avait déjà toute une liste à son actif. Elle allait forcément raconter à quelqu'un qu'elle avait vu Mick Brody. À son père. Mick poussa un grognement de désespoir.

D'un autre côté, peut-être préférerait-elle se taire. Parler reviendrait à admettre qu'elle avait baisé avec Mick Brody alors qu'ils avaient à peine échangé deux mots. Comment était-ce arrivé ? Pourquoi avait-elle cédé ? Il ne le saurait jamais.

Il n'avait pas pris consciemment la décision de l'embrasser, de la caresser. Il avait agi instinctivement.

Il ne l'avait pas reconnue d'emblée, mais une fois qu'il l'avait identifiée, quelque chose chez elle avait réveillé l'animal en lui. À certains moments, il avait eu la certitude qu'elle l'arrêterait, le repousserait. À d'autres, il avait été convaincu du contraire. N'empêche qu'il avait du mal à croire qu'elle s'était laissé faire.

En admettant qu'elle n'en discute pas avec son père, elle se confierait à quelqu'un. La rumeur se répandrait. Son père l'apprendrait. Et tous les efforts de Mick partiraient en fumée. Peut-être même irait-il en prison – il aurait pu y penser avant, mais bon…

« Je n'aurais jamais dû venir, s'avoua-t-il. Je devrais être chez moi à Cincinnati en train de boire une bière chez *Skully* ou de regarder la télé avant de me coucher. »

Mais il était un peu tard pour les regrets.

Le mieux serait de regagner la cabane. Il n'en était sorti que pour s'offrir une courte balade, prendre l'air, s'éclaircir les idées. Puis il avait aperçu une personne sur la propriété et son corps s'était mis en alerte rouge. Il avait franchi la distance qui les séparait sans réfléchir aux conséquences. Il devait à tout prix la chasser. En vérité, sa réaction n'avait rien eu d'exagéré. Il ne pouvait se permettre de laisser une jeune femme grimper sur les rochers avec un télescope qu'elle pouvait aussi bien pointer sur une de ses fenêtres que sur le ciel.

Il en était là de ses réflexions lorsqu'il aperçut le gros sac en plastique transparent qui gisait encore au pied de l'arbre. Elle était tellement furieuse contre lui quand elle était partie qu'elle l'avait oublié.

Une idée lui traversa l'esprit.

Dans la mesure où il pouvait difficilement compter sur la discrétion de Jenny Tolliver… pourquoi ne pas lui rendre visite, histoire de lui rappeler qu'il ne plaisantait pas ?

D'ici là, peut-être dormirait-il encore plus mal que d'habitude dans cette baraque étouffante à cause des nouveaux problèmes qui lui tombaient dessus.

Ou, à l'inverse, peut-être dormirait-il nettement mieux en savourant le souvenir de leurs ébats.

Un tambourinement réveilla Jenny le lendemain matin. Peu à peu, elle se rendit compte que l'on frappait à sa porte. Elle avait prévu de déjeuner avec Sue Ann. Était-il déjà si tard que cela ? S'arrachant du lit, elle sentit une douleur entre les cuisses et poussa un cri.

Oh, mon Dieu ! J'ai couché avec Mick Brody dans les bois hier soir. Mick Brody !

Elle faillit tomber en dévalant l'étroit escalier, sa chemise de nuit blanche flottant autour d'elle, le cheveu en bataille.

— Ça va ! Ça va ! vitupéra-t-elle en ouvrant.

Sue Ann, fraîche et ravissante en robe bain de soleil jaune poussin, battit des paupières.

— Pourquoi ressembles-tu à l'épouse folle dans le grenier de *Jane Eyre* ?

— Bonjour à toi aussi.

Sue Ann tapota sa montre.

— Euh, désolée, ma chérie, mais il est presque midi... Qu'est-ce qui se passe ? Tu es malade ou quoi ?

— J'aimerais bien.

— Tu *aimerais* être malade ? répéta Sue Ann, les sourcils froncés, en entrant.

— Ce serait un moindre mal.

Sue Ann prit place sur le canapé vieux de trente ans, pourvu d'un napperon de dentelle sur le dossier et d'un plaid crocheté sur l'accoudoir.

— Je t'écoute.

Jenny se mit à arpenter le parquet en évitant le regard de son amie. Elles se connaissaient depuis toujours – depuis le CP – et se racontaient absolument tout. Mais là... c'était tellement énorme

— Alors ? insista Sue Ann.

— Eh bien... il semblerait que... enfin... hier soir, j'ai traversé le lac pour observer les étoiles.

Sue Ann eut un sourire mélancolique.

— Comme autrefois, quand on était au lycée, dit-elle. Et où est le problème ? Selon toute apparence, tu n'as pas chaviré, tu ne t'es pas noyée, et comme il ne reste plus aucun Brody pour te tirer dessus, de quoi te plains-tu ?

— Justement, répondit Jenny en s'immobilisant le temps d'accrocher le regard de Sue Ann. Des Brody, il en reste.

L'exclamation de Sue Ann résonna dans toute la maison :

— *Quoi ?*

Jenny reprit ses allées et venues.

— Je marchais dans les bois et j'ai percuté Mick Brody. Il m'a dit que j'étais sur une propriété privée, m'a demandé de partir, et ensuite, j'ai couché avec lui, débita-t-elle d'une traite.

Jenny s'attendait à un nouveau cri de surprise, mais Sue Ann la dévisagea comme si elle venait de lui demander de résoudre un problème de maths particulièrement difficile.

— Attends une seconde. Stop. À t'entendre, on croirait que tu as eu une *relation sexuelle* avec *Mick Brody*.

— C'est exactement ça.

— Que-que-que… pourquoi… comment ? Eh merde ! Je ne sais même pas quelle question j'ai envie de te poser.

Jenny la rejoignit sur le canapé.

— Moi, si. Tu te demandes ce qui m'a pris. Comment cela a pu arriver. En toute franchise, moi aussi. Un instant il m'envoyait paître et je refusais de lui obéir, l'instant d'après il était… enfin euh… en moi.

Sue Ann se mordit la lèvre inférieure, l'air soudain fasciné.

— C'était comment ?

Un frisson parcourut Jenny.

— Fabuleux, incroyable. Jamais je n'ai vécu un truc pareil. Ce qui ne signifie pas grand-chose dans la mesure où je n'ai que Terrence comme point de comparaison et que lui me trouvait trop sage au lit.

— Le salopard.

— Il n'empêche que c'était… phénoménal.

— Oserai-je te faire remarquer que tu n'es pas du genre à céder aux avances d'un type que... que nous connaissons à peine et qui nous a toujours fichu une peur bleue ? D'ailleurs, que fait-il en ville ?

Jenny se frappa le front.

— Mince ! J'avais oublié. Je n'étais pas censée en parler à qui que ce soit. Il a beaucoup insisté là-dessus. Surtout ne le dis à personne, ajouta-t-elle en secouant la tête pour renforcer sa requête.

— Pas même à Jeff ?

Le mari de Sue Ann.

— Pas même à Jeff. Désolée. Ça m'ennuie pour toi, mais c'est ainsi. Si je me suis confiée, c'est uniquement parce que j'avais besoin d'en parler à quelqu'un... et que j'avais oublié que je n'étais pas supposée le faire. Mais ça reste un secret. Je ne plaisante pas. Brody pourrait encore me tirer dessus.

— Ou te transmettre une maladie. Ou te mettre enceinte... Je t'en prie, dis-moi qu'il a mis un préservatif.

Jenny ferma brièvement les yeux et lâcha un soupir las.

— Il y a des moments dans la vie où ce n'est pas aussi simple qu'on nous le fait croire en cours d'éducation sexuelle. On était dans les *bois*. Par terre.

— Ce n'est pas une excuse ! explosa Sue Ann, livide.

— J'ai commencé à prendre la pilule il y a quelques mois pour réguler mes menstruations. Quand je me suis rendu compte que je n'avais aucune envie de faire un bébé avec Terrence. De ce côté-là, au moins, je suis tranquille.

— Parfait. Et qu'en est-il des MST ?

— Je... consulterai un gynéco. Une fois de plus. Comme je l'ai fait après avoir découvert l'existence de la pouffiasse.

— Deux tests de dépistage du VIH en trois mois. Toi ! Qui l'eût cru ?

— Qui, en effet, riposta Jenny avec flegme.

Sue Anne inspira profondément, expira.

— Je suis complètement sidérée, avoua-t-elle.
— Et moi donc, dit Jenny.
— En tout cas, c'est un bon moyen de chasser le salopard et la pétasse de ton esprit.
— Tu as raison.
La vérité, c'était qu'elle n'avait pensé ni à l'un ni à l'autre depuis qu'elle s'était aventurée sur la rive sud du lac, la veille. Ce fut à son tour de pousser un cri.
— Quoi ? Quoi ?
— Mon télescope ! J'ai laissé mon télescope là-bas !
Sue Ann ferma les yeux.
— Quelle poisse !
Un cauchemar, oui. De plus en plus glauque.
— Je n'en reviens pas, articula Jenny.
— Moi non plus. Ce truc t'a coûté deux mille dollars ! Comment as-tu... Non, laisse tomber, je sais. Tu l'as oublié parce que tu étais trop occupée à t'envoyer en l'air avec *Mick Brody* ! Oh, mon Dieu, pince-moi !
— Et aussi parce que nous nous sommes de nouveau querellés avant mon départ.
— Une dispute *avant*, une dispute *après*. Charmante soirée.
Jenny eut une petite moue.
— Je n'ai jamais dit que j'étais fière de mes actes. Cela mis à part, nous devons y retourner pour récupérer mon télescope.
Elle se leva d'un bond, sur des charbons ardents.
— Nous ? répéta Sue Ann.
— Oui. Et sur-le-champ.
— Et notre déjeuner ? J'ai mis une robe neuve, geignit Sue Ann en indiquant ladite robe.
— Elle est très jolie, assura Jenny. Mais je tiens énormément à mon télescope, comme tu le sais. J'ai économisé durant des mois pour me l'offrir. En outre, tous mes tableaux, toutes mes notes sont dans le sac. Allons-y sans attendre, que je puisse tourner la page sur cet incident et reprendre le cours de ma vie.

— Tu peux me prêter un jean ? s'enquit Sue Ann avec un soupir.

— Bien vu. Si je me fie à mon expérience d'hier soir, une jupe dans les bois, ce n'est pas une bonne idée... Pas seulement parce que c'est plus facile à soulever, mais parce que les ronces s'y accrochent.

— Tu me promets de me raconter tous les détails croustillants en chemin ?

— D'accord, d'accord, souffla Jenny en levant les yeux au ciel.

— On pourra aller déjeuner ensuite ? En admettant qu'on s'en sorte vivantes, bien sûr.

— Encore mieux : je t'invite.

— Marché conclu.

3

Deux choses sont infinies : l'Univers et la bêtise humaine. Mais en ce qui concerne l'Univers, je n'en ai pas encore acquis la certitude absolue.

ALBERT EINSTEIN

Pour la première fois de sa vie, Jenny compatit avec les criminels que son père avait arrêtés au fil des ans parce qu'ils avaient été assez bêtes pour revenir sur la scène de leur crime. Quelle étrange sensation de se retrouver là, dans ces bois envahis par la végétation. Bizarre, aussi, de revoir cet endroit à la lumière du jour. Elle jeta un coup d'œil vers la cabane, au loin.

— Baisse la tête, déplace-toi vite et sans bruit, recommanda-t-elle à Sue Ann.

— À t'entendre, on se croirait en zone de guerre.

— Non, juste en zone interdite, mais je ne tiens pas à me faire pincer. Mick Brody a beaucoup insisté sur le fait qu'il s'agissait d'une propriété privée.

En atteignant le lieu du « délit », l'incident lui parut encore plus surréaliste que la veille. Elle se rappela la sensation de l'écorce dans son dos et celle, bien plus agréable, des mains de Mick sur elle, ses seins, ses fesses. Elle s'arrêta et poussa une expiration tandis qu'un flot de chaleur l'envahissait.

Sue Ann s'immobilisa près d'elle.

— Tu es toute rouge.

Jenny s'éventa le visage.

— On crève de chaud.

— Pas tant que ça, répliqua Sue Ann d'un ton neutre. Je dirais même qu'il fait beaucoup plus frais sous ces arbres qu'au milieu du lac.

Jenny pivota vivement vers son amie, affolée.

— Et si quelqu'un nous avait vues à bord du canoë et en parlait à mon père ?

Cette idée ne lui avait pas traversé l'esprit jusque-là, tant elle avait été pressée de récupérer son télescope et accaparée par les questions de Sue Ann à propos de ses ébats avec Mick.

— Détends-toi, Jenny. Nous ne sommes plus des gamines. Nous avons le droit de traverser le lac sans demander la permission.

— Tu as raison. Je suis tellement nerveuse que je vois tout en noir.

— On n'aura qu'à raconter qu'on a fait un tour en canoë en souvenir du bon vieux temps.

— Bonne idée, approuva Jenny. En souvenir du bon vieux temps.

C'était nettement plus plausible que d'expliquer qu'elles étaient en mission pour récupérer un bien précieux perdu dans la forêt alors qu'elle s'envoyait en l'air avec un type effrayant que personne n'avait vu depuis plus de dix ans.

— Bon, reprit Sue Ann. Vu l'état du sol, j'en déduis que c'est ici que vous avez fauté. Où est le télescope ?

Jenny scruta les alentours, contourna l'énorme tronc de l'arbre près duquel elle était presque certaine d'avoir abandonné son sac. En vain. Mince !

Il était forcément là, quelque part.

Elle se tourna vers Sue Ann sans prendre la peine de dissimuler sa détresse.

— Il est tombé là quand Mick a commencé à m'embrasser.

Le visage de Sue Ann s'éclaira.

— Il y a eu échange de baisers ? Tu ne m'en as rien dit. S'embrasser, c'est plutôt… romantique, non ?

— Ça n'a pas duré longtemps. C'est juste ce qui a déclenché la suite.

Sue Ann soupira, visiblement déçue.

— Tu es certaine de ne pas te tromper d'endroit ?

— Oui. Il m'a plaquée contre ce gros arbre.

— Waouh !

— Comme tu dis… Et c'est là qu'on a atterri, poursuivit-elle en indiquant les feuilles piétinées. J'étais là…

— Sur lui, compléta Sue Ann.

Jenny déglutit.

— Oui. Comment ai-je pu… ?

— Si je me fie à ce que tu m'as raconté, tu as été emportée par une sorte de force naturelle irrésistible, expliqua Sue Ann, comme si cela excusait tout, et comme si elles avaient régulièrement ce genre de conversation. Tu penses que ton don Juan a emporté ton télescope ? enchaîna-t-elle.

Au secours ! Le cauchemar empirait de minute en minute.

— Sans doute… Et maintenant, qu'est-ce que je vais faire ?

— Eh bien, tu pourrais te rendre à la cabane et lui poser la question.

Jenny écarquilla les yeux.

— Tu es folle ? Il m'a formellement interdit de remettre les pieds ici. Il cache un secret, rappelle-toi.

— Tu ne meurs pas d'envie de savoir lequel ?

— Je suis curieuse, certes. Bon, d'accord, plus que curieuse – ça m'inquiète. Mais comme je te l'ai dit tout à l'heure, il pourrait encore me tirer dessus. Pas la peine de l'énerver davantage. D'autant que…

Elle s'interrompit, poussa un petit cri.

— Il faut qu'on déguerpisse !

— Pourquoi ? Je veux dire, pourquoi maintenant et pas il y a trente secondes ?

— Parce qu'il m'a fait promettre de ne révéler sa présence à personne. S'il te voit, il comprendra que j'ai enfreint ma parole. Ce qui nous mettra dans un sacré pétrin, et Dieu seul sait comment il réagira.

Décidément, elle avait perdu la tête. Jamais elle n'aurait dû emmener Sue Ann avec elle.

— J'ai une impression de déjà-vu, avoua Sue Ann. Comme au temps du lycée.

— Sauf que c'est pire. À l'époque, nous *supposions* qu'ils ne voulaient pas de nous ici. À présent, nous en avons la certitude. Allons-nous-en. *Immédiatement.*

— Et ton télescope ?

Jenny secoua la tête.

— Je verrai ça plus tard.

Cinq minutes après, elles repoussaient le canoë du rivage et grimpaient à bord. Jenny était furieuse contre elle-même. Elle aurait dû être capable d'aller frapper à la porte de Mick Brody et de lui demander s'il avait récupéré son sac. Au conditionnel. Le fait est que, en dépit de son attitude plutôt attentionnée juste après leurs ébats, elle ignorait à quel point Mick Brody était dangereux.

— Tu devrais peut-être aller trouver ton père, suggéra Sue Ann, qui se posait apparemment la même question qu'elle.

— Pour lui dire quoi ? Que j'ai perdu mon télescope en baisant avec Mick Brody dans les bois ?

Après un instant de réflexion, son amie répondit :

— Tu pourrais omettre la partie de jambes en l'air. Lui expliquer que tu étais là-bas pour observer les étoiles, que tu as croisé Mick, que vous vous êtes disputés, qu'il t'a chassée et que tu es repartie sans tes affaires.

— Si mon père se rend à la cabane pour l'interroger, l'épisode sexe risque de remonter à la surface. Quant à

Mick, même s'il finit par rendre mon télescope à mon père, il n'hésitera pas à débouler chez moi ensuite pour me tuer.

— Mouais, marmonna Sue Ann en hochant la tête. Tu n'as pas tort.

— En outre...

— Quoi ?

— Je... J'ai couché avec ce type.

— Oui, ça, on le sait.

— Ça n'avait rien de tendre, je le reconnais, mais... mais...

— Mais ?

— Il... il se souciait de mon plaisir. Du moins jusqu'à un certain point. Il voulait que j'atteigne l'orgasme.

— Oh, mon Dieu ! Et... ?

— Et... *le pied* !

— Ah ! C'était si bon que ça ?

— Intense, répéta Jenny – ce devait être au moins la dixième fois qu'elle employait ce terme pour décrire son interlude avec Mick Brody. Bref, je me sens un peu... bof ! maintenant, parce que je n'avais encore jamais couché avec un homme en sachant que je ne le reverrais probablement plus jamais. Pourtant, en même temps, il m'a donné le sentiment d'être... désirée. Ce qui me console après le fiasco avec Terrence. Parce que...

Les mots moururent sur ses lèvres et une boule se forma dans sa gorge. Comme autrefois, Sue Ann était assise en face d'elle bien que cela l'obligeât à pagayer à l'envers. Elle demeura silencieuse, à l'écoute.

— Le truc, balbutia Jenny en ravalant ses larmes, c'est qu'après avoir découvert l'infidélité de Terrence et appris pourquoi il m'avait trompée, j'ai perdu toute confiance en moi. Franchement, Sue Ann, cette fille n'a que *vingt et un* ans !

— Pouffiasse, lança Sue Ann qui n'en ratait pas une.

— J'ai eu l'impression que je n'étais plus dans la fleur de l'âge – de ne l'avoir jamais été. À trente et un ans, je ne suis pas vieille, et la trentaine d'aujourd'hui équivaut à la vingtaine d'antan, mais comparée à Kelsey, je me suis trouvée ennuyeuse, moche, une vieille chaussette qu'il avait jetée au panier. Ça m'a rongée jusqu'à… jusqu'à hier soir.

« Du coup… j'espère sincèrement que Mick Brody n'a pas volé mon télescope et qu'il n'a rien de terrible à se reprocher. En même temps, je n'ai pas envie de lui causer des ennuis parce que, grâce à lui, je me suis de nouveau sentie attirante. C'est sans doute pour cela que j'ai craqué.

— Tout ça, c'est bien joli, Jenny, répondit Sue Ann, l'air songeur, et je suis ravie pour toi, mais… se peut-il que tu aies craqué tout bêtement parce qu'il était séduisant ?

Jenny cilla. De toute évidence, son amie trouvait qu'elle cherchait beaucoup trop à se justifier.

— Tu le trouvais séduisant, autrefois ? s'exclama-t-elle, sidérée.

Sue Ann haussa les épaules.

— J'aimais bien son côté baroudeur.

— Tu ne me l'as jamais dit.

De nouveau, Sue Ann haussa les épaules.

— L'occasion ne s'est pas présentée. Et j'avais peur que tu ne te moques de moi. Les Brody avaient tellement… mauvaise réputation.

— À vrai dire, moi aussi je le trouvais beau mec – du moins la seule fois où je l'ai vu de près. Et je ne te l'ai jamais avoué non plus, pour la même raison.

— Le monde est petit. Peut-être que *toutes* les filles étaient secrètement amoureuses. Alors, il l'est toujours ? Beau mec ?

— Pour autant que je sache, oui. Mais il faisait assez sombre, si bien que j'avais du mal à discerner ses traits.

Sue Ann la dévisagea avec stupéfaction.

— Tu as couché avec un type que tu ne voyais même pas ?

Ce fut au tour de Jenny de hausser les épaules.

— Plus ou moins.

— Incroyable ! Tu as vécu une aventure plus excitante en une soirée que moi en cinq ans.

— Ça m'a juste coûté la paix de l'esprit.

— Tu étais déjà tourmentée. Alors haut les cœurs ! Peut-être qu'en définitive cela ne t'aura coûté qu'un télescope.

Jenny travaillait dans le salon au rythme des tintements d'outils que son père utilisait de l'autre côté du mur pour tenter de réparer le climatiseur. Ce dernier n'était pas en panne, mais lorsqu'elle était rentrée de son déjeuner avec Sue Ann au *Café Dolly* en centre-ville, elle avait constaté qu'il tournait au ralenti. Et après les événements de la veille, Jenny avait besoin de fraîcheur.

— Désolée, papa ! lança-t-elle en l'entendant jurer entre ses dents.

Si elle n'avait pas été là, il n'aurait pas eu à se préoccuper du problème.

— Ne t'excuse pas. Tu sais combien je suis heureux de t'avoir ici.

Un vague sentiment de culpabilité l'envahit, comme lorsqu'elle avait décidé de s'installer à Columbus après avoir obtenu son diplôme de l'université de l'Ohio, laissant son père seul. Cependant, elle était toujours revenue passer les fêtes avec lui ou de longs week-ends en été, et dans la mesure où il avait toujours vécu ici, il avait de nombreux amis.

Se ressaisissant, Jenny continua à déballer ses affaires. Elle avait mis tout son mobilier et le gros de ses objets personnels dans un garde-meuble, mais avait apporté quelques revues et des livres pour se sentir un peu chez elle. Pour l'essentiel, il s'agissait d'ouvrages sur l'astronomie remplis de photos de planètes, de galaxies et autres nébuleuses. À l'instant où son père l'avait convaincue de passer l'été au chalet, elle avait décidé d'en profiter pour assouvir sa passion.

Malgré elle, elle repensa à « l'incident Brody », ainsi baptisé par Sue Ann au cours de leur déjeuner, incident qui avait dominé leur conversation. Jenny avait eu l'intention d'interroger son amie sur ses anciens amis et voisins, mais l'épisode de la veille avait supplanté tout le reste.

À présent, elle était officiellement obsédée par Mick Brody. Ce qui valait mieux que d'être obnubilée par Terrence et Kelsey. Quoique...

Qu'en était-il de son télescope ? Au fond d'elle-même, elle espérait qu'il réapparaîtrait miraculeusement sur le pas de sa porte ou au bout du ponton. À tel point que lorsque Sue Ann l'avait déposée, toutes deux avaient scruté les alentours, au cas où, et qu'après avoir appelé son père au secours pour le climatiseur, Jenny s'était installée sur l'un des rocking-chairs de la véranda afin de surveiller la rive sud du lac.

Si le télescope ne réapparaissait pas, si Mick ne le lui rapportait pas, retournerait-elle le chercher ? Oserait-elle ? À cette seule pensée, son estomac se noua.

À en juger par sa colère lorsqu'il l'avait découverte sur sa propriété, comment réagirait-il si elle se rendait chez lui, même sous un prétexte parfaitement légitime ? Comment pouvait-elle craindre à ce point un homme qu'elle avait autorisé à la pénétrer ?

Ses joues s'enflammèrent et elle se mordit la lèvre en se remémorant le plaisir inouï qu'elle avait ressenti, cette sensation d'être comblée d'une façon entièrement nouvelle par un homme entièrement nouveau, qui avait succombé à son propre désir à l'instant précis où il tentait de la chasser de ses terres.

Ce détail ne lui avait pas échappé. Il était tellement déterminé à se débarrasser d'elle – il avait dû avoir très envie d'elle pour l'oublier l'espace de ce moment de folie.

À moins que Mick Brody ne soit tout simplement un malade du sexe.

Quand bien même, à la grande surprise de Jenny, l'excitation liée au fait d'avoir bravé l'interdit, le sentiment d'avoir été désirée commençaient à prendre le pas sur l'horreur et le malaise de s'être offert une aventure sans lendemain. À vrai dire, peut-être que le fait que ce soit arrivé à ce moment précis dans sa vie leur donnait un sens qui allait bien au-delà de l'aventure sans lendemain.

Quand son père grommela une fois de plus et qu'un outil tomba sur le sol avec fracas, Jenny sursauta. Les pensées de ce qu'elle avait fait avec Mick Brody venant heurter les pensées à propos de son père, le résultat était plus ou moins comparable à ce qui se passait quand deux étoiles entraient en collision – une explosion torride qui anéantissait tout sur cette Terre.

Comme la plupart des gens, Walter Tolliver n'avait jamais aimé les Brody. Lorsqu'elle était enfant, il lui avait fortement recommandé de les éviter, et elle savait qu'il avait souvent eu maille à partir avec eux. Il avait arrêté l'aîné, Wayne, à deux reprises au moins, une fois pour avoir provoqué une bagarre dans un bar, une autre pour être entré par effraction dans la quincaillerie McMillan, juste à côté du *Café Dolly*. Il avait emprunté la route interminable et sinueuse menant chez les Brody après que des voisins avaient entendu des coups de feu et des cris en provenance de la rive sud, et appréhendé Harlan, le père, pour violences domestiques. Et d'après les souvenirs de Jenny, les *deux* frères avaient été soupçonnés d'un vol de boissons alcoolisées dans un magasin de Crestview du temps où elle était à l'université.

Avait-elle vraiment couché avec un type qui volait des boissons alcoolisées ? Quelle horreur !

Et que cachait-il donc dans sa cabane ? Quel était son secret ? Vu sa réputation, ce pouvait être n'importe quoi !

Elle expira lentement, le temps d'encaisser cette révélation.

Lorsqu'elle s'était disputée avec Mick, puis qu'elle s'était abandonnée dans ses bras, elle avait, supposait-elle, pensé au garçon qu'elle avait connu adolescente. Brut de décoffrage, né du mauvais côté de la barrière – en l'occurrence du lac –, mais pas un criminel !

« Étais-tu coupable, Mick ? s'interrogea-t-elle. As-tu été le complice de ton frère ? Quels autres larcins as-tu commis ? » Peut-être avait-elle bel et bien eu de la chance de s'en être sortie à si bon compte. Peut-être le télescope n'était-il qu'un petit prix à payer.

N'empêche qu'elle voulait le récupérer, ainsi que ses tableaux et le journal dans lequel elle consignait ses observations.

Elle rangea ses livres sur la petite étagère sous l'autel dédié à sa mère. Soudain, elle s'immobilisa, s'agenouilla, leva les yeux vers la rangée de photos de Judy Tolliver – immortalisée avec Jenny enfant, seule ou avec son mari. Une bible reposait entre les photos, ainsi qu'un exemplaire encadré du déroulement de la cérémonie en son hommage que les pompes funèbres avaient distribué à tous ceux venus s'incliner devant sa dépouille dix-huit ans auparavant. *Épouse et mère bien-aimée, elle repose désormais en paix dans les bras de Dieu.*

Deux candélabres disposés de part et d'autre contenaient des cierges poussiéreux, jamais allumés. Au-dessus de l'ensemble était suspendue une immense photo de Jenny, cinq ans, avec sa mère, lors du mariage de tante Carol, toutes deux en robes roses, une couronne de boutons de roses et de gypsophile sur la tête. Le père de Jenny avait insisté pour en commander une aux proportions gigantesques avant de l'accrocher dans le salon. Elle n'avait pas bougé depuis.

Bien sûr, le reste était venu plus tard, quand Jenny avait treize ans. Tandis que ses copines étaient tracassées par leurs règles, leur premier bal ou leurs béguins pour les garçons, Jenny avait dû jongler avec tout cela *en plus* du décès de sa mère des suites d'un cancer.

Pilier de la communauté, toujours prête à donner un coup de main pour un gala de charité ou une vente de gâteaux, s'il y avait une bonne cause à défendre à Destiny, Judy Tolliver était de la partie. Une épouse de flic parfaite. Quand une famille avait tout perdu dans l'incendie de sa maison, Judy Tolliver s'était débrouillée pour lui fournir logement, meubles et vêtements. Quand le conseil d'établissement de l'école avait menacé de supprimer les cours de musique et d'arts plastiques, Judy Tolliver avait recruté les parents d'élèves et tous les habitants de la ville pour s'élever contre. Quand un promoteur immobilier avait tenté de racheter le terrain de Pinewood sur lequel était installé un minuscule parc de mobile-homes, prêt à en chasser des résidents essentiellement âgés qui n'avaient pas les moyens de s'offrir autre chose, Judy Tolliver avait frappé à toutes les portes avec une pétition, et fini par convaincre le conseil municipal de dénoncer le projet.

Mais si le reste de Destiny avait perdu une femme bonne et généreuse, Jenny avait perdu une mère. Quelqu'un avec qui parler de l'école, des garçons... et des étoiles. En effet, c'était Judy qui l'avait initiée aux mystères et à la majesté d'un ciel nocturne, elle qui lui avait offert son tout premier télescope.

Avec une mère comme Judy et un père chef de police, comment Jenny aurait-elle pu être autre chose qu'une jeune femme saine et pure ? On lui avait appris le bien et le mal. Elle n'avait pas bu une goutte d'alcool avant sa majorité, pas couché avant d'être sûre d'être amoureuse, jamais fumé la moindre cigarette. Elle avait été une petite fille modèle toute sa vie, de son plein gré.

Jusqu'à la veille.

Lorsque son père avait décidé de quitter le chalet pour s'installer en ville deux ans auparavant, Jenny s'était étonnée qu'il ne le mette pas en vente. Aujourd'hui, elle comprenait : rien n'avait changé, *tout* était exactement comme dans son enfance, jusqu'à la vaisselle et aux napperons en dentelle. Jusqu'à l'autel.

Alors qu'elle se redressait et s'éloignait à reculons, elle eut soudain envie de décrocher la photo géante dans son cadre doré. Elle l'aimait beaucoup – elle en possédait une plus petite –, mais celle-ci était trop… trop grande. Pour la pièce. Pour la nouvelle existence de Jenny. Perdre sa mère aussi jeune avait été une tragédie, mais elle avait fait son deuil depuis longtemps, et cette présence l'envahissait, la poussait à revenir en arrière, à ressasser l'incrédulité, le chagrin, le déni, les images de sa mère agonisant dans son lit.

« Du calme, s'ordonna-t-elle. Arrête de t'apitoyer sur ton sort. »

— C'est cette photo, murmura-t-elle.

— Tu as dit quelque chose, ma chérie ? cria son père.

— Non, papa. Où en es-tu ?

— Je crois avoir mis le doigt sur le problème. Avec un peu de chance, ce sera vite réparé.

Jenny sourit. Son père semblait plus animé, et à moins que son imagination ne lui joue des tours, la température dans la maison avait déjà baissé de quelques degrés. Quant à la photo encadrée, elle était partagée entre l'envie de la décrocher et un sentiment de culpabilité.

« Décidément, tu n'es plus la petite fille modèle d'autrefois ! », nota-t-elle.

Malheureusement, la photo devrait rester à sa place. Elle était ici chez son père, et seulement de passage. À force d'aller et venir dans la pièce, elle finirait par s'y habituer et ne plus la voir.

Elle regagna le canapé, posa son beau livre préféré sur la table basse. Ce serait peut-être son seul moyen d'étudier les étoiles cet été.

Au même instant, son père pénétra dans la pièce. Vêtu de son uniforme de police beige, il s'essuyait les mains avec un chiffon. Il s'était précipité dès la fin de son service, mais il conservait en permanence sa radio à la ceinture, et celle-ci continuait de grésiller.

— Tu sens une amélioration ?

— Nettement. Merci, papa.

— Au fait, j'ai croisé Miss Ellie et Linda Sue à la pharmacie ce matin. Miss Ellie organise une garden-party dimanche après-midi. Elle fête ses quatre-vingts ans. Elle m'a chargé de te transmettre son invitation.

Jenny posa la main sur son cœur.

— Miss Ellie a quatre-vingts ans ? Je n'aurais jamais imaginé qu'elle était aussi âgée.

Miss Ellie, leur voisine de droite depuis toujours, possédait un jardin magnifique au milieu duquel trônait un belvédère.

— Bien entendu, ce sont surtout Linda Sue et Mary Katherine qui s'occuperont de préparer la réception, mais Miss Ellie a dit qu'elle t'avait aperçue ici et qu'elle aimerait beaucoup que tu viennes.

— Elle t'a demandé la raison de ma présence ?

— Non.

— J'irai, naturellement.

— Voici ce que je te propose : je passe te prendre, tu seras ma cavalière.

— Papa, je peux te poser une question un peu indiscrète ?

Ils étaient devenus très proches après le décès de Judy, mais il y avait un sujet qu'ils n'avaient jamais abordé.

— Oui, répondit-il, vaguement mal à l'aise.

— Es-tu sorti avec quelqu'un depuis la mort de maman ?

Il la fixa d'un air effaré.

— Mais non ! Bien sûr que non !

Jenny s'en doutait, mais elle éprouva le besoin d'insister.

— Y songes-tu parfois ?

Après tout, il n'avait qu'un peu plus de cinquante ans, un bon métier, une demeure agréable, et c'était un bel homme.

— Ma foi, non. Qui pourrait remplacer ta mère ?

Elle inclina la tête en s'efforçant d'adopter une expression enjouée.

— Loin de moi l'idée de la *remplacer,* mais... tu n'aimerais pas avoir quelqu'un avec qui aller au cinéma le samedi soir ? Ou au grand barbecue du 4 Juillet chez Betty et Ed ?

Son père demeura silencieux un moment, puis :

— Ne t'inquiète pas pour moi, ma fille. Je suis heureux ainsi. Comme tu le sais, je suis très entouré.

— Oui, mais je me disais que... les années ont passé, papa. Je suis sûre que maman voudrait que tu sois heureux.

— Alors son vœu est exaucé. Préviens-moi si le climatiseur refait des siennes, enchaîna-t-il. Sinon, à dimanche. Vers 13 heures ?

Jenny décida de laisser tomber.

— D'accord, murmura-t-elle en se levant pour aller l'étreindre et déposer un baiser sur sa joue, la pointe de sa moustache grise lui chatouillant la bouche.

Alors qu'elle écoutait sa voiture s'éloigner, un instant plus tard, elle se rendit compte qu'elle avait hâte d'assister à la réception de Miss Ellie. Enfin, plus ou moins.

Nombre d'habitants de Destiny, surtout parmi les plus âgés, semblaient ancrés dans une autre époque. Une époque certes rassurante, mais où le divorce était mal vu, quelle qu'en soit la raison – même un mari infidèle, suspectait-elle. Et la plupart d'entre eux auraient sans doute une crise cardiaque s'ils apprenaient ce qu'elle avait fait dans les bois la veille.

Vers 22 heures ce soir-là, Jenny se sentit... presque bien. L'histoire du télescope la taraudait toujours, mais pour ce qui était de la relation sexuelle, elle avait passé l'essentiel de la journée à faire la paix avec elle-même. Et plus la soirée avançait, moins elle voyait la photo de sa mère.

Elle s'était préparé un hamburger et une pomme de terre en robe des champs qu'elle avait dégustés sur la terrasse de derrière en dépit de la chaleur. Elle avait ensuite déambulé pieds nus sur la pelouse, jusqu'à la vieille balançoire suspendue à la branche d'un érable. De là, elle avait contemplé le lac dont les eaux, à cette heure-ci, étaient aussi lisses qu'un miroir. Elle avait jeté un coup d'œil au jardin de Miss Ellie, et admiré ses plates-bandes multicolores. Elle avait écouté les oiseaux chanter dans les arbres.

Le crépuscule venant, elle avait songé avec mélancolie à son télescope. Peut-être Mick Brody le lui renverrait-il. Cela dit, il faudrait qu'il se rende à la poste. Au risque d'être vu. Le lui apporter et le laisser sur le pas de sa porte était tout aussi périlleux. Enfin, avec un peu de chance, il finirait par trouver un moyen. Elle devait s'en convaincre.

À présent, en débardeur jaune et pantalon de jogging, elle était lovée sur le canapé, un plaid sur les genoux car le climatiseur tournait à fond, en train de grignoter un cookie devant une série policière à la télévision.

Alors que l'inspecteur pénétrait sur la pointe des pieds dans un hangar obscur où un voleur à moitié dingue était censé s'être caché, on frappa à la porte de derrière. Jenny sursauta.

Intriguée, elle posa son gâteau et se leva. Pourquoi avoir choisi l'entrée de la cuisine ? Qui pouvait bien passer la voir à une heure pareille ?

Un serial killer !

Ou son père, se rassura-t-elle. Elle appuya sur l'interrupteur qui éclairait le porche et ouvrit. Mick Brody se tenait de l'autre côté du battant.

« Moins dangereux qu'un serial killer, se dit-elle. Encore que… »

Elle avait du mal à respirer soudain – choc ou pur magnétisme animal, elle n'aurait su dire.

Simultanément, elle découvrit que Sue Ann avait parfaitement analysé les raisons pour lesquelles elle avait couché avec lui. Car elle le discernait clairement, à présent. Et il était à tomber.

Ses épais cheveux sombres auraient eu besoin d'une bonne coupe, et à la vue de sa barbe de quelques jours, elle se rappela la sensation de ses joues rugueuses sur sa peau. Au secours ! Ses pointes de seins durcissaient déjà – elle en avait la certitude – et elle ne portait pas de soutien-gorge.

— Pourquoi frapper à la porte de derrière ? articula-t-elle.

— Je ne voulais pas qu'on me voie. Je ne suis pas en ville, vous vous souvenez ?... Vous ne l'avez dit à personne, j'espère ?

— Bien sûr que non, mentit-elle avec aplomb.

Puis elle baissa les yeux, et constata non sans soulagement qu'il portait le sac contenant son télescope. Dieu soit loué !

— Vous pouvez vous pousser ?

— Je vous demande pardon ? fit-elle.

Ce qui n'empêcha pas Mick Brody de la contourner avec arrogance.

— Je veux entrer, répondit-il en franchissant le seuil.

Aïe ! Aïe ! Aïe ! Mauvaise idée. Elle était ravie de récupérer son télescope, mais...

— Euh... une seconde, bredouilla-t-elle – trop tard, car Mick Brody était déjà dans la cuisine. En quel honneur ? Bon, d'accord, vous m'avez rapporté ce qui m'appartient et j'apprécie, mais...

— C'est juste que je ne suis pas sûr que vous ayez compris, Minou, à quel point il est important que vous gardiez mon petit secret.

Elle cligna des yeux, soudain tellement consciente de sa proximité que toutes les cellules de son corps se réveillèrent brusquement.

— Je le comprends. Je vous assure. Sincèrement.

— Je ne vous crois pas.

Elle laissa échapper un soupir. Une partie d'elle-même admirait, fascinée, les muscles saillants de ses bras, le tatouage à demi dissimulé par la manche de son tee-shirt, tandis qu'une autre partie était pressée de se débarrasser de lui.

— Eh bien, tant pis, rétorqua-t-elle. Pourquoi débarquer chez moi si tard le soir ? Sans y avoir été invité, je vous signale.

Mick Brody glissa l'index sous son menton pour l'obliger à lever la tête et à croiser son regard.

— Pour vous convaincre.

4

Parfois je pense que nous sommes seuls dans l'univers. Parfois, je pense que nous ne le sommes pas. Dans un cas comme dans l'autre, l'idée est stupéfiante !

ARTHUR C. CLARKE

Mick jeta un regard circulaire. L'endroit était petit mais impeccable, nota-t-il en déposant avec précaution le sac sur la table de la cuisine. Comme il s'y attendait plus ou moins, l'atmosphère était chaleureuse. La maison était à peine plus grande que celle de sa famille de l'autre côté du lac, mais c'était un autre monde. Le décor n'avait rien de moderne, mais peu importait – ces murs respiraient la *quiétude.* Un sentiment qu'il avait rarement éprouvé.

Il se tourna vers Jenny Tolliver et constata qu'elle était sur ses gardes, comme si elle avait peur de lui. Il n'en fut pas surpris – il avait suscité ce genre de réaction presque toute sa vie ; à raison, du moins durant une longue période. Cela dit, pour l'heure, c'était sans doute aussi bien qu'elle ait peur de lui. Pourtant, curieusement, cela l'ennuyait. En général, il se fichait pas mal de ce que les gens pensaient de lui, mais à cet instant précis, Jenny Tolliver lui donnait l'impression d'être un ogre.

Certes, d'autres pensées moins honorables lui traversaient l'esprit. Ses petits seins pointaient avec impertinence sous son débardeur, lui rappelant ce qu'il avait ressenti lorsqu'il les avait caressés, pris dans sa bouche. Un flot brûlant le submergea en dépit de la fraîcheur ambiante. Le regard de Jenny lui dit mieux que des mots qu'elle avait vu où le sien s'était attardé, et qu'elle *percevait* son émoi.

Il faillit en oublier le but de sa visite pour se jeter sur elle et reprendre leurs ébats de la veille. Jamais il n'avait été à ce point attiré physiquement par une femme dès le premier regard et, pour le moment, il n'avait qu'une envie : l'attirer dans ses bras, se presser contre ces courbes délicieuses, et laisser son corps prendre les rênes.

Toutefois, Jenny brisa le charme en détournant les yeux.

— Voulez-vous un verre de thé glacé ?

Bon sang ! Il faisait irruption chez elle tard dans la soirée, et elle lui offrait du thé ? Il faillit refuser, mais il était assoiffé après avoir traversé le lac à bord de la vieille barque en métal qu'il avait retrouvée dans l'abri délabré derrière la cabane.

— Euh... avec plaisir, bredouilla-t-il.

— Autant vous asseoir, suggéra-t-elle en lui indiquant une chaise d'un ton sec, histoire de lui rappeler qu'elle ne l'avait pas invité.

Recouvrant ses esprits, il s'installa à la table de bois sur laquelle trônaient un panier en osier remplis de serviettes en papier ainsi qu'une salière et une poivrière en forme de canards colverts.

— Écoutez, attaqua-t-il, ne sachant trop comment il allait la convaincre mais conscient qu'il le fallait. Je sais que je me suis comporté comme une brute hier soir.

— On peut le dire, oui, répliqua-t-elle sans le regarder.

Elle ouvrit la porte du réfrigérateur pour en sortir une carafe en verre, et il en profita pour admirer son postérieur joliment moulé dans son pantalon de jogging. Comme un instant plus tôt, les images de la veille le submergèrent.

— Je n'avais pas le choix, s'obligea-t-il à poursuivre. Et quand je vous ai fait promettre de ne révéler à personne ma présence dans...

Il se tut, à court de mots. La vérité, c'était qu'il n'avait aucune explication valable. Si, dans sa jeunesse, il avait employé la menace pour s'imposer, ça n'avait pas franchement marché la veille, et ça ne marcherait sans doute pas davantage maintenant.

Masquant sa détresse, il opta pour une autre tactique : l'honnêteté. Pure et dure.

— Il est très important que personne ne me trouve ici, Minou. *Vraiment* important. Je ne peux pas vous dire pourquoi et je sais que vous n'avez aucune raison de m'aider, mais c'est presque une affaire... de vie ou de mort.

Elle pivota vers lui, son pichet à la main.

— La vôtre ?

— Pas exactement.

— Celle de qui, alors ?

— Ne me posez plus de questions, d'accord ? Je ne suis pas en mesure de vous répondre.

Méfiante, indécise, elle remplit de thé glacé un verre décoré de fleurs et le lui tendit. Leurs doigts se frôlèrent.

— Je vous ai promis de garder le secret, commença-t-elle. Mais le fait que vous ayez éprouvé le besoin de venir jusqu'ici pour vous assurer que je ne...

Les mots moururent sur ses lèvres, et il devina ce qu'elle pensait. Qu'il insiste à ce point ne faisait qu'accroître sa curiosité.

— Je vous ai aussi rapporté vos affaires, fit-il remarquer en désignant son sac, alors même que c'était un prétexte.

— Et je vous en remercie.

Au lieu de s'asseoir, comme il l'espérait, elle s'adossa au plan de travail.

— Quand je me suis rendu compte que je l'avais oublié, j'étais désespérée. J'y tiens énormément.

Il opina, puis aborda un sujet qui l'intriguait.

— Je croyais que vous aviez quitté la région.

— C'est le cas, en effet.

— Pourquoi êtes-vous de retour ?

Elle se mordit la lèvre comme si elle n'avait pas envie de répondre.

— J'ai divorcé, admit-elle finalement.

— Ah !

Il ignorait qu'elle s'était mariée. Sans réfléchir, il demanda :

— Pourquoi ?

Elle inspira profondément, et sa poitrine se souleva pour le plus grand plaisir de Mick.

— Il... euh... il m'a trompée. Avec une femme plus jeune que moi. Avec qui je travaillais, qui plus est. Une situation sordide.

— Merde, murmura-t-il.

Quel type sain d'esprit trahirait une aussi belle fille ? s'interrogea-t-il. Il n'avait jamais été marié, n'y avait même jamais songé, mais il s'entendit grommeler :

— Ce mec est un imbécile.

À sa grande surprise, l'expression de Jenny se radoucit.

— Merci, souffla-t-elle en baissant la tête. Je pensais que vous étiez parti vous aussi. Que toute votre famille était partie.

— Vous aviez raison. Je suis le seul à être revenu.

— Pourquoi ?

— Ça ne vous regarde pas.

— Je vous ai révélé mon secret. Vous ne pouvez pas me révéler le vôtre ?

— Non. Du reste, je ne vous ai pas obligée à parler. Vous auriez pu m'envoyer paître, comme hier soir. Ou me mentir.

Elle haussa les épaules.

— Ça ne m'a pas effleurée. Je ne suis pas une menteuse.

Cette dernière remarqua l'inquiéta.

— Vous avez intérêt à mentir à mon sujet, déclara-t-il d'un ton plus dur qu'il ne l'aurait voulu, celle de l'homme qu'il avait été avant de fuir Destiny.

— Du calme. Ce ne serait qu'un mensonge par omission. Là, je suis experte en la matière.

— Parfait.

Il avala une longue gorgée de thé glacé, s'efforça de se détendre. Il avait déjà quantité de soucis avant que Jenny Tolliver surgisse dans les bois, mais, à présent, ils lui paraissaient multipliés par dix. Toute cette histoire le mettait à cran.

Mais pas au point de ne pas remarquer son malaise lorsqu'elle reprit :

— J'aimerais profiter du fait que vous êtes là pour évoquer...

— Quoi ? aboya-t-il, sur le qui-vive.

— Euh... ce qui s'est passé hier soir, murmura-t-elle en s'empourprant joliment. Nous n'avons pas utilisé de... de préservatif.

Ah, ça ! Il en avait pris conscience après son départ. Sur le moment, il avait été... aveuglé. Par Jenny Tolliver. Et par un sursaut de désir irrésistible.

— Je sais. Je n'en avais pas sur moi. Je ne m'attendais pas à trouver une fille dans mes bois.

Elle rougit davantage.

— Vous êtes... en bonne santé ? risqua-t-elle. J'ai des raisons de me tracasser ?

Quel idiot il était ! Il n'avait pas réalisé que, *évidemment*, une fille comme Jenny Tolliver s'inquiéterait d'avoir couché avec un type comme lui. Lui-même ne s'était pas inquiété parce qu'il avait senti d'instinct qu'elle était aussi pure et sans danger qu'une vierge.

— Pas trop, répliqua-t-il. Bon, j'ai pu faire un ou deux faux pas, mais c'était dans ma jeunesse.

— Me voilà rassurée. Pour votre information, j'ai fait une prise de sang après avoir découvert l'infidélité de Terrence et tout va bien.

— Merci. Et... merci de ne parler de moi à personne. Vous ne direz rien, n'est-ce pas ?

Elle plaqua les poings sur les hanches et leva les yeux au ciel. Décidément, quand elle essayait de prendre un air exaspéré, elle était craquante !

— Je vous l'ai promis, non ? Combien de fois faudra-t-il vous le répéter ?

Il réprima un sourire.

— Jusqu'à ce que je vous croie.

— Et ce sera quand ?

— Je n'en suis pas encore sûr. Par conséquent, il se pourrait que je revienne. Juste pour vérifier. Pour vous rappeler que je ne plaisante pas.

Elle croisa les bras et poussa un soupir incrédule.

— Ça, je l'ai compris, croyez-moi !

Cette fois il ne put se retenir de s'esclaffer.

— Ma présence vous incommode à ce point ?

— Pas vraiment, admit-elle. Pas ce soir, en tout cas. J'ai juste un peu l'impression de me retrouver en classe de sixième.

Il haussa les sourcils, amusé.

— En sixième ?

— Un jour, je suis tombée sur trois filles de ma classe qui fumaient derrière l'école. Pour s'assurer que je ne les dénoncerais pas, elles m'ont collée comme de la glue – à la récréation, à la cantine, au cours de gym. Elles cherchaient à m'intimider.

Il ébaucha un sourire en s'imaginant l'innocente petite Jenny obligée de subir la compagnie des terreurs du collège.

— Vous n'avez jamais cafté ?

— Non.

— Apparemment, la stratégie a porté ses fruits.

Il se leva, s'approcha d'elle.

— Ne dites non plus à personne que vous m'avez vu, Minou. À bientôt.

Sur ce, il lui souleva le menton du doigt, déposa sur ses lèvres un baiser aussi léger qu'une plume, puis s'en alla.

— Reste près du ponton, ma chérie ! cria Sue Ann à sa fille, Sophie, une version miniature d'elle-même flottant sur une bouée géante ornée de princesses Disney.

Sue Ann s'allongea sur un transat à côté de Jenny.

— Comme dans le bon vieux temps ! s'exclama-t-elle. Sauf qu'aujourd'hui nous sommes trois, dont une gamine.

Jenny se mit à rire et cala la tête sur son coussin. Elle portait le Bikini qu'elle s'était acheté l'année précédente pour son séjour avec Terrence aux Bahamas. Mais ce n'était pas lui qui hantait ses pensées, ni les Bahamas. C'était Mick Brody.

Le simple fait de tourner les yeux du côté des bois qui dissimulaient sa cabane de l'autre côté du lac suffisait à l'enflammer d'une manière qu'il était impossible d'attribuer à la chaleur du soleil.

— À propos, la crise est évitée, signala-t-elle.

C'était la première fois que l'occasion se présentait de bavarder tranquillement avec son amie.

— Quelle crise exactement ? voulut savoir Sue Ann.

« Bonne question », reconnut Jenny, car selon l'angle sous lequel on examinait la situation, il n'y en avait pas qu'une.

— J'ai récupéré mon télescope.

Sue Ann cessa de s'enduire de crème solaire pour la dévisager.

— Comment, si je puis me permettre ?

Jenny adopta un air nonchalant.

— Mick me l'a rapporté hier soir.

— Ah, je vois. *Mick.* Parce que maintenant, vous êtes à tu et à toi ?

— Presque. Après tout, nous avons couché ensemble, répondit Jenny à mi-voix de peur que Sophie ne l'entende.

Par chance, le ghetto-blaster marchait et Sophie s'ébrouait dans l'eau.

— Je n'ai pas eu l'impression que vous aviez *couché* ensemble, observa Sue Ann.

Jenny se contenta de glousser.

— Je te trouve bien guillerette.

Jenny ne pouvait pas le nier. Elle ne s'était pas sentie aussi bien depuis… des lustres. Elle ignorait pourquoi, mais décida de mettre sa félicité sur le compte de la crise évitée.

— Je suis contente d'avoir retrouvé mon télescope.

— Je sais que tu l'adores, mais de là à danser de joie…

Jenny croisa les bras et grimaça.

— Je ne danse pas de joie. Je suis soulagée.

— Mais oui, c'est ça. Alors ? Tu as pu le voir cette fois ? Il est beau ? s'enquit Sue Ann d'un ton sarcastique.

— Euh… oui, avoua Jenny.

— Toujours ce beau teint mat ?

— Mmm.

— Ces cheveux foncés et soyeux ?

— Oui.

Sue Ann se pencha légèrement vers elle.

— Il est musclé ?

— Oh, oui ! Et pas des muscles de bodybuilder. Des muscles bien dessinés, solides. Mais ça, je le savais déjà. Pas besoin de les voir.

Sue Ann haussa les épaules.

— Sans doute. Et que t'a raconté M. Brody au cours de sa visite ?

— Eh bien, il a de nouveau beaucoup insisté pour que je ne révèle sa présence à personne. J'ai donc dû renouveler ma promesse. Nous devons toutes deux garder la bouche cousue.

— Un indice concernant son secret ?

— Rien du tout. La bonne nouvelle, c'est qu'il affirme éviter les relations sexuelles non protégées.

— Excellent. Quant à toi, tu vas tout de même faire un test HIV rapide, devina Sue Ann.

— Évidemment.

Car elle était toujours « Jenny la petite fille modèle ». Une partie de jambes en l'air dans les bois ne suffisait pas à effacer une existence entière de sagesse.

— Il doit y avoir un centre médical à Crestview où je pourrais prendre rendez-vous *incognito*.

— Il y en a un, oui. La petite sœur de Jeff a eu une... mésaventure pendant les vacances de printemps l'année dernière et, oh, quelle chance, c'est à moi qu'elle s'est confiée. Bref, je l'y ai accompagnée, et je peux te communiquer les coordonnées. Qu'est-ce qu'il t'a dit d'autre ?

Jenny tergiversa, poussa un soupir, puis cracha le morceau.

— Il va revenir.

Sue Ann la fixa, bouche bée.

— Pardon ?

— Il va revenir pour s'assurer que je tiens parole.

— Mince, il ne plaisante pas.

— Je te l'avais dit.

— Cela ne t'inquiète pas ? Qu'il cache quelque chose ? Ou... qu'il se cache, *lui* ? Imagine qu'il soit en fuite après avoir perpétré un crime ? Qu'il ait gravement enfreint la loi, commis un truc tellement immonde qu'on ne peut même pas l'imaginer.

Jenny releva brusquement la tête et retint son souffle.

— N'oublie pas que c'est de Mick Brody que nous parlons, conclut Sue Ann.

Mais bien sûr ! Mick Brody. À force de ressasser cet épisode et les sentiments confus qu'il avait suscités, elle avait négligé ce détail. Sue Ann avait raison : n'importe quel être sensé s'en serait ému.

— Mon Dieu, je l'ai laissé entrer chez moi, souffla-t-elle.

— Il avait ton télescope, argua Sue Ann. Tu n'allais pas le mettre de mauvais poil en l'obligeant à rester sur le pas de la porte.

À vrai dire, il s'était carrément invité chez elle. N'empêche...

— Mais je... je lui ai offert un thé glacé. J'ai bavardé avec lui. Bien sûr, j'ai essayé de paraître hostile et irritée, mais quand il m'a annoncé qu'il pourrait bien revenir, je n'ai pas moufté.

— Il t'a paru menaçant ?

— Pas vraiment. Il... il m'a plus ou moins embrassée avant de partir.

Sue Ann cilla.

— Embrassé comment ?

— Un petit baiser léger. Je l'ai à peine senti.

« Sauf que mon corps entier a vibré », se rappela-t-elle.

— Mince !

— Oui, ça m'a troublée, je l'avoue.

À ces mots, Sue Ann se redressa, l'œil coquin.

— Peut-être qu'il envisage de coucher de nouveau avec toi.

— Hein ? Certainement pas. *Pas question !*

— Pourquoi ?

Vu les hypothèses que son amie avait émises au sujet de Mick deux minutes plus tôt, Jenny n'en revenait pas qu'elle pose une pareille question.

— Euh... parce que ce type est peut-être un criminel en fuite, comme tu viens de le suggérer fort à propos ? Parce que je le connais à peine ? Parce qu'il me fait peur même s'il n'a rien fait pour hier soir ?

— Rien de cela ne t'a arrêtée dans les bois, riposta Sue Ann.

— J'étais de mauvaise humeur et il m'avait énervée.

— Du coup, tu lui as donné une bonne leçon en le chevauchant jusqu'à atteindre l'orgasme.

Jenny écarquilla les yeux et arrondit la bouche.

— Tais-toi ! s'exclama-t-elle. Il y a une gamine de cinq ans à deux pas, ajouta-t-elle en indiquant le lac où Sophie s'amusait.

Sue Ann eut un geste désinvolte.

— Elle ignore ce qu'est un orgasme.

— Si tu continues à en parler comme de la pluie et du beau temps devant elle, elle ne va pas tarder à l'apprendre.

— Pffff ! En dépit de ma méfiance à l'égard du bonhomme, poursuivit Sue Ann, en baissant tout de même la voix, il t'a envoyée au septième ciel, et ça, ce n'est pas rien. Pourquoi ne pas en profiter de nouveau si l'occasion se présente ?

Jenny pinça les lèvres.

— Septième ciel ou pas, ce qui s'est passé l'autre soir était une... une aberration. Sur l'instant, ç'a été libérateur, mais ensuite, c'est devenu plutôt effrayant. Parce que j'ai perdu mon télescope. Parce que maintenant, il ne me reste plus qu'à chausser mes lunettes de soleil pour me rendre à Crestview afin de m'assurer que je n'ai pas attrapé une saloperie. Parce que nous ignorons à peu près tout de Mick Brody – sinon qu'il est issu d'une famille douteuse et qu'il ne veut pas de moi de son côté du lac. Qui plus est, je considère le sexe comme quelque chose de précieux. Je n'ai pas l'habitude de coucher avec des inconnus uniquement pour assouvir un désir physique.

— À moins que lesdits inconnus ne t'énervent vraiment.

Jenny en avait assez.

— Tu me prends une canette de Coca Light dans la glacière, s'il te plaît ?

— Très bien, défile-toi, répliqua Sue Ann d'un ton léger.

Elles burent en écoutant la radio et les cris de joie de Sophie.

Cependant, tandis qu'elle contemplait les nuages vaporeux dans le ciel d'azur, Jenny ne put s'empêcher de se remémorer le dernier baiser de Mick. Jamais elle ne l'aurait cru capable de tant de douceur et de délicatesse. Elle n'avait pas osé avouer à Sue Ann combien ce baiser l'avait bouleversée... et rassurée.

C'était stupide, bien sûr. Elle savait qu'elle devait se méfier de lui. Ce type était soupçonné d'avoir braqué un magasin de vins et spiritueux. De surcroît, il dissimulait un secret inavouable.

Pourtant, alors que les parfums de crème solaire et une chanson d'Aerosmith la ramenaient à sa jeunesse, elle contempla l'autre rive du lac, partagée entre la peur que Mick Brody revienne et celle qu'il ne revienne pas, et demeure à tout jamais un mystère.

Arriver dans le jardin de Miss Ellie au bras de son père avait quelque chose de surréaliste. Des guirlandes jaunes ornaient les tables croulant sous la nourriture ainsi que le belvédère blanc au milieu de la pelouse, et des bouquets de ballons multicolores jaillissaient çà et là.

Elle connaissait tous ces visages, qui avaient vieilli au fil des ans. Il y avait aussi des enfants qui couraient et jouaient parmi les fleurs et les buissons. Jenny réalisa tout à coup qu'elle avait quitté Destiny depuis si longtemps que ces gamins faisaient désormais davantage partie de la communauté qu'elle. Le fait qu'elle accompagne *son père* lui parut plutôt pathétique vu les circonstances.

Très vite on la reconnut, on la salua. Caroline Meeks, une voisine qui habitait au bout de la rue, le révérend Marsh, qui avait officié lors des funérailles de sa mère, puis l'avait mariée à Terrence. Elle tendit une tarte au citron enveloppée dans un film fraîcheur à Linda Sue, l'une des filles de Miss Ellie, et s'entendit lui expliquer, comme à tous les autres, qu'elle était « venue passer l'été près de son père ».

Au fond, elle n'avait pas été honnête avec Mick – elle était bel et bien une menteuse.

L'attitude générale l'intrigua. Ces dames du tournoi de mah-jong auraient-elles « omis » de remplir leur devoir social en répandant la nouvelle de son divorce ?

Après quantité de salutations, d'échanges de compliments et d'exclamations du style « Quelle belle journée pour une fête ! », Sue Ann vint enfin à la rescousse.

Se retournant, Jenny découvrit sa meilleure amie vêtue d'une ravissante robe blanche. Jeff se tenait derrière elle, beau et élégant comme toujours, la petite Sophie calée sur la hanche.

— Content de te voir, Jenny, déclara-t-il avec un grand sourire.

Par bonheur, il ne fit aucun commentaire sur son retour en ville.

— Et réciproquement, répondit-elle. Merci d'avoir laissé tes femmes passer l'après-midi de samedi avec moi. Nous nous sommes bien amusées.

Il haussa les épaules.

— Pas de problème. Je me suis diverti de mon côté sur le parcours de golf.

Jeff, qui avait une classe d'avance sur elles au lycée, était aujourd'hui cadre dans la société de gestion de l'autoroute. Il n'avait pas changé : mince, élancé, cheveux châtain clair, coupe impeccable. Il portait une cravate et Jenny en déduisit qu'ils sortaient de la messe.

Malgré elle, elle se surprit à envier Sue Ann. Celle-ci avait une famille parfaite, menait une existence parfaite. Ils vivaient dans une jolie maison victorienne qu'ils avaient eux-mêmes rénovée et Sue Ann travaillait à mi-temps comme secrétaire à l'agence immobilière de Destiny. Ils étaient bénévoles dans plusieurs associations et Jeff envisageait de se présenter au conseil municipal à l'automne. En les voyant là, sereins et souriants, Jenny se rendit compte qu'ils avaient tout ce qu'elle avait eu avec Terrence, à une différence près : ils étaient heureux. *Profondément heureux.*

Avec le recul, Jenny s'apercevait que Terrence et elle avaient vécu une relation... satisfaisante. Sue Ann, en revanche, était comblée. Elle avait beau s'émerveiller de l'incident Brody, elle était toujours follement, passionnément amoureuse de Jeff.

— Jenny Tolliver ! C'est bien toi ?

Pivotant sur elle-même, elle reconnut sa vieille amie, la blonde et délicate Tessa Sheridan. Elle laissa échapper un cri de joie. Elles ne s'étaient pas revues depuis l'été précédant leur entrée à l'université. Au lycée, Jenny et Sue Ann traînaient souvent avec Tessa et ses deux meilleures copines, Rachel et Amy – mais Jenny les avaient perdues de vue.

Après avoir serré Tessa dans ses bras, elle recula d'un pas pour admirer sa longue jupe fluide et son chemisier vaporeux, ravie de constater que toutes les femmes de Destiny ne s'habillaient pas exactement de la même manière.

— J'ignorais que tu étais de retour dans la région ! s'exclama-t-elle.

Tessa parut étonnée.

— Sue Ann ne te l'a pas dit ?

Non, nous étions trop occupées à discuter des parties de jambes en l'air dans les bois.

— Euh... elle a dû oublier. Depuis quand es-tu là ?

— Trop longtemps, souffla Tessa avant de lâcher un petit rire. C'est une longue histoire, je te la raconterai une autre fois. Mais en fin de compte, après des années en grande métropole, je dois avouer que Destiny a... un certain charme.

Si elle regardait autour d'elle, Jenny ne pouvait qu'en convenir. Mais un tel aveu la surprenait de la part de l'aventureuse Tessa.

À cet instant, Amy s'immisça entre elles, ses cheveux naturellement bouclés encadrant son visage, ses yeux toujours aussi pétillants.

— Oh, Jenny ! Comme je suis heureuse de te voir !

— Il ne manque plus que Rachel pour que le groupe soit au complet, déclara Jenny après les embrassades de rigueur.

Tessa et Amy échangèrent un regard.

— Dans ce cas, il faudra que tu viennes la voir avec nous à Chicago en septembre. Elle n'a pas remis les pieds à Destiny depuis quatorze ans.

Jenny n'en fut guère étonnée. D'aussi loin qu'elle s'en souvienne, Rachel avait toujours désiré partir. Apparemment, elle y était parvenue.

— Merci pour l'invitation, mais vous devrez la saluer de ma part. Que devient-elle ?

Amy laissa échapper un soupir d'envie.

— En ce moment, elle est en Italie. Elle voyage dans le monde entier.

— Elle travaille dans la pub, précisa Tessa. Si tu veux mon avis, elle s'épuise à la tâche. Mais elle est plus impertinente et énergique que jamais. J'en conclus donc que cette vie lui convient.

— Tessa et moi lui rendons visite chaque automne. Nous avons un mal fou à suivre le rythme, avoua Amy. Personnellement, le calme de la campagne me convient mieux.

Pour la première fois, Jenny se demanda si Amy avait un métier ou si elle était mère au foyer, un rôle qui devrait probablement la rendre heureuse.

— Et toi, que deviens-tu ? s'enquit-elle.

Amy arbora un sourire empli de fierté.

— Tu n'es pas au courant ? Je possède la librairie *Under the Covers*.

Là non plus, ce ne fut pas vraiment une surprise. Amy avait toujours rêvé d'être bibliothécaire. De toute évidence, elle s'en était approchée.

— C'est formidable ! Une librairie à Destiny !

— Les temps changent, lança Tessa. J'y bosse à mi-temps, passe nous dire bonjour.

Jenny discutait encore avec Tessa et Amy quand on lui prit la main. C'était Mary Katherine, la deuxième fille de Miss Ellie qui, elle, avait tenu la bibliothèque municipale toute sa vie, mais venait de prendre sa retraite.

— Quel bonheur de vous revoir, Mary Katherine ! s'écria Jenny, et elle était sincère.

Elles échangèrent quelques banalités puis, Jenny et ses amies s'étant promis de se retrouver très bientôt, Mary Katherine l'entraîna à sa suite.

— Venez dire bonjour à Mère. Nous l'avons installée à l'ombre du belvédère parce qu'elle a du mal à se déplacer, mais elle meurt d'envie de vous voir.

Dès qu'elle l'aperçut, le visage de Miss Ellie s'illumina.

— Ma foi, si ce n'est pas l'adorable Jenny Tolliver !

Jenny, qui s'était mentalement préparée à un assaut de compliments de ce genre, ne s'offusqua pas. Elle prit les deux mains de Miss Ellie dans les siennes car c'était ainsi qu'à Destiny les femmes exprimaient leur affection.

— Bonjour, Miss Ellie. Je suis ravie de vous voir.

— Que dis-tu, ma chérie ?

Ah ! La vieille dame devenait sourde. Jenny se pencha vers elle et répéta en haussant le ton :

— Bonjour, Miss Ellie. Je suis ravie de vous voir.

Miss Ellie opina.

— Moi aussi, trésor, moi aussi. Ton père me dit que tu es ici pour l'été.

— En effet, acquiesça-t-elle.

C'est alors que Miss Ellie se mit à scruter les alentours comme si elle cherchait quelqu'un.

— Qu'y a-t-il ? s'enquit Jenny, qui pensa à projeter sa voix. Avez-vous besoin de quelque chose ?

— Non, non. Je cherchais juste Terrence. Où est-il ?

Aïe ! Aïe ! Aïe !

D'un côté, il lui serait plus facile de mentir à Miss Ellie qu'à bien d'autres personnes. Il lui suffirait de raconter que Terrence était occupé ailleurs, ce qui n'était pas fondamentalement faux. D'un autre côté... « Eh, merde ! Pourquoi ne pas mettre les pieds dans le plat et en finir une bonne fois pour toutes ? » Ainsi, pour la première fois de sa vie, Jenny choisit de ne pas mâcher ses mots ni de nuancer ses propos.

— Nous sommes divorcés.

Miss Ellie porta la main à son oreille.

— Pardon ? Je n'entends plus très bien, ma chérie. Tu peux répéter ?

Jenny inspira profondément et s'inclina vers elle, mais haussa à peine le ton.

— Nous ne sommes plus ensemble. Il est parti, Miss Ellie.

La vieille dame fronça les sourcils.

— Ah bon ? Et où est-il parti ?

Flûte !

— Il m'a quittée pour une chipie de vingt et un ans.

— Comment ?

— J'ai dit : il m'a quittée pour une chipie de vingt et un ans.

Mais Miss Ellie secoua la tête, les yeux plissés.

— Je crains de ne pas avoir compris.

— *Terrence m'a quittée pour une chipie de vingt et un ans.*

Un silence de plomb tomba sur le jardin, et Jenny réalisa que tous ceux qui n'étaient pas encore au courant de sa situation l'étaient désormais. Elle croisa le regard de Sue Ann, et son amie esquissa un sourire comme pour dire : « Eh bien, voilà qui est fait. » Tessa et Amy l'observaient avec compassion.

Désemparée, elle concentra de nouveau son attention sur la vieille Miss Ellie, qui déclara :

— Entre nous, je n'ai jamais trouvé ce garçon très sensé. La preuve : il a été assez stupide pour abandonner une femme aussi charmante que toi. Quoique... enchaîna-t-elle, perplexe, je me demande pourquoi il a été attiré par une hippie.

La suite fut pénible, mais Jenny survécut à l'épreuve.

Dans les jours qui suivirent, elle se rendit compte qu'au fond, le fait que la ville entière soit au courant de sa situation la soulageait. Personne ne lui posa la moindre question lorsqu'elle passa chercher son père au commissariat pour déjeuner. Pas plus qu'à la boutique *Daisy Dress*, sur la place principale, où elle put aborder avec la propriétaire, Mary Ann, toutes sortes de sujets normaux tels que la pluie et le beau temps ou la mode, avant de s'offrir une jolie jupe en coton pour les mondanités estivales de Destiny. Quand elle croisa Tessa en traversant la rue ce même jour, elles évoquèrent brièvement son divorce, mais Tessa se montra solidaire et ne s'attarda pas sur la question.

— D'après Sue Ann, c'est un salopard et tu es cent fois mieux sans lui.

À la fête de Miss Ellie, Jenny s'était rendu compte qu'outre Sue Ann et son père, elle avait des tas d'amis et de relations à Destiny. Si elle en avait revu plusieurs avant l'anniversaire de la vieille dame, depuis son aveu sous le belvédère, ces retrouvailles se révélaient plus réconfortantes que pesantes.

Elle passa le reste de la semaine à... se redécouvrir.

Elle lut ses ouvrages sur l'astronomie, consulta Internet pour obtenir des informations plus récentes, téléchargea quelques-unes de ses photos préférées prises par le télescope Hubble et créa un diaporama en guise d'économiseur d'écran. Elle enfila des gants de jardinage et nettoya les plates-bandes devant la maison. Deux ou trois fois, elle s'installa dans un transat sur le ponton pour profiter du soleil matinal – tout en laissant errer son regard du côté sud du lac. Mick Brody y était-il toujours ? Que faisait-il ? Avait-il toujours l'intention de revenir ?

Certes, il vaudrait mieux qu'il ait changé d'avis. Un homme comme Mick était à l'évidence source d'ennuis. Pourtant, plus le temps passait, plus elle devait s'avouer que ces « ennuis » lui paraissaient terriblement attirants.

En général, le soir, elle s'offrait une petite balade à pied. Elle fit un saut une fois chez Miss Ellie pour lui apporter des cookies qu'elle avait achetés en ville.

Elle dînait de grillades ou de salades. S'étant mise à regarder les émissions de télé-réalité – que Terrence désapprouvait –, elle commençait à comprendre l'engouement qu'elles suscitaient. À deux reprises, elle sortit son télescope, mais la première fois, le ciel était trop nuageux, et la deuxième, bien qu'elle ait réussi à repérer Saturne et Jupiter, les arbres avaient une fâcheuse tendance à se mettre en travers de son chemin, ce qui devint vite agaçant.

Inévitablement, elle songea au site de l'autre côté du lac. Que c'était frustrant de jouir d'une telle liberté, de pouvoir faire ce qu'elle voulait sans rendre de comptes à personne, mais d'être toujours privée de ce qui la passionnait le plus : explorer le cosmos à travers son télescope.

Lors de cette deuxième tentative, elle envisagea brièvement de faire fi de toute prudence et de remonter dans le canoë avec son matériel. Avec un peu de chance, elle réussirait à gravir les rochers sans que Mick Brody la remarque.

Le bon sens finit par l'emporter. Ses baisers avaient beau l'émouvoir, Mick n'en demeurait pas moins un criminel potentiel. Et s'il ne l'avait jamais directement menacée, il lui avait fait clairement comprendre qu'elle n'était pas la bienvenue.

C'est ainsi qu'une semaine après l'incident, alors qu'elle se tenait sur le ponton, elle entreprit de remballer ses affaires. Toutefois, en regagnant le chalet, elle ne put s'empêcher de se sentir un peu... déprimée. Parce que si elle appréciait de pouvoir faire ce que bon lui semblait – ou rien du tout –, elle n'était pas habituée à passer tant de temps seule. À moins que ce ne soit la déception de ne pouvoir observer les étoiles tout son soûl, et donc d'atteindre cet état de paix intérieure que cette activité lui procurait toujours ? Ou était-ce parce que, de toute évidence, Mick Brody ne reviendrait pas ?

« Assez ! », se réprimanda-t-elle. Qu'il n'ait pas reparu était une bonne chose. Cet homme était dangereux. Elle monta dans sa chambre enfiler un pantalon de pyjama orné de tranches de pastèque et un débardeur vert. Comme elle redescendait pour lire un peu avant de se coucher, elle décida que détester l'étiquette « petite fille modèle » ne l'autorisait pas pour autant à faire n'importe quoi.

Elle s'apprêtait à s'installer sur le canapé avec un ouvrage de Brian Greene, *Aux origines de l'humanité*, quand elle se rappela avoir laissé traîner des outils de jardinage sur la terrasse. Or un peu de pluie était attendue au cours de la nuit. Elle posa son livre, se dirigea vers la porte de derrière, l'ouvrit, commença à franchir le seuil et... se retrouva nez à nez avec Mick Brody. Il lui attrapa les poignets pour l'empêcher de le heurter et sa voix grave l'enveloppa tandis qu'il murmurait :

— Coucou, Minou.

5

Nos moindres contemplations du Cosmos nous émeuvent – un frisson dans le dos, la gorge qui se noue, une sensation ténue comme un lointain souvenir, comme une chute vertigineuse. Nous savons que nous approchons le plus grand des mystères.

CARL SAGAN

Jenny retint un cri et s'efforça de se ressaisir.

— Euh… salut ! souffla-t-elle, les yeux écarquillés.

Consciente d'être *très près* de lui, elle fit un effort de volonté pour s'écarter.

— Vous semblez étonnée de me voir, dit-il à mi-voix.

Elle ravala sa salive, regrettant de n'avoir pas su dissimuler sa surprise. Décidément, elle était incapable de masquer ses sentiments !

— Je… j'ai cru que vous aviez peut-être changé d'avis. Que vous aviez décidé de… de me faire confiance.

Comme elle avait reculé dans la cuisine, il y entra à son tour.

— Je peux ?

Indignée, elle croisa les bras, et se rendit compte aussitôt que, comme tant d'années auparavant, ce geste ne faisait que remonter ses seins d'un cran dans son débardeur déjà très décolleté.

— Peu importe ce que je vous répondrai ! Vous ne me croirez pas.

Il ébaucha un sourire, puis haussa les épaules comme s'il lui concédait un point.

— À force de me le répéter, vous finirez peut-être par me convaincre, Minou.

Les lèvres pincées, elle déclara d'un ton neutre :

— Pour la vingtième fois, non, je n'ai parlé de vous à personne, et non, je n'en ai pas l'intention.

Sue Ann ne comptait pas : Jenny lui faisait totalement confiance.

— Épatant, approuva-t-il, toujours avec ce même demi-sourire sexy en diable.

« Cesse de fixer sa bouche ! », s'ordonna-t-elle.

Non sans surprise, elle le regarda passer tranquillement de la cuisine au salon. Elle inspira profondément avant de lui emboîter le pas, mais sur le seuil de la pièce. Il lui semblait important de maintenir une certaine distance entre eux. À tous les coups les pointes de ses seins étaient dressées sous son débardeur, une fois de plus, mais elle n'avait d'autre solution que de feindre le détachement.

— Je m'apprêtais à me coucher, annonça-t-elle.

Aussitôt, elle eut envie de se mordre la langue. Et s'il prenait cela pour une… invitation ?

— Désolé, Minou. Je ne vous retiendrai pas longtemps. Et si vous m'offriez un thé glacé ? Il fait encore très chaud dehors et traverser ce lac à la rame fait transpirer.

Elle ne s'était pas demandé par quel moyen il arrivait chez elle. Certes, le plus logique était de venir en barque, la route menant chez les Brody étant longue, étroite et tortueuse. Raison de plus pour y cacher… ce qu'il y cachait.

« Ne l'oublie pas », se recommanda-t-elle.

— Bien sûr, s'entendit-elle répondre en retournant à la cuisine.

« Idiote ! Pourquoi as-tu cédé ? se tança-t-elle. Pourquoi ne pas lui avoir dit que tu étais fatiguée, ou lui proposer de lui verser son thé dans un gobelet en plastique qu'il pourrait emporter avec lui ? »

Mais alors qu'elle ouvrait la porte du réfrigérateur, elle dut admettre qu'elle savait très bien pourquoi. C'était le mystère de Mick Brody. Elle ne l'avait pas encore résolu. Elle aurait beau essayer de le nier, au fond d'elle-même, elle était heureuse qu'il soit venu.

Lorsqu'elle reparut dans le salon, il avait pris place sur le canapé. Elle remarqua qu'il avait posé son livre sur la table basse.

— Tenez, murmura-t-elle en lui tendant le verre avant de s'installer en face de lui dans le vieux fauteuil de sa mère.

— C'est vous ? s'enquit-il en désignant la photo géante.

Elle acquiesça, l'œil rivé sur lui, nota la façon dont sa pomme d'Adam bougeait quand il buvait, les mèches de cheveux humides de transpiration. Elles étaient légèrement bouclées, et Jenny eut soudain envie d'y glisser les doigts pour les remettre en place.

— J'avais cinq ans, précisa-t-elle.

Il inclina légèrement la tête en arrière pour examiner le portrait.

— Elle est immense.

— J'envisage de la décrocher, avoua-t-elle, mais je n'ose pas car ce chalet appartient encore à mon père.

— Elle ne vous plaît pas ?

Jenny haussa les épaules, croisa les jambes.

— Comme vous venez de le faire remarquer, elle est immense – elle envahit l'espace. Et elle me fait penser trop souvent à la mort de ma mère.

— Vous lui ressemblez. Quand est-elle décédée ?

— Quand j'avais treize ans.

À son grand étonnement, il tressaillit.

— Quoi ? fit-elle.
— Rien, je… j'imaginais que c'était plus récent.
À cause de l'autel, devina-t-elle.
— C'est pourquoi je veux ôter cette photo. Papa ne semble pas se remettre de sa disparition bien que celle-ci remonte à dix-huit ans.
— Incroyable, murmura Mick, et son expression était… respectueuse. Un homme à ce point amoureux de sa femme.
— Je suppose que c'est plutôt rare, convint-elle en songeant aux « crises domestiques » chez les Brody, et à son propre mariage.
Elle fut soulagée quand Mick laissa errer son regard de l'autel aux autres photos accrochées aux murs – jusqu'à ce qu'elle se rende compte qu'elles étaient toutes d'*elle*, adolescente. Sur l'une, elle serrait Flocon contre son cœur.
— Je n'ai pas oublié votre chat.
Curieusement, cet aveu lui fit plaisir. Un peu comme lorsqu'il s'était souvenu l'avoir appelée Minou. C'était le signe qu'il se rappelait aussi bien qu'elle de cette lointaine journée. Elle s'efforça toutefois de paraître fâchée.
— Moi, je n'ai pas oublié votre copain qui voulait le soûler.
Il haussa les épaules. Forcément. Un type comme lui ne pouvait pas comprendre l'amour d'une gamine pour son chat.
— Qu'est-il devenu ?
Jenny grimaça.
— Écrasé par une voiture.
Le drame s'était produit le week-end précédant son départ pour l'université. Flocon faisait partie de sa vie depuis qu'elle avait neuf ans et cette fin tragique l'avait bouleversée.
— Navré, murmura-t-il, et il semblait sincère.
Elle comprit qu'elle camouflait mal sa peine. Mick avalait encore une gorgée de thé glacé en s'intéressant

maintenant à une photo d'elle en tenue de pom-pom girl, agitant ses houppes au-dessus de la tête tout en faisant le grand écart.

— Je vous ai souvent vue sur le terrain.

La poitrine de Jenny se contracta à la pensée que Mick Brody l'avait observée à l'époque, de même qu'elle l'avait suivi des yeux à l'autre bout du parking du lycée ou du gymnase, fascinée par son corps élancé et son air ténébreux. Après l'épisode du ponton, elle s'était surprise à le guetter lorsqu'elle allait faire un tour en ville, surtout l'été quand les gens sortaient plus facilement.

À court d'inspiration, elle baissa la tête.

— Et là, c'est quoi ? demanda-t-il en pointant le doigt sur une photo d'elle en robe longue, aux côtés d'Adam Becker, chacun coiffé d'une couronne. Ne me dites pas que vous avez été élue reine du bal de fin d'études ?

— Je plaide coupable.

Il rit tout bas.

— Quoi ? Qu'y a-t-il de si drôle ?

Il la fixa de son regard bleu.

— Disons que... vous êtes ma première reine du bal de fin d'études.

Un flot de chaleur lui monta aux joues – et déferla dans son ventre. Des images de leurs ébats sur les feuilles mortes lui traversèrent l'esprit. Mick rit de nouveau.

— En ce qui me concerne, je n'ai jamais assisté à un bal.

— Vraiment ? s'exclama-t-elle, surprise.

— C'est comment, Minou ? Tous ces trucs de lycéens, les sports, les bals ?

Elle réfléchit, cherchant ses mots.

— Tout le monde n'y prend pas le même plaisir, je suppose. Moi, si. Cela me... donnait confiance en moi.

— J'y aurais probablement pris aussi du plaisir si j'avais eu une jolie pom-pom girl comme cavalière. Quoique... non. Je n'aurais pas su comment m'y prendre.

— Vous y prendre ? Pour danser ?

Il opina, puis parut regretter cette confession.

Elle décida de le rassurer en lui avouant :

— *Aucun* garçon ne sait danser au lycée. Il s'agit plutôt de… se presser l'un contre l'autre sur la piste.

Il parut sceptique.

— Sans bouger ?

— Bon, d'accord, convint-elle en gloussant, on se balance vaguement d'avant en arrière, parfois on effectue un petit cercle, mais croyez-moi… la plupart des garçons de dix-sept ans se contentent de vous serrer contre eux.

Mick haussa les épaules.

— Je devrais pouvoir y arriver.

Elle s'esclaffa, puis :

— Je pourrais vous apprendre.

Il arqua les sourcils.

— À vous serrer contre moi ? Ça, je maîtrise déjà.

— Non. À danser.

Elle savait qu'un homme comme lui ne reconnaîtrait jamais qu'il avait envie d'apprendre à danser – et elle en conçut de la tristesse qu'il ait raté tous ces petits événements qui avaient rendu sa jeunesse supportable après le décès de sa mère.

— Je ne sais pas, Minou. Je ne suis pas sûr d'être doué.

Jamais elle ne l'avait vu aussi penaud et la « gentille Jenny » voulut aussitôt alléger son embarras.

— Allez ! l'encouragea-t-elle. Ce n'est pas douloureux, je vous le promets.

Sur ce, elle se leva et fonça vers la vieille chaîne stéréo de l'autre côté de la pièce. Elle n'avait pas apporté ses CD, mais cela n'avait pas d'importance car l'appareil datait des années 1980, avant la naissance du disque numérique. Elle ouvrit le placard encastré et s'empara du premier album venu : les Honeydrippers, volume I. Soulevant le couvercle de la platine, elle y plaça soigneusement le vinyle et guida le diamant vers le début du deuxième morceau, *Ocean of Love*.

Tandis que la musique langoureuse résonnait dans la pièce, Jenny revint vers le canapé et tendit la main à Mick. Après une imperceptible hésitation, il l'accepta, et c'est alors qu'elle prit conscience de ce qui était en jeu. L'intimité. Avec un homme qu'elle connaissait à peine. « Que fais-tu ? Arrête ! Arrête tout de suite ! », s'intima-t-elle. Mais il était trop tard pour reculer, aussi se contenta-t-elle de l'entraîner au centre du salon.

— La bonne manière, c'est celle-ci, expliqua-t-elle nerveusement en assumant la position d'un slow traditionnel – une main sur la hanche, l'autre dans la sienne. Au lycée, c'était davantage comme ceci, enchaîna-t-elle en mettant les *deux* mains de Mick sur ses hanches avant de s'accrocher à son cou. Ensuite, on bouge, chuchota-t-elle, déjà enivrée par son odeur musquée.

Idiote ! Idiote ! Idiote ! Quelle mouche t'a piquée de l'inviter à danser ? Quelle idée débile !

N'empêche que c'était drôlement agréable.

Incapable de soutenir son regard, elle baissa les yeux. Au début, les mouvements de Mick furent un peu gauches.

— Transférez votre poids d'un pied sur l'autre en rythme avec la musique, lui conseilla-t-elle à mi-voix.

Il s'exécuta. Plus il était à l'aise, plus elle s'enflammait. Elle se concentra pour maintenir une certaine distance entre leurs corps alors qu'elle mourait d'envie de se presser contre lui pour lui prouver que danser un slow pouvait être physiquement très excitant.

Durant un long moment, ils oscillèrent et tournèrent lentement sans échanger une parole, la musique formant comme un cocon autour d'eux. Jenny s'abandonna au bonheur tout simple de danser avec un homme au son d'une chanson romantique.

— Pas mal, lui chuchota Mick à l'oreille. Je comprends mieux maintenant pourquoi les garçons fréquentent les bals.

Sans réfléchir, elle leva la tête pour lui sourire, et se rendit compte à quel point leurs bouches étaient proches. À un moment ou à un autre, leurs corps aussi s'étaient rapprochés, si bien qu'à présent ses seins lui frôlaient le torse.

— Dites-moi, avez-vous perdu votre virginité après le bal de fin d'études, Minou ?

Elle le dévisagea, ahurie.

— Il paraît que ça arrive souvent, expliqua-t-il.

— Ah ! Eh bien... non.

— Avant ?

— Non, répliqua-t-elle en riant malgré elle.

— Pourquoi ?

— Il a tenté sa chance, mais j'ai refusé.

— Le type de la photo ?

Adam. Son premier flirt. Elle opina et Mick haussa les sourcils.

— Vous n'en aviez pas envie ?

— Je... Si mais je voulais être amoureuse, et je ne l'étais pas. Je voulais que ma première relation sexuelle ait... un sens.

Il s'écarta légèrement, pris de court. Une réaction parfaitement compréhensible après l'incident dans les bois.

— Les temps changent, je suppose, hasarda-t-il.

— Ce qui s'est passé avec vous... n'avait rien d'habituel pour moi.

— Dans ce cas, pourquoi l'avoir fait ? Je me serais arrêté si vous me l'aviez demandé.

— Je... je n'arrive pas à l'expliquer.

— C'était bon, Minou. Vraiment bon.

Un frisson la parcourut tout entière. Leurs corps étaient pressés l'un contre l'autre à présent et... Oh ! Son sexe durcissait contre son ventre !

— Merci de m'avoir appris à danser. C'est... agréable.

Personnellement, elle trouvait cela plus qu'agréable. Le cœur battant la chamade, toutes les cellules de son corps en éveil, elle acquiesça.

— Du temps du lycée, vous vous pelotiez au milieu de la piste ?

Elle ne put s'empêcher de rire.

— Oui, mais un enseignant intervenait systématiquement pour nous séparer.

Mick esquissa un sourire, puis son regard se fit brûlant tandis qu'il murmurait :

— Il n'y a pas d'enseignants ici, Minou.

Elle demeura muette, mais elle tremblait intérieurement. Comment en était-elle arrivée là ? À *désirer* Mick Brody ?

En lui proposant de danser un slow, voilà comment, espèce d'idiote !

Elle n'en revenait pas. Et maintenant il s'inclinait sur elle, lentement, timidement, comme n'importe quel adolescent lors de son premier rendez-vous.

Elle fondit littéralement sous sa bouche, en savourant le goût salé auquel se mêlait celui du thé glacé. Un baiser en entraîna un autre. C'était tellement intime, cette danse des langues qui se cherchaient, elle était toute moite entre les cuisses. Plus leur étreinte se prolongeait, plus les vagues de sensualité qui déferlaient en elle étaient puissantes, ardentes. Lui pétrissant les fesses, Mick l'attira plus près encore, pressant son érection là où elle rêvait de la sentir.

Emportée par la passion, elle soupirait, haletait, toutes les fibres de son corps tendues vers lui, avides de caresses. Elle enfonça les mains dans ses cheveux, s'agrippa à son cou, aspirée par une sorte de faim animale, une faim dont, avant Mick Brody, elle avait ignoré l'existence. Et dire qu'elle n'avait pas osé l'embrasser dans les bois ! Qu'elle l'avait cru incapable de tendresse !

Quand la bouche de Mick s'écarta de la sienne, elle éprouva une vraie déception – avant qu'il ne s'attaque à son cou. Un gémissement lui échappa. Dieu, que c'était exquis ! Comme l'autre soir mais… différent. Plus doux.

Plus conforme à ce qu'elle connaissait. En mieux. Beaucoup, beaucoup mieux.

Elle poussa un soupir voluptueux, inclina la tête pour lui faciliter l'accès – et c'est là qu'elle aperçut, derrière lui, la photo géante de sa mère. *Merde !* Un étrange sentiment de honte la submergea. C'était absurde, illogique, car elle était une femme adulte. Mais elle était aussi Jenny, la petite fille modèle, jusqu'aux tréfonds de son âme.

La seule vue de sa mère la força à le repousser. Elle pivota sur elle-même, tournant le dos à Mick, à tout ce qui la rappelait à l'ordre. Elle ne pouvait pas coucher avec Mick Brody. Pas ici.

Il ne dit rien, mais elle le sentait dans son dos, attendant une explication.

— Je ne peux pas, articula-t-elle enfin.

— Ce ne serait pourtant pas la première fois, lui rappela-t-il, avec raison.

Jenny leva les yeux, et réalisa qu'elle était face à la cheminée, au-dessus de laquelle était suspendue une grande glace. Elle s'y vit – juste la moitié supérieure de son corps –, mais surtout, elle vit Mick derrière elle, magnifique et plus sexy que jamais.

— Je vous l'ai dit... ce que j'ai fait dans les bois ne m'était pas habituel. Quand je couche avec un homme je veux que... que ça compte.

Beurk ! À cet instant-là, elle se détesta, maudissant la petite fille modèle en elle. Elle aurait tant voulu être comme ces femmes qui se lançaient dans des aventures sans lendemain. Mais elle doutait d'y parvenir un jour. Certaines choses vous collaient à la peau.

Elle aurait pu lui donner d'autres raisons : « Quel que soit votre secret, cela me terrifie. J'ai peur que vous soyez toujours le mauvais garçon d'autrefois, quelqu'un à fuir. » Pourtant, contre toute attente, ce n'était pas ce qui la freinait.

Elle s'attendait que Mick confirme ses craintes les plus folles, la traite de gamine, lui dise qu'il n'avait pas de temps à perdre avec elle.

Ce fut donc un choc quand, s'approchant d'elle, il l'enveloppa de ses bras et lui murmura à l'oreille :

— Vous n'êtes peut-être pas amoureuse de moi, Minou, mais j'ai envie de vous donner du plaisir. Est-ce que cela ne compte pas ?

Elle aussi voulait lui donner du plaisir. Elle voulait lui prouver qu'elle en était capable, comme dans les bois.

Pourtant elle ne souffla mot, parce qu'elle ne savait pas quoi dire. Elle était si bien dans cette position ! Elle contempla dans la glace le couple qu'ils formaient, lui si grand, si solide, comparé à elle... Elle mourait d'envie qu'il la prenne, là, tout de suite, vite et fort.

Comment le lui avouer ? Les petites filles modèles ne tenaient pas ce genre de discours.

L'épisode dans les bois aurait dû l'endurcir, pourtant, il n'en était rien. Ici, elle était chez elle. Dans la maison de *ses parents*. Où elle avait vécu les dix-huit premières années de sa vie. Elle avait la curieuse impression d'enfreindre un interdit. Et en dépit de la chaleur de son étreinte, le peu qu'elle savait le concernant la tracassait.

— J'ai envie de vous, mon ange.

C'était presque un ronronnement, un son doux comme du velours. Elle ferma les paupières.

Elle ne vit donc pas, dans le miroir, ses doigts aux extrémités calleuses qui remontaient le long de ses bras. Ni sa main qui glissait vers son épaule tandis que l'autre lui pressait la hanche.

Quand la première s'aventura jusqu'à son sein, elle laissa échapper un soupir, paupières toujours closes. Quand la seconde se hasarda vers son ventre, elle n'osa pas regarder.

Mais quand son sexe indubitablement rigide vint se caler contre son postérieur, elle rouvrit brusquement les yeux. Le reflet du couple enlacé dans le miroir provoqua une contraction entre ses cuisses.

— Tu es si belle, Jenny, souffla-t-il.

C'était la première fois qu'il la tutoyait, qu'il l'appelait par son prénom. Incapable de dire un mot, elle garda le regard rivé sur la glace. Sur la main de Mick qui lui caressait le sein, tandis que son autre main s'immisçait dans son entrejambe.

Oh, mon Dieu ! Sans le vouloir, elle lui en facilita l'accès. Sans le vouloir, elle ondula contre lui. Il couvrit son cou d'une pluie de baisers et elle ferma les yeux de nouveau, non pas pour fuir la vision de leur étreinte, mais parce qu'elle était au comble de l'excitation. Ses genoux flageolaient, elle allait s'écrouler. Il dut le sentir car il lâcha son sein pour la soutenir.

Un instant plus tard, il dénouait le lien qui retenait son pantalon de pyjama ; celui-ci glissa à ses pieds. Elle aspira une bouffée d'air, mais il continua de l'embrasser dans le cou en la serrant plus fort encore contre lui.

— Viens par ici, murmura-t-il soudain en la libérant.

Perdue dans le brouillard du désir, elle se laissa entraîner jusqu'au canapé.

Il l'y étendit, se coucha sur elle et s'empara à nouveau de ses lèvres. Jamais de sa vie Jenny n'avait été à ce point enivrée par un homme. Certes, elle avait déjà eu faim de sexe, mais cette fois, c'était différent – c'était l'homme qui l'ensorcelait, Mick Brody, sa bouche, ses yeux, ses mains, son corps.

Ils échangèrent des baisers tandis que les Honeydrippers enchaînaient les morceaux. Bientôt, Mick entreprit de remonter délicatement son débardeur, jusqu'à dénuder sa poitrine. Il gronda doucement, et elle se rendit compte qu'il faisait moins sombre ici que dans les bois.

— Tu es si belle, mon ange, répéta-t-il juste avant d'aspirer la pointe durcie de son sein dans sa bouche.

Elle ne chercha pas à réprimer ses gémissements – elle en aurait été incapable. Elle ne ferma pas non plus les yeux parce qu'il était beau à regarder et parce qu'elle avait encore du mal à croire à ce qui lui arrivait.

Lorsqu'il happa son autre sein, léchant, suçant, provoquant en elle des spasmes électrisants, elle se surprit à s'interroger. Était-ce suffisant ? Le plaisir pouvait-il vraiment être une fin en soi ? Pour le moment, elle était convaincue que oui, mais plus tard, que ressentirait-elle ?

Elle cessa de réfléchir car Mick explorait à présent son nombril du bout de la langue, lui mordillait la peau à la lisière de sa culotte à pois. Son ventre se contractait et ses muscles intimes frémissaient. C'était un peu comme l'orage qui menace en plein été : impossible de l'arrêter. Elle ne pouvait que le regarder se rapprocher, de plus en plus près, tout en se préparant à l'impact.

Quand il déposa un petit baiser solitaire entre ses cuisses, elle tressaillit, se cambra et il en profita pour glisser les mains sous elle et tirer sur son slip.

Elle le contempla sans mot dire, consciente que son regard parlait pour elle. *Oui, je te laisse faire. Oui, cela doit signifier que j'ai autant envie de toi que toi, de moi. J'ai peur mais j'en ai envie.*

Elle attrapa son tee-shirt pour le lui enlever. Comme il levait les yeux vers elle, visiblement saisi par le geste le plus sexuellement agressif qu'elle ait jamais eu à son égard, elle chuchota :

— Je me sens plus nue que toi.

L'expression de Mick se radoucit, et il prit le relais. Il se débarrassa de son tee-shirt, puis de son jean. Dieu, qu'il était beau ! Son boxer gris moulait à la perfection ses hanches et… son sexe. Son torse était large et musclé, et une fine ligne de poils sombres descendait en ligne droite de son nombril, telle une flèche indiquant le chemin de l'extase. Elle s'autorisa à l'admirer.

Quand Mick s'inclina pour faire passer son débardeur par-dessus sa tête, elle sut qu'elle était là où elle le souhaitait, avec lui. Peu importait qu'il soit dangereux. Peu importait ce qu'il cachait.

— S'il te plaît… s'entendit-elle murmurer.
— S'il te plaît, quoi, ma douce ?
Elle prit une profonde inspiration et baissa les yeux vers son ventre.
— S'il te plaît, embrasse-moi. Là.

6

L'univers se déploie comme il le doit.
EDWIN HUBBLE

En réponse, Mick se laissa glisser le long de son corps et lui écarta les jambes. Elle le laissa faire. Elle était nerveuse mais sûre d'elle. Oui, le plaisir comptait. Oui, c'était suffisant. Du moins pour le moment.

Comme sa bouche se refermait sur son clitoris gonflé, elle laissa échapper un gémissement. Le ravissement fut intense et scintillant, inondant son corps entier en l'espace d'une seconde. Terrence lui avait parfois octroyé ce plaisir-là, bien sûr, mais déjà, avec Mick, c'était différent. Mick en avait *envie*. Pour preuve, la profondeur, la langueur, la perfection de ses caresses enivrantes, avant que deux de ses doigts s'enfoncent en elle.

Elle s'oublia. Oublia qu'enfant, elle avait regardé les dessins animés à la télévision sur ce canapé. Que son pied nu reposait sur la table basse où elle avait fait ses devoirs. Elle ne pensait plus qu'au plaisir que lui procurait le mystérieux Mick Brody, si nouveau comparé à leurs ébats dans les bois. Elle sanglota presque de bonheur tandis que chaque coup de langue, chaque baiser vibrait à travers tout son être. Parfois elle fermait les yeux, parfois elle les gardait ouverts pour le contempler. Parce qu'il était magnifique, et parce qu'il était vraiment *là*, avec *elle*.

Très vite, elle dut s'agripper au coussin pour mieux s'arquer vers lui, la vague montant, montant vers le glorieux paroxysme. Ses mouvements se firent plus rapides, elle serra les dents, se soulevant, se tortillant jusqu'au moment où elle bascula dans l'abîme de l'extase en laissant échapper un cri rauque.

La marée de l'orgasme reflua petit à petit, et Jenny retomba sur terre. Se hissant sur ses bras au-dessus d'elle, Mick apparaissait si viril et si satisfait qu'elle chassa toute pensée négative de son esprit.

— J'ai envie de toi, chuchota-t-elle en tirant sur son boxer pour libérer son érection.

— Attends une seconde, j'ai...

Il se pencha, plongea la main dans la poche de son jean et en ressortit un préservatif.

— Dépêche-toi.

Jamais elle n'avait supplié Terrence de se dépêcher, pas même au début de leur relation. Mais elle voulait Mick *maintenant*.

Il enfila rapidement le préservatif, et lui écarta les jambes.

Tendue, tremblante, elle appuya les paumes sur son torse. Leurs regards se croisèrent brièvement, puis il positionna son sexe entre ses cuisses, et, d'instinct, elle les ouvrit davantage.

Enfin, il était en elle. Elle cria son bonheur en se cambrant à sa rencontre.

— Tu es si étroite, murmura-t-il.

Il était tellement imposant, songea-t-elle.

Il s'enfonça un peu plus en elle, et tous deux gémirent. Et lorsqu'il commença à se mouvoir en rythme, elle s'abandonna totalement. Elle avait l'impression d'être propulsée dans l'espace où rien d'autre ne comptait qu'exister et ressentir.

Son corps pulsait d'un plaisir qu'elle n'avait encore jamais éprouvé. Elle se cramponna à Mick, enroula les jambes autour de sa taille, et il accéléra le mouvement, s'abandonnant à son tour.

Elle n'aurait su dire combien de temps il pilonna son corps offert. Elle aurait voulu que cela dure éternellement. Sentir son poids sur elle, l'entendre gémir, et crier :

— *Ça vient !*

Après l'explosion, la tension quitta son corps tandis qu'il s'allongeait en douceur.

Ils demeurèrent longuement enlacés, sans parler. La musique s'était tue depuis longtemps, l'atmosphère était paisible, la lumière diffuse. Toutefois l'éclairage était suffisant pour que Jenny perçoive du coin de l'œil les robes roses de la photo. « N'y pense pas », s'ordonna-t-elle.

En vain. Jenny la petite fille modèle venait de baiser avec Mick Brody, un individu dangereux, et elle avait adoré cela.

Au bout d'un moment, il dessina le contour de son sein avec le pouce, puis déposa un baiser sur sa joue.

— Je t'écrase ? lui murmura-t-il à l'oreille.

— Un peu, avoua-t-elle avec un petit rire.

Ensemble, ils se roulèrent sur le flanc, face à face, jambes nues entrelacées.

— Ça va, Minou ?

Il lui avait posé cette même question la dernière fois et elle lui avait menti.

— Oui, répondit-elle en toute sincérité. Encore que j'aurais dû nous séparer.

— Hein ?

— Je suis prof. J'aurais donc dû mettre le holà dès que nous avons commencé à nous peloter en dansant.

— Vraiment ? Tu es prof ?

Décidément, elle n'en sortirait jamais. Même nue sur le canapé tout contre Mick Brody, elle demeurait « Jenny la petite fille modèle ». Qu'elle le veuille ou non.

— Oui.

— Tu as bel et bien essayé de nous séparer, lui rappela-t-il d'un ton taquin.

— Pas longtemps, admit-elle avec un sourire penaud.

— En effet, et j'en suis heureux, avoua-t-il avant de déposer un baiser sur ses lèvres. Quelle matière enseignes-tu ?

— Les sciences. Niveau collège.

— D'où ton intérêt pour les étoiles.

— À moins que ce ne soit l'inverse. J'ai aimé les étoiles bien avant de me lancer dans l'enseignement.

— J'ai vu tes livres, dit-il en indiquant l'ouvrage de Brian Greene qu'il avait posé sur la table basse, à côté d'un autre ouvrage d'astronomie. C'est une vraie passion, hein ?

Comment lui expliquer la majesté de l'univers ?

— As-tu déjà observé le ciel à travers un télescope ?

— Non.

— Quand on commence à se rendre compte de son... immensité, que la planète Terre n'est qu'une tête d'épingle dans l'espace, disons que cela aide à remettre les choses en perspective, à relativiser ses problèmes.

À son expression, elle devina que ses paroles le faisaient réfléchir.

— Hum... relativiser ses problèmes, murmura-t-il finalement. Ce ne serait pas un luxe.

— Je pourrais peut-être te montrer les étoiles un de ces soirs ? proposa-t-elle spontanément.

— Peut-être bien, Minou, répondit-il.

Devait-elle en être soulagée ? Ou terrifiée ? N'ayant pas le temps d'examiner la question, elle se contenta de le défier d'un regard enjoué.

— Bien entendu, ça risque d'être compliqué dans la mesure où il y a trop d'arbres dans mon jardin et où tu m'interdis de mettre le pied sur ta rive du lac.

Il grimaça, sourit.

— Désolé.

Cela signifiait-il qu'elle y serait désormais la bienvenue... ou non ? Elle s'apprêtait à le lui demander quand il se redressa.

— Il faut que j'y aille, mon ange.

Et vlan ! Enfin, cette fois, elle avait eu droit à quelques instants de tendresse après. Suivis d'un départ brutal.

Mais sans doute était-ce le propre d'une aventure sans lendemain. *Un coup d'œil, un coup de reins, un coup d'éponge*. Elle avait couché avec lui deux fois alors qu'elle le connaissait à peine, elle n'avait pas le droit de s'offusquer sous prétexte qu'il s'en allait précipitamment. Même si cela la froissait.

Comme il se rhabillait, elle en profita pour examiner le tatouage sur son bras – un crâne et deux os en croix.

— Intéressant, ce tatouage, commenta-t-elle. Pourquoi as-tu choisi ce dessin plutôt qu'un autre ?

Apparemment, il trouva sa question amusante. Ou terriblement naïve. Il lui adressa un clin d'œil en boutonnant sa braguette.

— Je n'étais pas certain qu'un papillon ou un cœur me corresponde.

Elle gloussa, puis :

— Sérieusement. Pourquoi celui-là ?

Il regarda son bras, l'air songeur.

— C'était à une autre époque. Sans doute dans l'espoir de me faire passer pour une racaille.

— L'es-tu ? s'enquit Jenny, le cœur battant un peu plus vite.

— Tout dépend de la façon dont tu vois le monde, Minou.

Au fond, il n'avait pas tort. Ce tatouage détonnait avec le Mick Brody qui venait de lui faire l'amour. Car il aurait beau le nier, il lui avait fait l'amour. Mais peut-être seyait-il au Mick Brody qu'elle avait connu adolescente, voire à celui avec qui elle s'était envoyée en l'air dans les bois.

Qui était le *véritable* Mick Brody ?

— À bientôt ! lança-t-il en ajustant son tee-shirt.

Bientôt quand ?

Non ! Tais-toi ! Il va te prendre pour une sangsue !

— Dois-je en déduire que tu n'as toujours pas confiance en moi concernant ton secret ?

Il eut un sourire malicieux et ses yeux pétillèrent.

— Possible. Possible aussi que ce soit un prétexte pour revenir te renverser sur le canapé.

Walter Tolliver gara sa voiture de patrouille sur le parking devant l'entrée de l'auberge *Dew Drop*, un bouge situé le long de la nationale, à la lisière de Destiny. Le bâtiment de plain-pied était moche, bas de plafond et empestait la bière rance. Des enseignes lumineuses en néon clignotaient derrière les vitres entourées de guirlandes de Noël dont la moitié des ampoules étaient mortes. Derrière l'édifice se dressait une maisonnette blanche, délabrée, aux volets verts.

Digby Woods avait quitté la ville récemment après avoir vendu l'ensemble et Walter n'avait pas encore eu l'occasion de rencontrer le nouveau propriétaire des lieux. Au fil des ans, il avait mis fin à plus d'une bagarre dans ce bar. Dans la mesure où il y avait de fortes chances pour qu'on l'appelle à la rescousse dans un avenir proche, autant y faire un saut et se présenter.

Il était près de minuit quand il poussa la porte. Il constata, non sans plaisir, que l'ambiance était calme. Quelques individus plus ou moins louches jouaient au billard dans un coin, mais personne ne semait la zizanie. La voix de Bruce Springsteen sortait du juke-box vieillot près de l'entrée, et les coquilles d'arachide crissaient sous ses pieds.

Le comptoir étant déserté par les clients, il alla se percher sur un tabouret. Il n'y avait personne derrière le bar, mais il n'était pas pressé. Il plongea distraitement la main dans une coupe de cacahuètes, en décortiqua plusieurs, les goba.

Quand son regard tomba sur un journal abandonné à deux places de là, ouvert à la page des horoscopes, Walter pensa à sa fille. Elle ne s'intéressait pas à l'astrologie, mais elle trouvait un grand réconfort à contempler les étoiles. Deux jours plus tôt, il lui avait demandé si elle avait eu l'occasion de se servir de son télescope et lorsqu'elle lui avait expliqué que les arbres autour de la maison étaient trop grands, il avait perçu sa déception. Il lui avait proposé de téléphoner à ses amis, Betty et Ed, qui possédaient une ferme entourée de vastes prés à l'autre extrémité de la ville. Mais à l'instant où il avait formulé sa suggestion, il avait su qu'elle refuserait : Ed insisterait pour l'accompagner, Betty s'empresserait de les rejoindre avec des boissons fraîches. Ce n'était pas du tout ce que recherchait sa petite Jenny.

Bien que sociable, Jenny avait toujours été fascinée par le ciel, un peu comme si elle entrait en communion avec lui. Observer les étoiles la rendait sereine et la poussait à l'introspection, un peu comme une religion.

Et peut-être en était-ce une à ses yeux. Après tout, Dieu était là-haut. Quelque part. Il veillait sur eux. Jenny scrutait-elle l'univers en quête de Dieu ?

Depuis son retour à Destiny, Walter faisait son possible pour ne pas l'étouffer. La vérité, c'était qu'il serait volontiers passé la voir matin et soir pour s'assurer que tout allait bien. Il résistait à la tentation, content de la savoir dans le chalet familial, à quelques minutes seulement de chez lui. Il n'avait plus qu'elle, et s'ils avaient toujours été proches sur le plan émotionnel, cette proximité physique le rassérénait.

Il en voulait à son salaud d'ex-mari de l'avoir trahie, mais plutôt que de laisser libre cours à sa colère, il s'efforçait de se concentrer sur ce qui en avait découlé de positif, à savoir le retour de Jenny à la maison. Il ne le lui avait jamais avoué, mais il s'était toujours méfié de Terrence, qu'il trouvait terriblement égocentrique, voire égoïste.

Si Judy la voyait aujourd'hui... Jenny n'était pas brisée, non. Mais elle avait perdu confiance en elle. Il n'avait pas abordé le sujet avec elle parce qu'il savait qu'elle traversait cette épreuve seule et devrait s'en sortir par elle-même. Il le savait d'autant mieux qu'il avait vécu une épreuve similaire.

Il s'était accoutumé à la vie sans Judy, et pourtant, il pensait à elle sans arrêt, allant parfois même jusqu'à imaginer l'avoir à ses côtés alors qu'il était seul. Ce n'était pas difficile. Il lui suffisait de réfléchir à ce qu'il lui aurait dit si elle avait été là. Puis d'inventer sa réponse. Il entendait encore sa voix, comme si elle était partie la veille.

Mais Jenny l'avait incité à s'interroger. Pas question de faire la cour à une femme comme elle le lui avait suggéré. Franchement, qui voudrait de lui ? En revanche, elle avait raison, ce n'était peut-être pas très... *sain* de s'accrocher ainsi à ses souvenirs.

Sauf que c'était devenu une habitude. Et qu'il ne voyait pas comment s'en détacher.

Quand il eut englouti assez de cacahuètes pour se rendre compte que cela lui avait donné soif, il scruta la salle et repéra une femme penchée sur une table tout au bout, en train de remplir une bassine de verres et de serviettes en papier sales. Elle avait les cheveux roux et ce qu'il fallait où il fallait. Son jean était trop moulant, et son tee-shirt à l'imprimé audacieux soulignait ses formes.

Comme si elle avait senti qu'on l'observait, elle releva la tête. Leurs regards se croisèrent. Elle posa bassine et chiffon, contourna le bar. Il lui donna environ quarante-cinq ans, les rides sur son visage n'affectant en rien sa beauté – c'était le genre de femme qui n'avait pas dû avoir la vie rose, mais avait bien vieilli. Elle le salua aimablement sans aller jusqu'à lui sourire.

— Que puis-je vous servir ?

— Un soda, s'il vous plaît.

— En service ? s'enquit-elle en se détournant pour attraper un verre.

— Oui, madame.

Cela dit, même en dehors du boulot, il buvait très peu. Il n'aimait pas l'idée de perdre un tant soit peu la maîtrise de soi. Il n'en voulait pas à ceux qui voyaient les choses différemment, tant qu'ils ne s'enivraient pas, mais hormis partager une bouteille de vin de temps en temps avec sa femme quand ils étaient jeunes, l'alcool n'avait jamais été son truc.

— Et voilà, fit-elle en déposant verre et bouteille sur le comptoir.

Elle repoussa ses longs cheveux bouclés et Walter ne put s'empêcher de remarquer son décolleté.

— Le nouveau propriétaire est-il dans les parages ? risqua-t-il.

Cette fois, elle lui sourit.

— Devant vous. Anita Garey.

Elle lui tendit une main fine aux ongles vernis de rouge. S'efforçant de dissimuler son étonnement, Walter la lui serra. Il se savait un peu... en retard sur son temps – désormais, une femme pouvait gérer un bar si elle en avait envie. Il fut surpris aussi de sentir une petite contraction au niveau de son entrejambe, une sensation qu'il n'avait plus éprouvée depuis... très longtemps.

— Je suis Walter Tolliver, chef de la police de Destiny, se présenta-t-il.

Il se découvrit incapable de croiser son regard, baissa les yeux – sur son décolleté, puis, rapidement, sur le bar.

Ma parole, il se comportait comme un gamin de douze ans ! Il se força à la regarder.

— Je... euh... je passais juste me présenter. J'essaie de travailler main dans la main avec tous les commerçants afin qu'ils n'hésitent pas à faire appel à nous en cas de besoin.

— Excellente initiative, approuva-t-elle, et quelque chose dans sa voix suscita une nouvelle réaction aux alentours de son entrejambe.

— Vous... vous êtes de la région ?

— Non. J'arrive de Cleveland. Je me suis installée dans la maisonnette, derrière. J'ai décidé que j'en avais assez de la vie en ville et j'ai voulu tenter ma chance à la campagne.

— Vous vous y plaisez ?

Elle haussa les épaules et laissa échapper un rire sarcastique.

— Question calme, je suis comblée. Mais je ne suis pas certaine d'y trouver ma place.

Que répondre ? Walter paniqua. Il ne voulait pas l'offenser, mais il doutait qu'elle se fasse beaucoup d'amis à Destiny. Elle était si... différente, et cela allait de son regard assuré à sa tenue. Hormis ses clients – qui habitaient sans doute sur la route de Crestview – qui, parmi ses concitoyens, aurait envie de fréquenter Anita Garey ?

— Ça risque de prendre un peu de temps, déclara-t-il enfin, histoire de briser le silence.

Il n'allait tout de même pas l'inviter à venir avec lui à la messe !

— *Beaucoup* de temps, probablement, conclut-elle en lui adressant un clin d'œil.

Troublé, Walter Tolliver sut qu'il devait s'en aller. Il sortit son portefeuille et jeta deux dollars sur le comptoir.

— Il faut que je poursuive ma patrouille. Heureux d'avoir fait votre connaissance, madame Garey.

— Appelez-moi Anita. Moi aussi, je suis heureuse de vous connaître... Walter, c'est ça ?

Il hocha la tête.

— Soyez prudent, Walter.

Inexplicablement, ces paroles résonnèrent dans sa tête tandis qu'il se dirigeait vers la sortie, et il eut le sentiment qu'il était plus en sécurité hors de l'auberge qu'à l'intérieur.

Derrière la cabane délabrée, Mick creusait.

Il avait commencé tôt, au saut du lit, avant que la chaleur devienne insupportable. Le découragement l'envahit quand, s'accordant une pause, il s'appuya sur sa pelle, essuya son front maculé de poussière et de sueur, et constata le peu de progrès accompli. Par chance, les arbres le protégeaient du soleil. Et des regards indiscrets de l'autre côté du lac.

Il avait eu du mal à s'y mettre, mais à présent qu'il avait réalisé l'ampleur de la tâche, il était content de s'être décidé. Il avait envisagé de louer un engin, puis y avait renoncé. Un type en pick-up bleu pouvait se déplacer sans qu'on le remarque, un type en pick-up bleu *remorquant une grosse machine* nettement moins. Il ne lui restait donc plus que la méthode manuelle. Et tant pis si cela prenait plus de temps.

Il n'aimait pas penser aux raisons pour lesquelles il était là, aussi lorsque Jenny Tolliver surgit dans son esprit l'accueillit-il avec bonheur. Elle était jolie, propre, douce – tout ce que sa vie n'était pas.

Il n'avait pas prévu de l'embrasser dans sa cuisine le soir de sa première visite. Il avait agi instinctivement, et en avait éprouvé une espèce d'allégresse qui avait duré un bout de temps. Même maintenant, sale et ruisselant, il se rappelait ce qu'il avait ressenti. Il n'imaginait pas qu'un simple baiser puisse faire cet effet-là.

Ensuite, quand ils avaient dansé, il avait eu l'impression que s'il ne la prenait pas immédiatement, l'occasion ne se représenterait peut-être plus jamais. Il ne regrettait pas de l'avoir poussée dans ses retranchements.

L'arrangement lui convenait. Il passerait la voir de temps en temps pour s'assurer qu'elle tenait sa promesse, et en profiterait pour prendre du plaisir avec elle.

Cela revenait-il à se servir d'elle ? Peut-être. Bien sûr. Qu'importe. Qui ne se servait pas des autres en ce bas monde ? Cela ne signifiait pas qu'il la méprisait. Au contraire, il l'appréciait. Sa beauté, sa douceur n'étaient pas qu'une façade. En d'autres circonstances, il l'aurait considérée comme une fille trop bien pour lui. Mais cet été, tout était différent.

C'était l'été le plus sombre de son existence. Plus sombre que son passé d'enfant battu. Que les violentes disputes de ses parents, les cris et les coups. Que les regards que suscitait systématiquement son patronyme, Brody. Que la peur et la honte qui l'avaient submergé chaque fois qu'il volait, qu'il prenait aux gens des biens qu'ils avaient gagnés grâce à leur travail, contrairement à lui. Que le fait d'être piégé dans une existence dont il ne pouvait s'échapper.

Si Jenny Tolliver lui permettait d'oublier la noirceur de sa vie de temps à autre, pourquoi ne pas saisir sa chance ?

Il espérait juste qu'elle ne le trahirait pas.

Bon sang, il avait fallu qu'il tombe sur la fille du chef de police. Il faillit en rire, mais se retint. Creuser ce putain de trou n'avait rien de drôle, pas plus que le fait que, pour les deux mois à venir, son destin était entre les mains d'une femme qu'il connaissait à peine et qui aurait sans doute un arrêt cardiaque si elle savait ce qu'il était en train de faire et pourquoi.

Il se remit à l'ouvrage, plantant sa pelle dans la terre, bandant des muscles pour ajouter une nouvelle pelletée au monticule derrière lui.

Trois soirs après avoir fait l'amour sur son canapé avec Mick Brody, Jenny était agitée. Pas étonnant qu'elle ait quitté Destiny – on s'y ennuyait ferme.

Cependant, ce n'était pas tant le désœuvrement qui la tracassait qu'un profond sentiment de solitude. Elle avait du mal à l'admettre. « Est-ce ainsi que sera ta vie désormais ? s'interrogea-t-elle. Triste et pathétique ? Toutes les femmes divorcées ressentent-elles la même chose ? » Elle balaya le salon du regard. Elle n'avait pas envie d'allumer la télévision, pas envie de lire, pas envie de dormir. La journée, c'était plus facile : elle se rendait en ville pour se ravitailler, échangeait quelques mots avec les uns et les autres, déjeunait avec Sue Ann, jardinait. Les soirées, en revanche, lui paraissaient interminables.

Sauf quand Mick Brody lui rendait visite.

Elle avait encore du mal à croire qu'il ait pris une telle place dans son existence.

Sue Ann avait poussé des cris d'orfraie quand, la veille, Jenny lui avait raconté leurs récents ébats. Au début, elle avait été tout excitée.

— Jenny, tu as une liaison ! Quel effet cela fait-il ?

— Bizarre, avait-elle avoué. Et pourtant, c'est... exquis.

Puis Sue Ann avait changé de couplet et fait observer d'un ton de reproche :

— Cela dit, à bien y réfléchir, comment peux-tu coucher avec un criminel sans flipper complètement ?

Sue Ann avait la fâcheuse manie de retourner sa veste en un tournemain, mais là, elle frisait le ridicule.

— Rien ne nous permet d'affirmer que c'est un criminel, lui avait rappelé Jenny. Ce n'est qu'une supposition.

Sue Ann avait levé les yeux au ciel.

— D'accord. Comment peux-tu coucher avec un type *qu'on soupçonne* d'être un criminel sans flipper complètement ?

Jenny avait soupiré. Elle s'interrogeait au moins autant que son amie. Seulement, quand Mick l'embrassait, quand il la caressait, quand il transformait ses entrailles en lave fondue, il était facile d'oublier qu'il était peut-être un criminel.

Pour l'heure, elle avait plus que tout envie d'observer les étoiles. Pas entre des branches et des feuillages. Pas en compagnie d'Ed et de Betty. Bon sang, elle ne demandait pas grand-chose. Pourquoi était-ce si compliqué ?

Se levant, elle gagna la véranda. La chaleur nocturne s'abattit sur elle comme une brique mais, curieusement, c'était plus agréable que la fraîcheur artificielle du climatiseur. Un croissant de lune brillait dans le ciel. Dans les bois d'en face, aucune lumière. Normal, la forêt était trop épaisse.

Et si j'y retournais maintenant ?

Il était tard, Mick était sans doute endormi. Il ne saurait jamais qu'elle était venue.

Et puis, s'il la voyait, n'étaient-ils pas suffisamment intimes pour qu'il lui fasse confiance ? Il devait savoir qu'elle ne lui voulait aucun mal. Son secret l'inquiétait, mais elle n'avait pas l'intention de révéler sa présence. Ne le lui avait-elle pas déjà prouvé en omettant d'en parler à son père ? Elle ne l'avait dit à personne – sauf à Sue Ann. Mais Sue Ann ne comptait pas.

Avec un frisson, elle se remémora leurs corps enlacés, leurs gémissements de plaisir. Comment pouvait-il remettre en question sa loyauté après avoir partagé de tels moments ?

Les choses n'avaient-elles pas changé entre eux ? Elle lui avait appris à danser. Il l'avait embrassée avec une tendresse infinie. Il s'était même souvenu du nom de son chat !

Tous ces petits détails n'avaient-ils donc aucune signification ?

Et puis zut ! Tout ce qu'elle voulait, c'était contempler les étoiles. Retrouver ce sentiment de paix et de sérénité que lui procurait le vaste univers.

Mick ne lui en voudrait pas.

Bien sûr que non.

Jenny retourna dans la maison, enfila son jean et ses baskets, emballa son matériel et fonça vers le ponton.

7

Le ciel est comme l'eau – d'un côté, le monde lumineux, familier ; de l'autre, les ténèbres mystérieuses. Observez le ciel dans ses profondeurs, vous y découvrirez plus de choses que quiconque l'imagine, ou puisse *l'imaginer.*

TIMOTHY FERRIS

Pagayant sur le lac plus calme que jamais à cette heure de la nuit, Jenny se posa la question évidente : « Pourquoi est-ce important au point que je suis prête à affronter de nouveau sa colère ? »

Renversant la tête pour contempler la voûte étoilée, elle trouva la réponse. « C'est tout ce qui me reste. » Elle n'avait plus de mari, plus de maison. Plus de boulot, plus d'élèves ni de cours. Certes, elle avait encore son père et Sue Ann, mais tous deux avaient des vies bien remplies. D'accord, elle avait renoué avec Tessa et Amy, mais leurs relations demeuraient superficielles. Si, au fil du temps, elle avait l'impression que son existence allait s'enrichissant, sous bien des aspects, elle se sentait encore à la dérive.

Une situation déjà pénible *avant* l'apparition de Mick Brody dans le tableau. À présent, en plus de toutes les autres incertitudes qui la taraudaient, elle couchait avec un homme qu'elle connaissait à peine et, pire, qui avait quelque chose à cacher.

D'où son besoin – désespéré – de se raccrocher à la seule activité qui la rassurait, l'aidait à retrouver ses marques, comme si tout allait pour le mieux.

Quand le canoë glissa sur le mince ruban de sable au bout du sentier menant aux rochers, elle était sereine, sûre d'avoir raison. Si Mick la surprenait, il faudrait qu'il fasse l'effort de comprendre.

Pourtant, en gravissant la colline, son sac imperméable au bras, son cœur battait trop vite. Par chance, les stridulations des grillons et les cris des animaux nocturnes couvraient le craquement des feuilles mortes sous son pas.

Elle jeta un coup d'œil sur sa gauche : pas de lumière chez les Brody. Tout allait bien.

Elle avait beau se rassurer, lorsqu'elle atteignit les premiers rochers elle eut la sensation d'avoir survécu à une dangereuse épreuve. Soulagée, elle s'immobilisa et tendit l'oreille. Pas d'autres bruits que ceux de la nature.

Les deux heures qui suivirent furent merveilleuses. Le ciel était d'autant plus clair qu'il n'y avait pas la moindre pollution lumineuse. Plus elle découvrait d'objets célestes, plus elle se détendait.

Elle n'avait pas vu aussi nettement les anneaux de Saturne depuis l'enfance. Fascinée, elle examina la planète en songeant au 1,5 milliard de kilomètres qui l'en séparait. Comme toujours, cela l'incita à relativiser ses problèmes, ridiculement petits comparés à l'immensité de l'univers.

Elle décida de changer objectif et filtres pour se mettre en quête de M57, connue sous le nom de Nébuleuse de l'Anneau. Jenny la voyait comme une sorte de halo incliné, suspendu dans l'espace, peut-être oublié par un ange qui viendrait bientôt le récupérer.

Quelques nébuleuses plus tard, Jenny était aussi détendue qu'après une bonne séance de massage. D'un côté, elle était tentée de prolonger son plaisir jusqu'au bout de la nuit parce que l'occasion ne se représenterait peut-être jamais – si Mick avait plus ou moins accepté sa proposition de lui montrer les étoiles, elle ignorait s'il y donnerait suite –, de l'autre, elle sentait la fatigue la gagner. Elle s'allongea sur le rocher plat où elle s'était assise et contempla à l'œil nu la Voie lactée qui s'écoulait telle une rivière d'astres étincelants.

Lorsqu'elle regagna la rive, elle était presque d'humeur insouciante. Elle espérait tant que Mick l'accompagnerait un de ces soirs. D'ordinaire, elle préférait exercer cette activité en solitaire, mais, curieusement, elle rêvait de lui communiquer sa passion, son enthousiasme. S'il appréciait l'étude du ciel autant qu'elle, ils auraient au moins un point commun. Hormis le sexe. Le sexe, c'était bien, mais elle avait besoin de… davantage.

À cet instant, son regard fut attiré vers la droite : une lumière venait de s'allumer dans la cabane. À cette distance, elle paraissait à peine plus brillante que la flamme d'une bougie. Jenny s'immobilisa, et son pouls s'emballa ; elle n'avait pas peur, non, mais elle était dévorée de curiosité.

Que se passait-il donc dans cette baraque ?

Après avoir pris une profonde inspiration, elle s'obligea à poursuivre sa route. Peu importait ce qui s'y passait… cela ne la concernait en rien.

À moins que…

Dans la mesure où elle gardait le secret de Mick, n'avait-elle pas le droit d'en connaître la teneur ?

De surcroît, elle aspirait maintenant avec ferveur à établir avec lui un lien qui allait au-delà du sexe. Plus elle y réfléchissait, plus elle se rendait compte qu'elle n'était pas femme à se contenter d'une aventure sans lendemain. Les souvenirs qu'avait évoqués Mick, la façon dont ils avaient dansé ensemble, lui avaient montré qu'il était plus que le type brutal qu'elle avait rencontré dans les bois.

Quant à ce point lumineux derrière la fenêtre, il l'attirait irrésistiblement.

« Tu es folle ! se réprimanda-t-elle tandis qu'elle esquissait un pas timide en direction de la cabane. Tu as perdu la boule ! »

Pourtant la cacophonie des insectes autour d'elle la rassurait en ce qu'elle lui permettait de passer inaperçue. Elle se rapprocha subrepticement de la cabane. Elle ne jetterait qu'un bref coup d'œil à l'intérieur. Histoire de voir ce qu'il trafiquait. De la drogue ? Des armes ?

Si tel était le cas, elle prendrait ses jambes à son cou. Elle ne se laisserait plus séduire – en aucun cas. Peut-être même en parlerait-elle à son père. La drogue et les armes, c'était grave.

En tout cas, elle voulait en avoir le cœur net.

Alors qu'elle traversait subrepticement la petite clairière qui entourait la maison, son sang se glaça soudain dans ses veines : comment Mick réagirait-il s'il la surprenait ?

Cela dépendrait sans doute de ce qu'il dissimulait.

Le plus sage serait de faire demi-tour et de déguerpir. Mais elle était trop près, et la tentation, trop forte.

Tremblante, Jenny continua sa progression d'un pas prudent, de crainte de trébucher.

Le cœur battant, elle atteignit la première fenêtre dans laquelle était encastré un gros ventilateur électrique, pales ronflantes. À quelques mètres de là, la porte était grande ouverte derrière la moustiquaire. Des gouttes de transpiration perlèrent sur son front – la chaleur, la peur. Rassemblant son courage, Jenny s'en approcha et se pencha pour glisser un coup d'œil à l'intérieur.

Elle se figea, bouche bée.

Mick était assis près d'un lit, torse nu, incroyablement beau. Mais ce n'était pas cela qui lui avait coupé le souffle, non. Dans le lit était couché un homme dont les traits rappelaient ceux de Mick, torse nu lui aussi, il avait le visage émacié et le teint cireux. Il n'était pas rasé et ses bras étaient couverts de tatouages. Ce ne pouvait être que Wayne Brody – sauf qu'il était en prison, non ?

Elle comprit d'emblée pourquoi il se trouvait là. Pâle, à bout de forces, il paraissait plus petit qu'autrefois. Jenny se rappela sa mère, alitée dans sa chambre à l'étage. Il était mourant.

Mick se pencha vers lui en murmurant :

— Tu te sens mieux ?

Le malade hocha la tête.

— Fatigué.

— Dors, répondit Mick. Repose-toi.

Jenny était partagée entre l'envie de s'effondrer et celle de s'enfuir. À présent, elle regrettait de connaître le secret de Mick.

Tout à coup, il leva les yeux.

Retenant son souffle, elle s'écarta vivement de la porte et s'adossa contre le mur. Mince ! L'avait-il vue ?

Comme il ne se passait rien, elle recommença à respirer. Son télescope commençait à peser au bout de son bras, et elle se demanda quand elle pourrait s'éloigner sans risque.

C'est alors qu'une ombre surgit de l'obscurité et que deux mains s'abattirent sur ses épaules.

Elle poussa un cri étranglé et lâcha son sac, qui atterrit lourdement à ses pieds. Elle croisa le regard de Mick dans la semi-pénombre. Étonnamment, il semblait surpris de la voir, comme s'il s'était attendu à la visite de quelqu'un d'autre. Ce qui n'atténua en rien sa colère.

— Qu'est-ce que tu fiches ici, bordel ? aboya-t-il.

— Je suis désolée. Je... je voulais juste...

Juste quoi ?

— Peu importe, lâcha-t-il d'une voix sourde, quelle que soit ton explication, elle ne sera pas suffisante.

Sur ce, il lui attrapa le poignet, et l'entraîna à sa suite à travers la clairière, puis dans les bois en direction du lac. Le cœur de Jenny battait si fort que c'en était douloureux. Où l'emmenait-il ? Qu'allait-il lui faire ? Sa colère était palpable, dans la pression qu'il exerçait sur son poignet, dans la façon dont il se déplaçait, la tirant derrière lui comme une poupée en chiffon.

Il s'immobilisa enfin dans une autre clairière, un minuscule promontoire dominant le lac. Le croissant de lune se reflétait sur les eaux noires, et sur la rive d'en face, quelques porches étaient éclairés. Dont le sien.

Il se tourna vers elle, et même dans la pénombre, elle parvint à discerner son expression : il la regardait comme si elle venait de le gifler. Elle en éprouva un pincement de culpabilité.

— Assieds-toi, ordonna-t-il.

Elle obéit et sentit, étonnée, un tapis herbu sous elle. Ce devait être le seul endroit non ombragé de la propriété – en dehors des rochers.

Mick s'installa à côté d'elle, mais sans la regarder. Pour l'heure, il en était incapable. Il fixait le lac, mais ne voyait que Wayne. Agonisant.

Putain, comment j'ai pu me retrouver dans une situation pareille ?

— Vas-y, lâcha-t-il. Pose-moi toutes les questions que tu veux, celles qui te tracassent au point que tu viennes chez moi en cachette au beau milieu de la nuit.

— Je... je voulais... observer les étoiles, dit-elle d'une toute petite voix. Comme la fois précédente.

Il se tourna pour la fusiller du regard.

— On dirait que tu as fait un détour.

Elle déglutit.

— Je... ce n'était pas intentionnel.

— Tu parles !

— J'ai... aperçu de la lumière. J'étais curieuse de savoir ce que tu cachais dans cette maison... Je n'ai pas pu me retenir.

— Eh bien, maintenant, tu sais tout.

— Pas tout, non.

Au point où il en était, autant vider son sac, se soulager de ce poids qui pesait si lourd.

— Mon frère est mourant, attaqua-t-il d'un ton rogue.

Il aurait voulu continuer sur le même ton, mais s'en découvrit incapable – sans doute le fait de prononcer cette phrase à voix haute pour la première fois. Il enchaîna plus doucement :

— Il y a deux ans, en prison, on lui a diagnostiqué une tumeur au cerveau. Il a suivi une chimiothérapie et on l'a déclaré en rémission. Mais il a rechuté, avec une leucémie en plus, et là, on a refusé de le traiter sous prétexte qu'il n'y avait plus aucun espoir.

— Mais... comment est-il arrivé ici ?

Curieusement, la suite était encore plus difficile à révéler car il savait ce qu'elle penserait de lui et de sa famille. Ce que tout le monde avait *toujours* pensé.

— Il s'est évadé avec quelques codétenus, et il est venu se réfugier ici. Il m'a appelé pour me demander de le rejoindre et de l'aider. À mourir. J'ai tout laissé tomber, mon boulot, ma vie, pour revenir dans ce trou perdu afin que mon frère puisse crever ailleurs qu'en cellule.

Mick se tut, s'efforça de déchiffrer l'expression de Jenny. Sans succès. Il décida que le mieux était d'essayer de convaincre la fille du chef de police qu'il ne commettait pas vraiment un délit. Sauf qu'il hébergeait un fugitif. Et le gavait d'antalgiques sûrement volés – c'était Wayne lui-même qui les avait apportés.

— Je suis sûr que tu nous considères comme des racailles, ma famille et moi, et tu as peut-être raison, mais Wayne est mon frère. Il ne me reste que lui et c'est le seul que j'ai jamais aimé. Je n'ai aucune envie d'être ici, crois-moi. C'est l'épreuve la plus douloureuse de mon existence. Mais mon frère m'a appelé. Je ne pouvais pas refuser.

— Tu n'as rien d'une racaille, Mick, murmura-t-elle.

Malgré lui, malgré la colère qu'il éprouvait contre elle, ces mots le touchèrent.

— Je peux te poser une question ? reprit-elle.

Il poussa un soupir.

— Pourquoi pas ? Tu sais l'essentiel, de toute façon.

— Pourquoi Wayne purgeait-il une peine de prison ?

— Vol à main armée.

— Qu'est-ce qu'il a volé ? bredouilla-t-elle, choquée.

— Il avait braqué une supérette. Il aurait dû être libéré plus tôt, mais il n'avait rien d'un détenu modèle. Il a le don de se fourrer dans le pétrin. Depuis toujours.

Mick porta le regard sur les chalets bien entretenus de l'autre côté du lac. Un autre monde.

— Tu étais là ? Quand il… euh… s'est fait arrêter ?

Sa question lui fit mal. Elle avait beau dire qu'il n'était pas une racaille, de toute évidence, elle était au courant de ses frasques.

— Non, répondit-il, sans quoi j'aurais probablement fini en prison. J'en ai par-dessus la tête des secrets, alors autant te l'avouer… je n'ai rien d'un ange. Cela dit, la condamnation de Wayne a bouleversé ma vie. Je ne donne plus dans ce genre de plans, Jenny. Depuis longtemps.

Elle s'enferma dans le silence, si longtemps qu'il en eut l'estomac noué.

— As-tu braqué un magasin de vins et spiritueux à Crestview autrefois ? murmura-t-elle finalement.

Il se voûta, se ratissa les cheveux, conscient que son mutisme était en soi un aveu.

— Cela t'effraie-t-il ? risqua-t-il.

— Un peu. Tout ça me perturbe.

Soudain, il se confia :

— Je ne suis plus le même homme, Jenny. Je vis à Cincinnati, je suis maçon. Je travaillais pour une grosse entreprise du bâtiment et j'avais un appartement.

Elle se tourna vers lui.

— Au passé ?

— J'ai dû tout abandonner pour venir m'occuper de Wayne. J'avais quelques économies, mais pas de quoi payer plusieurs mois de loyer sans travailler. J'ai mis mes affaires dans un garde-meubles, vidé mon compte bancaire, et je suis venu ici. Je préférerais être là-bas plutôt que dans cette baraque à attendre que mon frère meure, je te le garantis.

— Combien de temps lui reste-t-il ?

Mick haussa les épaules.

— Un mois ou deux, peut-être trois, ça dépend des médecins qui l'ont ausculté. Pour l'heure, il est épuisé la plupart du temps, mais il peut encore se lever seul et se laver. Ce soir, j'avais oublié de lui donner son antalgique. Il subissait d'affreuses douleurs. Voilà pourquoi on était réveillés au beau milieu de la nuit. Mais d'une façon générale, je maîtrise la situation. Il passe le plus clair de son temps au lit, à regarder la télévision ou à dormir.

— Où as-tu obtenu les antalgiques ?

Mick prit une brève inspiration. Décidément, la petite Mlle Minou ne lui laissait aucun répit.

— Il les avait sur lui. Je ne lui ai pas demandé comment il se les était procurés.

À son grand soulagement, Jenny semblait moins nerveuse, plus curieuse qu'effrayée.

— Et... à quoi t'occupes-tu ? Quand il dort ou qu'il regarde la télé.

— Je me rends au supermarché et à la laverie de Crestview – où on ne risque pas de me reconnaître. Je vais pêcher avec une vieille canne que j'ai dénichée dans l'abri de jardin. Je traverse le lac pour aller chez toi.

Et je creuse. Mais ça, elle n'avait pas besoin de le savoir. L'aspect le plus sordide. Tout homme méritait une tombe. La creuser était un sacré défi.

— Tu n'es venu que deux fois, pourtant, tu en parles comme si c'était une habitude, observa-t-elle.

Je pense beaucoup à toi. À nos ébats. À ton visage. Pendant que je donne de l'oxycodone à Wayne ou que je lui applique des patchs de durogésic pour soulager ses douleurs, je me sers de toi pour oublier la mienne.

Elle s'allongea dans l'herbe et contempla le ciel. Mick ne tarda pas à l'imiter. Incroyable, toutes ces étoiles – elles étaient bien plus nombreuses qu'en ville !

— Raconte-moi ce que tu vois de si particulier là-haut, Minou.

— Le soleil est l'une des milliards d'étoiles qui composent la Voie lactée, cette dernière étant elle-même une galaxie parmi plus d'un milliard. Nous sommes si petits, Mick, que nous en sommes presque inexistants.

— À t'entendre, on a l'impression que c'est une bonne chose.

— Non, ce que je veux dire, c'est que si nous sommes si petits, nos soucis doivent l'être aussi.

— Pour l'instant, les miens me semblent sacrément gros.

— Observe le ciel un moment et songe à tout ce qui s'y trouve ; peut-être que tes soucis te paraîtront moins gros, proportionnellement.

Il suivit son conseil. Il essaya. Et il en éprouva un peu de réconfort. Pas beaucoup. Le lendemain matin, il devrait de nouveau donner un cachet à son frère et changer son patch. Bientôt, les médicaments ne feraient plus aucun effet et la situation se compliquerait sérieusement. Mais s'évader quelques minutes parmi toutes ces étoiles, tous ces mondes inconnus, le soulagea, comme chaque fois qu'il pensait à Jenny.

Soudain, tel un train de marchandises lui fonçant droit dessus, son souci majeur lui revint à l'esprit, lui sapant le moral : Jenny était au courant pour Wayne.

Tant qu'elle ignorait les raisons de sa présence à Destiny, garder le secret lui était facile. Mais maintenant qu'elle connaissait la vérité, maintenant qu'elle savait qu'il enfreignait la loi en hébergeant un prisonnier en fuite, pourrait-elle continuer à ne rien dire ? À la cacher à son propre *père* ?

La suite des événements en dépendrait. La mort de Wayne. Sa vie à lui – sa liberté.

Un flot de rage monta en lui et, sans réfléchir, il roula sur elle, et plaqua les mains sur ses bras.

— Tu ne peux pas me dénoncer, Jenny. Dis-moi que tu n'en feras rien. Jure-le-moi ! gronda-t-il. Jure-le-moi, bordel !

C'est alors qu'il vit une larme solitaire rouler sur sa joue. Bon sang ! Il lui avait fichu une trouille bleue !

Il aurait dû s'en réjouir puisque c'était son but depuis le début. Et d'un point de vue purement pratique, c'était sacrément futé.

Toutefois, une partie de lui-même se rebellait contre cette situation qui le ramenait si loin en arrière, à une époque où il cherchait à faire plaisir à son frère aîné quel que soit le prix à payer.

Faire pleurer Jenny Tolliver lui était insupportable. Il lui lâcha les bras, repoussa délicatement les cheveux de son visage, lui caressa la joue.

— Désolé, Minou, souffla-t-il. Je n'ai pas voulu t'effrayer. Je t'en supplie, ne pleure pas. Je suis… je suis dans un tel pétrin, tu comprends ?

Elle hocha la tête, et il essuya du pouce la trace humide sur sa joue. Lorsqu'elle fit mine de se rasseoir, il l'aida, puis lui entoura les épaules du bras dans l'espoir de la réconforter.

— Je ne dirai rien, Mick, chuchota-t-elle. Je te le promets.

— C'est vrai, Minou ?

Elle opina.

Il ne s'en contenta pas.

— Parce que je sais que tu es très proche de ton père, que tu pourrais être tentée de…

Elle l'interrompit d'un soupir.

— Je ne dirai rien.
— Pourquoi ?
— Parce que je ne veux pas que tu aies des ennuis.
— Merci, chuchota-t-il en appuyant le front contre le sien.

Quelques minutes plus tard, il la raccompagnait à son canoë. Il lui faisait confiance – sincèrement –, mais il avait du mal à la laisser partir. Il lui faisait confiance mais il la connaissait à peine, il ne lui restait donc plus qu'à espérer qu'elle était aussi bonne et généreuse qu'elle en avait l'air la plupart du temps. Bon sang, elle était sacrément fouineuse – cela dit, elle avait du cœur. C'était là-dessus qu'il comptait.

— Au revoir, Minou.
— Salut, murmura-t-elle.

Alors qu'elle se détournait vers l'embarcation, il lui saisit spontanément la main.

— Attends !
— Quoi ?
— Viens par ici, souffla-t-il en l'attirant à lui. J'ai envie de te serrer contre moi une minute. Ça me réconforte.

Elle avait enroulé les bras autour de sa taille, et s'écarta légèrement pour le scruter.

Il n'avait pas eu l'intention de l'embrasser, mais avant même de se rendre compte de ce qu'il faisait, il réclama ses lèvres – ses lèvres si douces… comme toute sa personne. Elle lui rendit son baiser, et il sentit son sexe durcir. En dépit de tout ce qu'elle savait, elle ne le repoussait pas. Il dévora sa bouche avec une avidité renouvelée.

Il détestait l'admettre, mais il avait *besoin* d'elle – à un point inimaginable. Pour oublier tout le reste.

Merde ! Il n'était pourtant pas du genre à s'attacher à une femme. Mais là, c'était différent. Il s'agissait avant tout d'atténuer la souffrance, de s'évader de son quotidien pourri.

Elle enfouit les doigts dans ses cheveux, il pétrit ses jolies petites fesses rondes. Grisé, incapable de s'en empêcher, il se frotta contre elle à travers leurs vêtements. Sa respiration se fit saccadée, ce qui l'enchanta. Faire perdre tout contrôle à une fille comme elle l'excitait.

Mais lorsqu'il voulut lui déboutonner son jean, il s'aperçut qu'il tremblait. Bon sang, qu'est-ce qui lui arrivait ?... Il avait tellement envie d'elle qu'il en perdait ses moyens.

Chassant toute pensée de son esprit, il pressa le mouvement. De son côté, Jenny s'était attaquée à sa braguette, et ils s'activèrent fiévreusement pour se débarrasser l'un l'autre de leur pantalon. Il avait beau adorer ses seins, il ne prit pas la peine de lui ôter son débardeur. Il était incapable d'attendre une seconde de plus.

Il se plaça derrière elle. Il avait besoin de la prendre différemment, plus brutalement. S'emparant de ses mains, il les lui appuya sur le tronc de l'arbre le plus proche. Puis il plaqua la paume sur sa hanche, enroula son bras libre autour de sa taille et plongea en elle d'un seul coup de reins.

Oh, oui !

Cette pénétration ferme et profonde leur arracha à tous deux un cri étouffé, et Mick n'eut plus qu'un seul désir, la combler encore et encore, s'enfouir dans son fourreau moite et brûlant.

Bientôt, le bras qui la soutenait glissa et il immisça les doigts entre les replis de sa chair pour caresser la petite crête gonflée. Quand Jenny se mit à se mouvoir de manière plus rythmée, il sut qu'il avait mis en plein dans le mille.

La sueur dégoulinait sur ses tempes, sur son torse, les collant l'un à l'autre. Derrière eux, l'étendue d'eau ressemblait à un immense plateau en verre noir. Pour une fois, Mick se félicita d'être sur la rive sud.

— Je veux te faire jouir, Minou, lui chuchota-t-il à l'oreille.

Il voulait la sentir se convulser contre lui, l'entendre sangloter de plaisir. Haletante, tout humide de désir, elle se frottait contre sa main avec frénésie.

« Jouis ! Jouis pour moi ! » la supplia-t-il en silence. Il avait toujours aimé donner du plaisir à ses conquêtes, mais avec Jenny, c'était différent… Comme si lui faire atteindre l'orgasme lui rendait un peu de sa dignité. Or plus que tout, il se voulait digne de Jenny Tolliver.

— Jouis, ma belle, souffla-t-il. Jouis. Juste pour moi.

— Bientôt… Oui… oui…

Son corps tressauta et elle laissa échapper un cri. Durant quelques secondes stupéfiantes, elle ondula éperdument en gémissant. Et lorsqu'elle s'immobilisa enfin, elle tenait à peine sur ses jambes. L'enlaçant fermement de manière à la soutenir, il sentit le feu courir dans ses veines, le sang affluer dans son sexe.

— Merde ! Je vais jouir, moi aussi.

Il renversa la tête en arrière, paupières closes, et la pilonna comme un fou, savourant son plaisir jusqu'à la dernière goutte.

Il ne pourrait bien sûr jamais lui avouer combien il avait besoin de ce qu'elle lui offrait. Mais tandis que les vagues de l'extase refluaient, que la raison reprenait le dessus, il se rendit compte qu'il avait été à deux doigts de lui laisser entrevoir quel pouvoir elle avait sur lui. Il ne souhaitait plus qu'elle ait peur de lui, mais il ne voulait pas non plus apparaître faible. Il devait être fort pour Wayne, pour affronter ce qui ne manquerait pas d'advenir. Aussi, quand tout fut fini, se réfugia-t-il dans le silence. Il se retira d'elle et s'efforça d'oublier qu'elle avait réussi à le faire trembler d'émotion.

— Nous n'avons pas utilisé de préservatif, fit-elle remarquer alors qu'ils enfilaient leur jean.

— Et merde ! Je ne m'attendais pas à…

— Je sais, coupa-t-elle. À tomber sur une fille qui rôde autour de ta maison en pleine nuit.

— En gros, c'est ça. Pardon, Minou.

— Pour danser, il faut être deux...

Elle se tenait devant lui, l'air à la fois innocent et provocant. Il l'aurait volontiers embrassée de nouveau, mais décida que ce n'était pas une bonne idée.

— Bonne nuit, mon ange, se contenta-t-il de murmurer.

— Bonne nuit.

Fais attention à toi. Il le pensa très fort, mais ne le dit pas. Il ne voulait pas qu'elle sache combien il tenait à elle.

Cependant, rien ne l'empêchait de rester au bord de l'eau jusqu'à ce qu'elle atteigne l'autre rive.

Et c'est exactement ce qu'il fit.

8

Nous allons sur la lune parce qu'il est dans la nature de l'homme de relever des défis. C'est inscrit dans les profondeurs de son âme… nous y sommes contraints comme le saumon de remonter les rivières.

NEIL ARMSTRONG

— J'ai encore perdu mon télescope.

Tout bien considéré, l'aveu était embarrassant mais, pour l'heure, Jenny en était moins affectée que la première fois.

— Quoi ? s'écria Sue Ann en se tournant vers elle. Où ?

Assises côte à côte sur une table de pique-nique du Creekside Park, les pieds sur le banc, elles surveillaient Sophie qui faisait de la balançoire.

— Près de la cabane Brody.

Sue Ann battit des paupières.

— Pardon ?

Jenny lui jeta un coup d'œil penaud.

— Tu m'as très bien entendue.

— Tu n'as pas l'intention de me traîner là-bas pour le récupérer, j'espère ?

— Ce ne sera sans doute pas nécessaire. Je suis quasiment certaine qu'il va me le rapporter. Parce que je suis quasiment certaine qu'il va éprouver de nouveau le besoin de s'assurer de mon silence.

De toute évidence, Sue Ann commençait à comprendre l'énormité de la situation car son visage s'assombrit, et c'est dans un murmure qu'elle déclara :

— J'en déduis que tu sais ce qu'il cache.

— Oui.

— Alors ?

Bien entendu, Sue Ann s'attendait qu'elle lui révèle le fameux secret. Pour la première fois de sa vie, Jenny avait sérieusement envisagé de lui dissimuler la vérité. En fin de compte, comme après le premier incident Brody, elle décida qu'elle ne pouvait pas ne pas le lui dire. Après tout, elles étaient comme des sœurs.

Elle pivota vers son amie, prit ses mains dans les siennes.

— Cette affaire est on ne peut plus sérieuse, Sue Ann, commença-t-elle. C'est pourquoi tu dois me jurer de n'en souffler mot à personne. Si tu crains de ne pas pouvoir tenir ta promesse, dis-le-moi.

Sue Ann afficha une expression inquiète, et prit le temps de réfléchir.

— D'accord, lâcha-t-elle finalement. Je te donne ma parole. Je le jure.

Jenny expira lentement – elle avait l'impression d'avoir retenu sa respiration depuis qu'elle avait quitté Mick, la veille – et se lança.

Par chance, elles se trouvaient dans l'un des endroits les plus tranquilles du parc, à l'abri des oreilles indiscrètes.

— Voilà, conclut Jenny. Tu comprends pourquoi je t'ai dit que c'était sérieux ? Un criminel échappé de prison vit dans cette cabane, et Mick l'héberge. Et maintenant, je suis au courant. *Je suis au courant !* Est-ce que cela fait de moi une complice ?

Sue Ann affichait une expression horrifiée, ce qui était tout à fait compréhensible.

— Je regrette presque que tu m'aies tout raconté, avoua-t-elle.

— Pourquoi ?

— Parce que du coup, je suis peut-être complice de la complice.

Jenny grimaça.

— Mince ! Je suis désolée. Je n'avais pas songé à cela.

Soudain, Sophie arrêta sa balançoire en enfonçant les pieds dans le sable et lança à sa mère :

— Je vais au château !

C'était ainsi que la fillette avait baptisé l'énorme module en plastique composé de tunnels, d'échelles et de toboggans.

— Très bien, ma chérie. Sois prudente ! lui recommanda Sue Ann. Toi aussi, ajouta-t-elle à l'adresse de Jenny. Attention où tu mets les pieds.

— Comment ne pas en parler à mon père ? Il serait tellement contrarié s'il apprenait que je lui cache un truc pareil.

Sue Ann observa Sophie en train d'escalader un élément avant de disparaître dans une structure en forme de tourelle, et Jenny sentit l'instinct maternel de son amie passer en mode démultiplié.

— Tu devrais peut-être le lui dire, Jenny. Après tout, il s'agit d'un fugitif.

— Qui ne fera de mal à personne. Il est mourant.

— N'empêche que s'évader de prison est un délit, rétorqua Sue Ann. C'est une affaire très grave. Et ton père est le chef de la police. Il me semble que tu n'as pas le choix.

— Je sais et ça me ronge. Tant que j'ignorais la teneur du secret de Mick, je pouvais me taire mais désormais... j'ai le sentiment de trahir la confiance de mon père.

— Dans ce cas, tu sais ce qu'il te reste à faire.

— D'un autre côté, parler ne me semble pas bien non plus. Mes parents ont veillé à m'inculquer les notions de bien et de mal. Et là, j'ai l'impression de chevaucher la ligne de démarcation. Ce n'est pas tant le sort de Wayne qui me tourmente que celui de Mick. Il pourrait finir derrière les barreaux, lui aussi.

— Forcément ! Il héberge un *fugitif* ! s'exclama Sue Ann.

Jenny ravala la boule qui lui obstruait la gorge.

— Wayne n'avait pas l'air bien dangereux, couché dans ce lit.

— C'est une sale histoire, Jenny, ça m'ennuie beaucoup que tu sois impliquée dedans.

— Je ne suis pas vraiment *impliquée*. Je suis plutôt une sorte de... de témoin.

— Pense à ton père. S'il savait que tu fréquentes un type abritant un évadé, il en aurait une crise cardiaque. Et s'il savait que tu couches avec le type en question – et que tu le protèges ! Non ! Il faut absolument que tu en parles à ton père.

— Qu'est-ce que cela changera ? Et puis... il y a Mick.

— Qui me paraît très dangereux à t'écouter. Il a braqué un magasin de vins et spiritueux, je te rappelle !

— C'était il y a longtemps. Il a changé depuis.

— Non mais je rêve ! Voilà que tu justifies ses actions ?

Jenny se rendit compte tout à coup à quel point son attitude pouvait paraître stupide. Pourtant, depuis les événements de la veille, elle était convaincue que Mick n'était plus le voyou d'autrefois.

— Je ne veux pas le mettre dans le pétrin, s'entêta-t-elle.

— Pourquoi ?

— Eh bien... nous couchons ensemble. Nous avons fait l'amour hier soir.

Sue Ann la fixa, bouche bée.

— Moi qui pensais être au bout de mes surprises. Félicitations, tu m'as eue, une fois de plus. Tu t'es envoyée en l'air avec lui *après* avoir découvert qu'il cachait son frère ?

— Je plaide coupable.

— Et... euh, vous étiez dehors ?

Jenny profita de l'occasion pour changer de sujet.

— Oui. Debout. Contre un arbre.

— Doux Jésus !

— Je n'avais rien prémédité. Je sais que c'était irresponsable de ma part, mais quand il commence à m'embrasser, à me toucher, je... je fonds littéralement. Ah ! Je devrais sans doute préciser que...

Elle se tut, déglutit. Merde.

— ... nous n'avons pas utilisé de préservatif.

Sue Ann se frappa le front.

— Assez ! Je te conduis moi-même à Crestview demain pour passer ce fichu test.

— Entendu. Tu as raison, c'est la moindre des précautions.

« D'autant que je le connais à peine », faillit-elle ajouter. Elle se retint ; elle se sentait sur la défensive vis-à-vis de Sue Ann comme jamais elle ne l'avait été. La plupart du temps, elles étaient sur la même longueur d'onde, mais comment Sue Ann pourrait-elle comprendre sans avoir vu l'expression de Mick hier soir ?

— Donc, tu le protèges, reprit Sue Ann d'un ton moins agressif. C'est une affaire de sexe ou... davantage ?

Jenny inspira profondément, cherchant ses mots.

— Je... je ne supporte pas qu'il soit obligé d'endurer une telle épreuve.

— Il l'a choisie.

— Il ne pouvait pas refuser. Il aime son frère. Si tu avais vu la tristesse dans son regard, Sue Ann...

Celle-ci resta campée sur ses positions.

— Ce sont des criminels, Jenny. Des cri-mi-nels. Ils enfreignent les lois. Ce sont des vauriens. Tu ne peux pas continuer à te comporter comme tu le fais.

— Il y a quelques jours, ça ne te gênait pas plus que ça. Au contraire, tu trouvais même qu'il n'y avait pas mieux qu'une bonne partie de jambes en l'air.

— C'était avant de savoir de quoi il retournait. Avant, c'était... mystérieux et sexy. Maintenant, c'est... illégal.

— Surtout n'en parle à personne, la pressa Jenny. Avant d'ajouter : Je commence à me dire que je n'aurais pas dû me confier à toi.

Sue Ann parut offensée.

— Je m'inquiète pour toi, Jenny, c'est tout. Tu es ma meilleure amie.

— Je sais. Pardonne-moi, je suis sous pression en ce moment.

— Que comptes-tu faire ?

— Aucune idée. Réfléchir, je suppose. Tenter de démêler les fils.

— Tout ça en attendant qu'il te rapporte ton télescope, le sexe en avant ? J'espère vraiment que le jeu en vaut la chandelle.

Jenny ne répondit pas. Comment expliquer à son amie que ce n'était pas seulement le sexe qu'elle aimait, mais l'homme, si inquiétant fût-il ? Car en vérité, elle avait beau croire tout ce qu'il lui avait raconté, elle avait encore un peu peur de lui – peut-être même plus encore aujourd'hui que la veille.

Mais le plus effrayant, c'était qu'elle le désirait davantage qu'elle ne le craignait.

Jenny remplit deux verres de thé glacé sur la table de pique-nique de la terrasse, l'odeur alléchante des côtes de porc que son père était en train de griller sur le barbecue ravivant son appétit. Hormis la chaleur, de plus en plus accablante au fil des jours, la soirée était belle. Les oiseaux gazouillaient, les fleurs s'épanouissaient, les papillons voletaient sur la pelouse séparant leur propriété de celle de Miss Ellie. On se serait cru dans une scène de *Blanche-Neige*. Dommage que ses mains tremblent si fort.

— Tu as entendu parler du nouveau lotissement en cours de construction sur l'ancienne ferme Ashcraft ? s'enquit son père, une spatule à la main, l'œil sur les braises.

Jenny s'assit et s'efforça de se ressaisir. « Du calme. Ce n'est pas vraiment un mensonge à moins qu'il ne te pose une question et que tu ne lui dises pas la vérité. »

— Non, papa... Quoi ? s'écria-t-elle. Un lotissement ? Ici ? À Destiny ?

— Absolument. Et ça va changer pas mal de choses.

Mentir par omission est tout aussi grave. Stop ! Concentre-toi sur la conversation.

— À qui ces maisons sont-elles destinées ?

Son père semblait aussi perplexe qu'elle.

— Qui sait ? D'après Johnny Fulks, le promoteur est persuadé que les gens vont les acheter, et le conseil municipal espère ainsi attirer de nouvelles entreprises dans la région.

Johnny Fulks était à la tête dudit conseil municipal depuis vingt ans. Jenny s'efforça de s'intéresser au sujet, mais elle avait un mal fou.

— Difficile d'imaginer les conséquences, continua son père. Mais je dois avouer que ce projet ne m'enchante guère.

Jenny opina, puis fixa la table en s'efforçant de chasser de son esprit l'image de Wayne Brody, agonisant de l'autre côté du lac.

— C'est inévitable, je suppose, enchaîna-t-il. Les villes évoluent. Elles sont condamnées à grandir. Mais j'avais l'impression que le progrès avait dédaigné Destiny et cela me convenait bien.

Jenny l'entendait à peine. « Tu n'as pas à culpabiliser, tenta-t-elle de se convaincre. Tu fais ce qui te semble bien, non ? » Car à l'instant où Mick lui avait expliqué sa situation, elle avait su qu'elle ne pourrait pas le dénoncer. Elle ne voulait pas être celle par la faute de qui l'agonie d'un homme serait encore pire qu'elle ne l'était déjà.

Il n'empêche qu'elle n'avait jamais rien caché d'important à son père. Jamais. C'était un homme bon, et il lui avait toujours été facile de se confier à lui. En dépit de la honte et de l'humiliation qu'elle avait ressenties en découvrant l'infidélité de Terrence, elle l'avait appelé tout de suite après Sue Ann. Aujourd'hui, à cause de Mick Brody, elle accumulait les secrets.

Elle releva la tête tandis qu'il s'approchait avec un plat de côtes de porc grillées et d'épis de maïs en provenance du champ de son ami Ed. Il le posa près de la jatte de haricots qu'elle avait cuisinés et s'installa en face d'elle.

— Tout va bien, ma fille ? J'ai l'impression que quelque chose te tracasse.

Elle ravala nerveusement sa salive.

— Tout va bien, papa.

Il parut dubitatif, la moustache frémissante.

— Tu penses à Terrence, c'est cela ?

— Euh...

— Tu peux me le dire, tu sais. Qu'il t'obsède est parfaitement normal.

Elle s'en voulait de profiter de Terrence le Salopard pour justifier son humeur, mais l'excuse tombait à point.

— Bon, d'accord. Oui, je pense à Terrence.

Aïe ! Encore un mensonge. Un vrai de vrai, celui-ci.

— Je ne peux pas me mettre à ta place, mais je n'ai qu'un conseil à te donner : occupe-toi et réfléchis à ton avenir. Qu'as-tu fait aujourd'hui ?

Sue Ann m'a emmenée à Crestview faire un test HIV instantané. Qui s'est avéré négatif. Alléluia !

— J'ai vu Sue Ann.

Son père ébaucha un sourire. Le pauvre, s'il savait !

— Je suis heureux que vous vous soyez retrouvées.

Elle ne pouvait qu'acquiescer. Sans Sue Ann, elle serait perdue. Du reste, celle-ci s'était montrée plus détendue et enjouée que la veille. Elle avait même pris un malin plaisir à l'interroger à propos de ses frasques sexuelles avec Mick.

— Qu'as-tu fait d'autre ? insista son père en leur servant à chacun une côte de porc.

Elle poussa un soupir. Je me suis envoyée en l'air avec Mick Brody. J'ai découvert que son frère, un criminel en fuite, vivait de l'autre côté du lac. Ou plutôt, agonisait de l'autre côté du lac.

— Eh bien... j'ai beaucoup lu. J'ai nettoyé la platebande le long de la maison. Les œillets auront plus de place et les glaïeuls pousseront mieux l'an prochain.

Son père hocha la tête, et son sourire s'élargit tandis que Jenny épluchait son épi de maïs et le tartinait de beurre.

— Le jardin est superbe, déclara-t-il. Je voulais te le dire. Tu as beaucoup travaillé.

— Maman l'entretenait avec soin.

Maman ? Quelle mouche la piquait d'évoquer sa mère ? D'ordinaire, c'était son père qui en parlait et elle qui éludait le sujet.

— Et je me suis dit que c'était une manière de te rendre service, ajouta-t-elle.

— Tu n'es pas obligée. Normalement, j'embauche l'équipe de jardinage d'Adam Becker. Je ne l'ai pas appelé ces temps-ci parce qu'avec la sécheresse, l'herbe ne pousse plus. Pas la peine de tondre.

— Tu pourras les faire venir dès qu'il pleuvra. Je m'occuperai des fleurs.

— Marché conclu.

Il haussa les sourcils.

— Au fait, tu as revu Adam depuis ton retour ?

Adam, le garçon de la photo, coiffé comme elle d'une couronne.

— Non. Il est marié, n'est-ce pas ?

— Récemment divorcé, rectifia son père d'un air détaché.

Tiens ! « Divorce » ne serait donc plus un gros mot à Destiny ?

— Dommage. Sheila et lui ont eu des jumeaux, deux adorables petits garçons, et il paraît que c'est très dur pour eux, murmura-t-il.

— J'imagine, en effet.

— Tu pourrais peut-être le... l'appeler ? En souvenir du bon vieux temps.

— Il est encore trop tôt, papa. Pour lui aussi, sans doute.

Du reste, je me tape Mick Brody dans les bois. Et dans ta maison.

— Bah ! J'ai voulu tenter le coup. Au cas où tu changerais d'avis, sache que c'est un type bien.

Elle se remit à manger. L'espace de quelques instants, elle avait réussi à oublier Mick. À présent, il était de retour et la culpabilité la submergeait de nouveau.

— Au fait, Stan Goodman, du conseil d'école, a fait un saut au commissariat l'autre jour. Il avait entendu dire que tu étais en ville et voulait s'assurer que c'était vrai.

— Euh... pourquoi ?

— Il y aurait un poste pour toi au lycée. L'une des profs de sciences vient d'avoir un bébé et a décidé de prolonger son congé maternité. Stan se demandait si cela t'intéresserait.

« Jamais de la vie ! » fut sa première pensée. Elle n'était pas revenue pour *rester*. Elle n'avait aucune envie de prendre racine ici.

Cela dit, elle était flattée qu'on ait pensé à elle. En outre, elle avait besoin d'un emploi.

Et ici, elle verrait beaucoup mieux les étoiles qu'à Columbus.

Du moins, *parfois*. Quand elle pourrait profiter de la propriété des Brody.

Oh, et puis zut ! Elle n'était pas en état de penser à son avenir pour le moment.

— J'y réfléchirai, papa. Je ne veux pas me précipiter.

— Prends ton temps. Je suis bien conscient que tous ces bouleversements n'ont pas été faciles pour toi.

Quitter son mari, sa maison et son boulot avait été une épreuve en soi, et elle n'avait pas anticipé une seule seconde ce qui l'attendait à Destiny. La vision de Mick la pilonnant sauvagement sous les étoiles lui traversa l'esprit, suivie d'une autre, infiniment plus terrible, et qui la torturait depuis deux jours : Wayne Brody sur son lit de mort. Elle ferma les yeux.

— Qu'as-tu, ma chérie ? Tu es souffrante ?

« Nom de nom, secoue-toi ! se tança-t-elle. Ressaisis-toi, Jenny ! »

— Ce doit être la chaleur, j'ai la migraine. Rien de méchant.

Son père lui caressa la main.

— Tu en es sûre ? Tu me le dirais, si c'était plus grave ?

Il s'inquiétait de sa santé. Parce qu'elle mentait, inventait des excuses pour se protéger. Et protéger son amant. Seigneur, elle avait un amant ! Un hors-la-loi, de surcroît ! Elle n'en revenait pas.

Elle fit un effort pour contrôler sa respiration.

— Je vais bien, papa, je t'assure. Ce doit être... un peu de stress, je suppose.

— En tout cas, ici, personne ne peut plus te faire de mal.

Mon Dieu, papa, si tu savais !

Plus tard ce soir-là, Jenny se tenait au milieu du salon, les yeux rivés sur l'autel à la mémoire de sa mère. Ignorant le flot de culpabilité qui l'envahissait, elle s'approcha du mur, empoigna le portrait encadré et le décrocha. Elle l'emporta dans la chambre d'amis qui avait été autrefois la sienne – depuis son retour, elle dormait dans celle de ses parents parce que cette pièce, au moins, avait changé depuis son enfance.

En redescendant, elle ne put que constater à quel point le mur paraissait vide. Elle fixa le grand carré de peinture bleue plus foncée qu'ailleurs, mais refusa de céder à l'émotion. Elle était adulte, elle avait le droit d'agir à sa guise.

« Quitte à blesser quelqu'un ? », s'interrogea-t-elle en rassemblant les photos alignées sur l'étagère. Quand il remarquerait leur disparition, son père aurait de la peine. S'il découvrait un jour qu'elle lui avait dissimulé le secret de Mick, il en mourrait probablement.

Toutefois, elle n'avait pas le choix. Car son cœur et ses entrailles lui disaient qu'elle avait raison. Et elle ne pouvait se fier qu'à eux. Elle devait aussi à tout prix maîtriser ses réactions face à son père. Elle avait trente et un ans, elle n'était plus la gamine d'autrefois.

Après avoir rangé le reste des reliques à l'étage, elle se rendit dans la chambre de ses parents – non, *la sienne* – où, poussant, tirant, grognant, elle permuta les meubles. Le lit remplaça la commode et vice-versa. Elle drapa une écharpe colorée sur l'abat-jour de la lampe de chevet. Le lendemain, elle achèterait un nouvel édredon, et peut-être même des rideaux. Elle n'était là que le temps d'un été, mais elle avait envie de s'y sentir chez elle.

Cette mission accomplie, elle se sentit beaucoup mieux. Au fond, réalisa-t-elle, le seul moyen de franchir les obstacles consistait à prendre les rênes. Quand Terrence l'avait trompée, elle avait pris les choses en main. Et cependant, en venant ici, elle avait eu l'impression de perdre sa force. Mais c'était terminé. Elle ne pouvait se permettre d'être faible. Ni avec son père ni avec Mick. Ces derniers temps, elle ne supportait plus d'être Jenny, la petite fille modèle.

Un peu plus tard, elle était sur le canapé en train de feuilleter l'un de ses beaux livres d'astronomie en écoutant la radio quand on frappa à la porte de derrière. Mick. Forcément.

Posant l'ouvrage, elle courut lui ouvrir. Dieu qu'il était beau, en jean et tee-shirt bleu marine, une mèche sombre retombant sur le front.

— Salut ! fit-il.

— Salut.

— Tu as encore oublié ça, annonça-t-il en lui montrant le sac contenant son télescope.

— Pas exactement, argua-t-elle en le lui prenant des mains pour le poser sur la table de la cuisine. J'ai surtout pensé que tu me tuerais si je revenais le chercher.

— Parfait, dit-il d'un ton bourru, puis son expression s'adoucit comme il ajoutait : Alors, Minou, on est toujours d'accord ? Au sujet de ce que tu sais ?

— Oui, bien qu'il me soit très difficile de ne pas en parler à mon père. En fait, j'ai l'impression que c'est le pire truc que j'aie fait de ma vie.

Il inclina la tête, le regard encore plus bleu que de coutume.

— À moins que ce ne soit le mieux.

— Mouais… Je n'en suis pas persuadée. Si je ne lui ai rien dit, c'est surtout parce que je me sentirais encore plus mal que de garder le secret. Sois donc sans crainte, je n'ai aucune intention de vendre la mèche.

Le soulagement de Mick fut visible.

— Je te trouve étrangement calme, commenta-t-elle. D'habitude, tu m'obliges à te jurer ma bonne foi.

Il laissa échapper un soupir.

— Tu veux la vérité ? Peut-être que je suis juste trop fatigué. Ou alors, je me rends compte que si tu voulais cafter je ne pourrais pas t'en empêcher.

Oh si, il le pourrait, mais à l'évidence, il n'était pas prêt à la malmener physiquement pour s'assurer de son silence – ce qui le rendait beaucoup moins terrifiant. Si Sue Ann voyait son regard, elle comprendrait mieux pourquoi Jenny semblait incapable de lui refuser… quoi que ce soit.

— Tu m'offres un thé glacé ? On crève de chaud.

— Désolée, j'ai été trop occupée pour en préparer. Que dirais-tu d'un soda ?

— Ça me va.

Elle sortit une canette du réfrigérateur, la lui tendit et le contempla tandis qu'il la pressait contre son front puis dans son cou. Il avait beau être en nage, il n'en était pas moins séduisant.

— Tu as fait un truc particulier aujourd'hui ? s'enquit-il en la parcourant du regard. Tu es bien élégante.

Elle portait une jupe jaune imprimée avec un haut assorti.

— J'ai fait un test de dépistage du VIH. Il est négatif.

Il plissa les yeux.

— Tu t'es pomponnée pour ça ?

Elle ne put s'empêcher d'éclater de rire.

— Non. C'est ainsi que les femmes s'habillent à Destiny. Comme dans les années 1950.

— En tout cas, ça te va bien, déclara-t-il en ouvrant la capsule de sa canette. Tu portais ce genre de tenue à l'époque où tu as quitté la ville ?

— La plupart du temps, oui, convint-elle. Cela convient à un professeur, et puis, j'imagine que je suis fidèle à mes origines.

Il esquissa un sourire.

— Ça, j'aurais pu te le dire, Minou.

Sans se donner le mot, ils se dirigèrent ensemble vers le salon.

— Mince ! s'exclama-t-il. Tu as décroché la photo.

— Il y a une heure.

— Tu te sens mieux ?

Elle opina sans hésiter. Déjà, la pièce ressemblait à un salon « normal » où l'on vivait, riait, se détendait.

— Le mur est moche, observa-t-il, mais si tu te sens mieux, c'est le principal.

Il avala une longue gorgée de soda sans la quitter des yeux. Et elle décela dans son regard une lueur de désir mais aussi… d'inquiétude à son endroit.

Leurs liens avaient évolué depuis cette première rencontre dans les bois, mais laisser son empreinte dans ce chalet était un premier pas vers une reprise en main de son existence, cette dernière exigeant qu'elle prenne aussi le contrôle de sa relation avec Mick.

Conséquence : elle ne pouvait plus coucher avec lui. Impossible.

Car de plus en plus, elle se sentait aspirée malgré elle dans une spirale infernale. Elle pouvait ne pas révéler son secret, mais elle ne pouvait pas risquer... d'éprouver des *sentiments* pour lui. Bon, d'accord, elle en éprouvait déjà puisqu'elle couchait avec lui, mais elle devait s'en tenir là. Elle était fraîchement divorcée, à peine remise du choc et de la douleur. Quant à Mick, il était dans de sales draps. Même s'il n'était pas directement responsable de sa situation.

Ils se tenaient à un mètre l'un de l'autre, face à face. Jenny baissa la tête et se mit à tripoter l'ourlet de son corsage. À la radio, branchée sur une station rétro de Crestview, la seule fréquence qui parvenait jusqu'à Destiny, John Cougar chantait une mélodie langoureuse.

— Tu veux que je m'en aille, n'est-ce pas ?

Comment l'avait-il deviné ? Aucune importance, il lui facilitait la tâche. Elle s'obligea à relever la tête, à soutenir son regard. *Sois forte. Remets de l'ordre dans ta vie.*

— Oui, murmura-t-elle. Je ne peux pas... continuer à faire l'amour avec toi.

— Il n'y a pas d'amour là-dedans, Minou. C'est du sexe. Torride, et *très gratifiant*.

Elle retint son souffle, ignora la contraction entre ses cuisses.

— Toujours est-il que je ne peux pas continuer. Parce que tu es dangereux, Mick. Tu comprends ce que je veux dire ?

Il hocha la tête.

— Oui, mon ange, je comprends.

Ça le bousillait, mais il comprenait. Jenny Tolliver n'était pas du genre à fricoter avec les criminels. Il aurait voulu discuter, lui rappeler combien leurs ébats les comblaient l'un et l'autre. Il aurait voulu se montrer égoïste car ses baisers, ses caresses lui faisaient l'effet d'un baume – c'était du reste la raison de sa présence ici ce soir.

Jenny Tolliver avait été tellement... intouchable par le passé qu'il n'en revenait pas d'avoir réussi à la séduire. Elle avait des valeurs morales. Des gens à qui faire plaisir. Il avait acquis certaines valeurs morales au fil du temps mais n'avait jamais eu quelqu'un à qui faire plaisir, quelqu'un qui attendait quelque chose de lui. Si tel avait été le cas, peut-être que sa vie aurait été différente.

Oui, il aurait voulu s'indigner, la traiter de folle de renoncer aux plus fabuleuses parties de jambes en l'air qu'il ait jamais connues – et qu'elle ait jamais connues, suspectait-il. Mais le moment était peut-être venu de lui montrer un peu de respect.

Il lui en voulait encore de l'avoir surpris dans la cabane. Si elle n'était pas venue, ils n'auraient pas ce poids qui leur pesait à tous deux. Cela mis à part, si elle voulait qu'il s'en aille, il s'en irait.

— Avant de partir...

— Oui ?

Il chercha ses mots, opta pour la simplicité.

— Merci, Minou, d'avoir gardé mon secret. Et de ne pas me détester.

Puis, posant sa canette vide sur le guéridon le plus proche, il s'approcha d'elle, encadra son visage des deux mains et déposa un chaste baiser sur son front.

Il allait s'écarter, il en avait la ferme intention, mais que c'était bon d'être si près d'elle, de humer le parfum de ses cheveux, d'effleurer la peau douce de ses joues. Si elle ne voulait pas lui offrir davantage, tant pis. Il voulait savourer ce moment. C'était mieux que rien.

Il s'aperçut alors qu'elle s'était mise à trembler. Comme lui, l'autre soir. Il s'éloigna légèrement pour scruter son regard.

— Je ne peux pas, chuchota-t-elle.

— Je sais. J'ai compris, mon ange. Tout va bien.

— Non, tout ne va pas bien.

— Hein ?

— Je ne peux pas, mais je… je…

— Tu en as envie.

— Je ne peux pas à moins que tu…

— À moins que je quoi, Minou ?

— Que tu réussisses à me convaincre.

9

Le ciel et la terre ont une durée éternelle. S'ils peuvent avoir une durée éternelle, c'est parce qu'ils ne vivent pas pour eux seuls.

LAO TSEU

Horrifiée par ses propres paroles, elle demeura immobile. C'était comme ce premier soir dans les bois. Elle le désirait de toute son âme. S'il partait maintenant, elle en mourrait, elle le savait.

Mais elle ne pouvait s'autoriser une telle folie. Jenny la petite fille modèle était de retour. Jenny la petite fille modèle ne couchait pas avec des types comme Mick. Oui, elle revivait les mêmes affres, mais cette fois, les enjeux étaient nettement plus importants.

Le regard de Mick était aussi brûlant de désir que le corps de Jenny. Elle sentait son entrecuisse palpiter.

— Que faut-il pour te convaincre, Jenny ? murmura-t-il enfin. Dis-le-moi, et je le ferai.

— Je… je l'ignore.

N'enfreins plus la loi. N'héberge plus ton frère de l'autre côté du lac. Deviens le genre d'homme qui a sa place dans ma vie. Tous ces vœux étaient impossibles à réaliser pour l'heure, mais le plus ironique, c'était que s'ils n'avaient pas eu lieu d'être, elle ne l'aurait jamais revu.

— Que penses-tu de ceci ?

Il réclama ses lèvres en un baiser à la fois tendre et ferme. En réponse, elle soupira et se laissa aller contre lui. Et mmm ! Il bandait pour elle. Magnifiquement, merveilleusement. Elle voulait davantage.

En même temps, elle regrettait la Jenny d'antan, celle qui l'avait ostensiblement dédaigné le jour où il avait tenté de flirter avec elle au bout du ponton. Cette Jenny-là ne prenait pas de risques. Elle vivait dans un monde infiniment plus beau que celui-ci.

Quand il l'embrassa de nouveau, plus profondément, elle s'embrasa. Il immisça la langue dans sa bouche et elle fut incapable de résister à la tentation d'aller à sa rencontre. Elle avait l'impression de pactiser avec le diable, d'arracher la pomme de la gueule du serpent. C'était le moment ou jamais de dire non, de tout arrêter, quand bien même elle l'avait pratiquement supplié de la séduire.

Refuse de continuer. Tu dormiras mieux cette nuit. Tu seras soulagée.

Impossible. Elle en avait trop envie. Et si Sue Ann avait raison ? Si ce n'était pas simplement une question de sexe, de bien et de mal ? Elle n'était pas une adepte des aventures sans lendemain. Elle avait essayé. Mais comment accepter qu'un homme vous pénètre sans ressentir quelque chose ensuite ? Comment parvenir à une telle intimité sans qu'il y ait le moindre lien ?

Elle dut se rendre à l'évidence : elle allait céder.

Quand il lui prit la main pour l'entraîner jusqu'au canapé, elle le suivit. Quand il s'allongea sur le dos et l'attira sur lui, elle ne protesta pas. Quand il prit ses seins en coupe et en titilla les pointes, elle ne s'y opposa pas. Au contraire, elle l'embrassa avec ardeur. Et se considéra comme totalement convaincue.

Il déboutonna son corsage. Depuis quelque temps, elle s'était remise à porter de jolis sous-vêtements en dentelle.

— Joli, approuva-t-il avant de capturer de nouveau ses lèvres.

Très vite, elle perdit pied, se rendit à peine compte qu'ils se déshabillaient mutuellement. Ils interrompirent brièvement leur baiser, le temps pour Mick de lui enlever son haut, puis de se débarrasser de son tee-shirt. Elle posa les paumes à plat sur son torse nu, en explora les muscles d'acier tandis qu'il lui pétrissait les fesses, puis lui ôtait son slip.

— Ouvre ma braguette, Minou.

Elle ne se fit pas prier. Elle déboucla sa ceinture, tira sur la fermeture à glissière, et le simple fait d'effleurer son érection lui arracha un frémissement. Mick Brody la rendait vraiment folle de désir.

Un instant plus tard, elle enroulait les doigts autour de son sexe, arrachant un cri étouffé à Mick.

— C'est tellement bon, ma belle, souffla-t-il.

Elle le caressa, l'écouta gémir, et se rendit compte qu'elle avait un certain contrôle sur lui, sur son plaisir. Il repoussa les bretelles de son soutien-gorge, libérant ses seins, et elle continua de s'activer avec enthousiasme, avant de s'incliner sur lui pour l'encourager à aspirer la pointe de son sein entre ses lèvres.

Lorsqu'il la lécha, le plaisir la traversa comme une flèche pour venir se loger entre ses cuisses. Déjà toute moite, elle remonta sa jupe et se pressa contre son érection, et tous deux commencèrent à onduler lentement.

Mais elle le voulait en elle. Sans attendre, elle positionna le sexe de Mick à l'orée du sien, puis le fit coulisser en elle.

Un gémissement de bonheur leur échappa.

L'agrippant aux hanches, Mick la regarda se mouvoir sur lui en une danse lascive totalement instinctive.

L'orgasme vint vite, accompagné de cris aigus qu'elle ne chercha pas à retenir.

— Tu es si belle quand tu jouis, gronda-t-il.

Puis il prit le relais, accéléra le rythme, intensifia la force de ses coups de reins. Les yeux dans les yeux, ils s'abandonnèrent à la vague du plaisir qui les portait toujours plus haut. Elle le chevauchait si follement qu'elle se demanda combien de temps encore elle pourrait endurer pareille fougue. La tête renversée, les paupières closes, elle l'entendit articuler d'une voix rauque :

— Jenny... je vais jouir en toi !

Quand ce fut fini, ils demeurèrent dans les bras l'un de l'autre, étroitement unis. La tête reposant sur le torse de Mick, Jenny éprouva un profond sentiment de désarroi.

Merde ! Elle s'était promis de ne pas succomber, de le repousser. Et maintenant que le plaisir qui l'avait aveuglée se dissipait, elle se rappelait *pourquoi*. Le danger. Cet homme respirait le danger. Elle ne pouvait pas vivre ainsi.

— Pourquoi est-ce que je craque chaque fois ? murmura-t-elle sans réfléchir.

— Détends-toi, Minou, la rassura-t-il d'une voix tout à la fois douce, calme et lasse. Ce n'est qu'une histoire d'alchimie. Entre nous, ça marche. Il n'y a rien de mal à se faire du bien.

Sauf quand le type qui t'envoie au septième ciel est l'opposé de tout ce dont tu as rêvé. Sauf s'il te trouble tellement que tu ne sais plus distinguer le bien du mal.

Il avait sans doute raison, mais l'emploi du terme « alchimie » l'offusquait. Elle lui avait expliqué que le sexe avait un sens pour elle. Peut-être ne l'avait-il pas entendue ? Et s'ils continuaient ainsi... Oh, non ! Elle ne pouvait pas, elle ne devait pas s'attacher à Mick Brody.

Trop tard. Elle tenait déjà à lui. Elle avait beau essayer de se persuader du contraire, elle n'avait pas révélé son secret à son père qu'elle aimait, chérissait et respectait. Et elle fondait entre ses bras. Et elle voulait savoir ce qui se passait dans sa tête.

Quelle catastrophe !

Elle n'avait pas besoin d'un homme dans sa vie en ce moment, encore moins d'un homme comme Mick

Brody. « Tu vas mettre un terme à cette relation immédiatement, s'ordonna-t-elle. Une fois pour toutes. »

Elle demeura blottie contre lui, à se couvrir de reproches. Au bout d'un moment, son sexe toujours en elle, Mick glissa la main sous son menton, l'obligeant à le regarder.

— Écoute-moi, Minou. Je suis peut-être un problème ambulant pour toi, mais toi et moi, c'est… bon. Divin, même. Et rien n'interdit de s'offrir du plaisir pur et dur.

Du plaisir pur et dur. Du sexe passionné, débridé…

Celui-là même dont Terrence l'avait crue incapable.

Comment ne s'en était-elle pas rendu compte plus tôt ?

Terrence avait tort ! Complètement, totalement tort ! Peut-être l'avait-elle toujours su dans son cœur – mais pas dans sa tête.

Je peux le faire. Je peux me lâcher. Je peux être bonne au lit ! Prends ça, salopard ! Tu n'y connais rien !

— Euh… qu'est-ce qui t'arrive ? murmura Mick.

Elle s'aperçut qu'elle souriait comme une idiote.

— Je me disais que… tu avais raison. Rien n'interdit de s'offrir du plaisir pur et dur, bredouilla-t-elle.

Il cilla, visiblement surpris.

— C'est nouveau ça ! Jusqu'à présent, tu ne me croyais pas.

Elle ne pouvait pas lui expliquer qu'elle venait d'avoir une révélation majeure. Elle ne pouvait pas lui déclarer que ce qui lui paraissait sordide et moralement répréhensible encore quelques minutes plus tôt lui semblait soudain exaltant et juste.

Mais elle était là, au plus profond d'elle-même, cette impression de liberté. Cette certitude d'avoir emporté une victoire sur le monde. Comme lorsqu'elle avait décroché la photo. Elle était adulte, elle avait le droit d'agir à sa guise. Elle pouvait coucher avec Mick si elle le désirait… *sans* s'attacher à lui.

Exit, les émotions à la guimauve. Elle ne raisonnerait plus jamais ainsi. Désormais, elle s'affirmerait, serait plus forte. Comme un mec. À partir de maintenant, elle ne penserait plus aux problèmes de Mick, elle se contenterait de savourer ce qu'il lui offrait de bon. Cela ne devrait pas être trop difficile parce que c'était vraiment *très bon*.

Le lendemain soir, au cours de la soirée jeux de dés de Caroline Meeks, Jenny trouva un prétexte pour attirer Sue Ann à l'extrémité d'un couloir désert pendant que les autres femmes s'agglutinaient autour d'une fondue.

— J'ai un scoop.

— Tu vas tout raconter à ton père ? chuchota Sue Ann.

Jenny secoua la tête.

— Je m'envoie en l'air avec Mick.

— Euh... où est le scoop ?

— C'est dément. Hallucinant. Exaltant.

— Où est le scoop ? répéta Sue Ann.

— Terrence me croyait incapable d'avoir une sexualité débridée.

Le regard de Sue Ann s'éclaira.

— Aaaaaah ! Le salopard, ajouta-t-elle pour faire bonne mesure.

— Du coup, j'exulte.

— Entre nous, ça m'a paru évident dès le début.

— Jusque-là, je n'avais pas réalisé à quel point cela contredisait l'explication débile de Terrence pour justifier son infidélité.

— Débile, oui. Quel connard.

Surprise, Jenny eut un petit mouvement de recul. C'était la première fois que Sue Ann utilisait ce terme à propos de Terrence.

— Tu ne le traites plus de salopard ?

— J'en ai un peu assez... En tout cas, je suis ravie pour toi. Sincèrement. J'en veux à cet imbécile d'avoir miné ta confiance en toi. Mais j'aimerais bien savoir exactement où tu en es avec Mick. Mis à part le sexe.

Jenny y avait réfléchi et avait préparé sa réponse.

— J'ai officiellement une liaison passionnée. Et j'ai décidé que j'avais bien raison parce que je mérite de prendre un peu de bon temps.

— Alléluia !

— Quant aux aspects... négatifs de la situation, je refuse d'y penser.

— L'évadé, devina Sue Ann en haussant les épaules comme si ce n'était qu'un détail.

— Certes, cette histoire m'a perturbée, mais, à présent, j'y vois plus clair. Admettre mon droit à prendre mon pied m'a aidée à remettre les choses en perspective. Il s'agit d'une aventure d'un été, rien de plus.

Malheureusement, Sue Ann ne paraissait pas totalement convaincue.

— Je suis très heureuse pour toi si tu arrives à coucher avec ce type en gardant le recul nécessaire vis-à-vis de ses problèmes. J'essaie de toutes mes forces d'oublier les risques que tu prends. Mais comment ressens-tu le fait de cacher cette affaire à ton père ?

Jenny soupira.

— C'est dur. Mais je pense agir pour le mieux. Il respecterait cela, tu ne crois pas ?

Là, Sue Ann sembla carrément dubitative, mais elle répondit tout de même :

— Certainement.

Toutes deux savaient que Walter Tolliver était flic jusqu'à la moelle. Pour lui, la loi était la loi, point final.

— Revenons-en au sexe, enchaîna Sue Ann.

— Tu ne penses donc qu'à ça ? Depuis quand es-tu devenue une adepte de la débauche ?

— Depuis que j'ai une enfant au sommeil léger qui pousse des cris de terreur dès que papa et maman ferment la porte de leur chambre.

— Ah. Désolée.

— Par conséquent, que j'approuve ou pas ladite liaison passionnée, si tu as l'intention de la poursuivre tu vas devoir me la relater minutieusement. Divertis ta vieille copine mariée. Quoi de neuf dans le chapeau de magicien de Mick Brody ? Il t'a encore sautée dans les bois ? Contre un arbre ? Debout ? Suspendue à un chandelier ? Accouche.

Jenny ne put s'empêcher de glousser.

— Cette fois, on a fait ça sur le canapé.

— Non ! souffla Sue Ann, ouvertement déçue.

— C'était tout de même époustouflant.

— Vraiment ?

— Avec Mick, ça l'est toujours, affirma Jenny, le regard rêveur.

— Ma foi, répliqua Sue Ann, vaguement impressionnée, tu as drôlement épicé ma vie, ces temps-ci.

Elle tourna la tête et Jenny l'imita, à temps pour voir Tessa et Amy franchir la porte d'entrée.

— Allez, viens ! Je vais te battre au jeu de bunco comme seule une authentique dame de Destiny sait le faire.

Assis au chevet de Wayne, Mick regardait un match des *Reds* à la télévision. Il avait apporté le poste de chez lui et l'avait installé dans ce qui était autrefois le salon familial. En ce début de huitième manche, Jay Bruce s'apprêtait à frapper. Les ventilateurs électriques aux fenêtres bourdonnaient et Mick se réjouit une fois de plus que la maison soit entourée d'arbres sans quoi la chaleur aurait été insupportable.

Il ne suivait plus cette équipe de base-ball depuis des années, Wayne non plus, probablement, mais enfants, ils en avaient été des supporters acharnés. À présent, c'était une distraction comme une autre.

Bruce atteignit la première base et la diffusion s'interrompit le temps d'une page de publicité. Mick se leva.

— Je vais me préparer un sandwich. Tu veux quelque chose ?

Wayne n'avait plus guère d'appétit, mais au moins, les antalgiques le soulageaient. Il réfléchit un instant.

— Bof ! Des pêches ?

Au début, il mangeait de tout, puis très vite il s'était contenté d'aliments mous, et depuis deux jours, il ne réclamait plus que des pêches en conserve. Mick en ouvrit une boîte, versa quelques fruits dans un bol, avec beaucoup de jus car il avait noté que Wayne l'appréciait davantage que les fruits. Il le lui apporta avant de retourner se confectionner un sandwich au jambon, honteux d'avoir faim, d'être en bonne santé.

— Où es-tu allé hier soir ? s'enquit Wayne à brûle-pourpoint, alors que Mick revenait avec son en-cas et un soda.

Ce dernier s'assit, ouvrit sa canette, en but une gorgée, submergé par un sentiment de culpabilité.

— J'ignorais que tu m'avais entendu sortir. Je ne pars que lorsque je suis sûr que tu dors. Si j'avais su, je serais resté. Désolé, frérot.

Wayne eut un rire las.

— Je ne t'en veux pas, je m'interroge. Tu n'es pas obligé de me veiller du matin au soir. Pour le moment, ça va. À peu près.

Mick en était conscient. Malgré la fatigue, tant qu'il prenait ses médicaments, l'état de Wayne demeurait stable. Il pouvait se changer lui-même, faire sa toilette. Parfois même, il quittait son lit pour marcher dehors quelques minutes. Toutefois, depuis deux semaines, il sortait de moins en moins.

— Je vais... de l'autre côté du lac, avoua Mick, sachant que cette nouvelle surprendrait son frère.

Il ne lui avait pas parlé de Jenny. Comment lui raconter ses exploits sexuels avec une jeune femme ravissante alors que Wayne ne ferait plus jamais l'amour ? D'autre part, il ne voulait pas que Wayne s'inquiète en lui révélant que quelqu'un d'autre était au courant de sa présence dans la cabane.

— De l'autre côté du lac ?

— Tu vas penser que je délire, mais je... je sors plus ou moins avec Jenny Tolliver. Tu te souviens d'elle ? Elle habitait dans le chalet jaune.

— Tu te fous de moi ?

— Ça paraît incroyable, convint Mick. Mais c'est la vérité.

— C'est arrivé comment ?

Mick le lui raconta, en veillant à passer rapidement sur la partie sexuelle de l'histoire. Mais c'était cette dernière qui intéressait Wayne.

— Si je comprends bien, tu te tapes Jenny Tolliver, la petite pom-pom girl au super Bikini.

— Ouais, marmonna Mick, mal à l'aise (ce qui l'étonnait car ils avaient toujours parlé ouvertement de leurs conquêtes, son frère et lui).

— Mon vieux, tu es un sacré veinard !

« Oui, si l'on omet le fait que je dois m'occuper de mon frère mourant en le cachant au monde entier », songea Mick. Cela dit, comparé à Wayne, il avait de la chance, en effet.

— Ça ne t'inquiète pas que je couche avec la fille du chef de la police ?

— Merde ! J'avais oublié ce détail.

Dans l'esprit de Mick, Jenny était toujours demeurée étroitement reliée à la profession de son père, il avait donc du mal à croire que Wayne ait pu l'oublier. Mais peut-être était-ce un effet secondaire de son traitement.

— En tout cas, sois tranquille, Jenny ne dira rien.

Wayne parut soudain aussi sceptique que Mick l'avait été au début.

— En quel honneur ?

— Elle sait que nous ne faisons de mal à personne. Elle comprend.

Wayne se concentra de nouveau sur le match, puis tourna soudain la tête et lâcha :

— Tout ce que j'ai à te dire, c'est que tu as intérêt à la contenter au lit sans quoi on sera tous les deux dans la merde.

— Pour être franc, on n'a pas encore réussi à faire ça dans un lit, mais la contenter n'est pas un problème. On n'a donc rien à craindre.

Wayne fixa de nouveau l'écran, mais Mick vit à son expression qu'il était ailleurs. Son bol de pêches reposait sur ses cuisses. Il n'y avait pas touché.

— Ça t'arrive de repenser à ce temps-là ? murmura-t-il.

Mick n'avait pas besoin de lui demander de préciser lequel. Son frère faisait allusion à l'époque où ils étaient assez grands pour s'échapper de la maison à bord d'une voiture ou d'un bateau, selon ce qui se présentait – *avant* qu'ils ne commettent des délits comme celui qui avait envoyé Wayne en taule.

— Oui, répondit Mick.

Trop souvent.

Ce n'était pas le grand bonheur – la vie dans la cabane était insupportable et ils avaient déjà basculé du mauvais côté de la loi –, et pourtant, Mick se rappelait avec plaisir les longues journées paresseuses à flotter sur le lac en lorgnant la gentille Jenny Tolliver sur son transat, les nuits à se balader dans la Camaro de Lucky, à boire de la bière et à draguer les filles.

Wayne bougea, et un peu de sirop de pêche se répandit sur son ventre nu. Il émit un juron et Mick se pencha pour ouvrir le tiroir de la table de nuit dans lequel il avait rangé des serviettes en papier.

Mais alors qu'il refermait ledit tiroir, son regard tomba sur un objet – deux, en fait – qu'il n'avait jamais rangé là. Le premier était une pointe de flèche en silex gris qu'ils avaient déterrée un été alors qu'ils retournaient la terre pour tenter de créer un jardin potager de l'autre côté du promontoire. Le deuxième était une photo froissée de son frère et lui enfants, posant devant le lac. Mick devait avoir sept ans, et Wayne, dix.

— Tu as conservé ces trucs ? fit Mick en s'en emparant.

Wayne n'était pas du genre sentimental – ou alors, pensa tout à coup Mick, peut-être était-il expert en l'art de masquer ses émotions.

— Bien sûr, répondit-il simplement.

En un éclair, Mick se rappela leur excitation quand ils avaient découvert la flèche. Pour la première fois de sa vie, il s'était mis à réfléchir à l'histoire, aux coutumes des anciens. Imaginer qu'un Indien l'avait précédé sur ce morceau de terre l'avait réconforté.

— Tu les as gardés toutes ces années ? s'étonna Mick. Pourquoi ?

— C'étaient mes porte-bonheur.

Après une seconde de silence, tous deux explosèrent de rire.

— Heureusement que je les avais sur moi, plaisanta Wayne. Sinon, j'aurais pu avoir des ennuis.

Ils s'esclaffèrent de nouveau. Bon sang, que c'était bon de rigoler !

— En fait, reprit Wayne lorsqu'ils furent calmés, ça me rappelle notre enfance.

Une fois de plus, Mick s'abandonna aux souvenirs. Il se revit, explorant les collines avec son frère, jouant dans le ruisseau, creusant la terre. Wayne veillait sur lui, lui enjoignait d'être prudent lorsqu'ils grimpaient dans les arbres, lui montrait les meilleures branches auxquelles s'accrocher. Et il le protégeait de leurs parents. Un jour, Mick avait trébuché dans un cours d'eau et déchiré sa chemise neuve. Wayne l'avait défendu en prétextant qu'il était tombé parce qu'il l'avait poussé. C'était faux, mais Wayne s'était reçu une belle raclée en récompense.

— Merci, chuchota Mick, parce qu'il ne se rappelait pas avoir remercié son frère, et que le temps pressait. Merci pour la fois où tu t'es pris une volée à ma place.

Wayne haussa les épaules.

— Tu étais petit. Et c'étaient des brutes.

— Qu'est-ce que je t'admirais, reconnut Mick, songeur. Je voulais te ressembler.

L'ironie de cet aveu ne le frappa qu'après coup, quand Wayne avoua :

— Je n'ai jamais eu l'intention de t'entraîner dans mes conneries, frérot. Jamais voulu que tu deviennes… comme moi.

— Ce sont les parent les vrais coupables.

— Tout de même, certaines fois, j'aurais dû te renvoyer à la maison, ne pas te demander de venir avec moi.

Il faisait allusion au braquage à Crestview et aux autres occasions de la sorte que Mick préférait effacer de sa mémoire. Mais il ne blâmait pas son frère pour autant. Aussi, bien qu'il n'eût jamais dit ces mots à qui que ce soit, il décida que le moment était venu d'être honnête.

— Je t'aimais, mon pote. Je n'aimais rien d'autre.

Dans le bref silence qui suivit, le présentateur à la télévision proclama :

— Cette fois, c'est pour les *Reds* !

Levant les yeux, Wayne et Mick s'aperçurent que le match était terminé et qu'un feu d'artifice explosait au-dessus du stade – à peine visible en plein jour.

Mick attrapa la télécommande et éteignit le poste, puis se pencha pour mettre en marche le ghetto-blaster qu'il avait aussi rapporté de Cincinnati. À la radio, le groupe Tommy Tutone braillait son tube des années 1980 à propos d'une fille prénommée Jenny.

Mick s'empressa de baisser le volume.

— Et aujourd'hui, qu'est-ce que tu aimes ?

— Je ne sais pas. J'aime… mon travail. J'aime…

Quoi d'autre ? Il était à court d'inspiration.

— Cette fille ? Jenny Tolliver ? suggéra Wayne.

Mick cligna des yeux et dévisagea son frère.

— Si je *l'aime* ? Mon vieux, ce n'est qu'une histoire de fesses.

— Menteur.

Ses sentiments pour Jenny se lisaient-ils sur son visage ?

— Je ne dis pas que je ne tiens pas à elle, mais de là à parler... *d'amour*. Je ne la connais pas depuis assez longtemps.

— Tu plaisantes ? Adolescent, tu bandais déjà pour elle.

— C'est différent, éluda Mick en riant. Ça ne veut pas dire que je la connaissais.

— En tout cas, c'est un bon début. Alors ? Tu crois que tu pourrais l'aimer ?

Cette seule possibilité paniquait Mick, et il secoua la tête.

— Elle habite de l'autre côté du lac et son père est flic. Fais le calcul.

— Je ne te demande pas de m'énumérer les problèmes, je te demande si tu pourrais l'aimer.

Pitié ! Un étau se resserra autour de sa poitrine.

— J'aurais peut-être pu... ailleurs... en d'autres circonstances.

— Le truc, dit Wayne, les paupières lourdes comme s'il allait s'assoupir, c'est que j'aurais moins de scrupules à mourir si j'avais la certitude de ne pas te laisser complètement seul.

— Ne te fais pas de souci pour moi, frérot. Je suis seul depuis des lustres et je m'en sors.

Il attendit que Wayne proteste, insiste. En vain. Mick se rendit compte qu'il s'était endormi.

Tant mieux. Ces médicaments rendaient Wayne... imprévisible. À moins que ce ne soit l'approche de la mort. Quoi qu'il en soit, Mick était soulagé que le sujet soit clos. Il désirait Jenny, il fantasmait sur elle du matin au soir et il lui tardait de la revoir. Mais cela n'avait rien à voir avec l'amour. D'ailleurs, il serait incapable de reconnaître l'amour avec un grand A même s'il lui sautait à la figure.

Il n'en voulait pas. Ce qu'il venait de dire à Wayne était vrai : il avait appris à vivre seul. Sa solitude lui plaisait, il se sentait mieux ainsi, plus en sécurité. Jenny était... un réconfort. Mais dès que toute cette affaire serait terminée, il chargerait sa camionnette et rentrerait à Cincinnati – seul.

La librairie occupait un vieil édifice de deux étages peint en vert sauge sur la place centrale de Destiny. Un panneau dans la vitrine annonçait une réunion du club de lecture pour le mardi soir. Quand Jenny et Sue Ann franchirent le seuil de la boutique, l'odeur merveilleuse des livres leur chatouilla les narines.

Un énorme chat de gouttière bondit d'une étagère pour atterrir sur le comptoir.

— Shakespeare, attention ! s'écria Amy, juste avant de relever la tête et de s'écrier : Enfin tu te décides à me rendre visite !

— Superbe librairie, commenta Jenny en toute sincérité. Désolée de ne pas être venue plus tôt.

L'espace était chaleureux, convivial, avec ses fauteuils confortables et ses tapis en lirette.

— Nous avons aussi un patio à l'arrière, annonça fièrement Amy en contournant le comptoir pour saluer ses amies. C'est là que se tiennent les réunions du club de lecture quand le temps le permet. Cela dit, il fait si chaud en ce moment que nous préférons rester à l'intérieur.

Jenny observa Shakeaspere, qui avait sauté sur le sol, s'était faufilé entre ses jambes avant de s'installer sur l'un des fauteuils. Cette caresse sur les mollets – sensation qu'elle n'avait pas éprouvée depuis des années – lui avait été étrangement agréable.

— Qu'en est-il du chat ?

— Tu le veux ? Il a commencé à venir il y a environ un mois. Je l'ai nourri et, naturellement, il ne veut plus partir. Je l'ai appelé Shakespeare parce qu'il dort le plus souvent dans le rayon théâtre. Il est officiellement candidat à l'adoption. Qu'en dis-tu ?

Amy haussa les sourcils avec espoir. Jenny se déroba.

— Inutile de me regarder ainsi. Je ne suis en ville que jusqu'à la fin de l'été.

Pourtant, l'idée d'avoir un chat était plutôt séduisante. Sauf que... les animaux domestiques n'étaient pas immortels. Elle pensa à Flocon.

Amy haussa les épaules.

— Je suis sûre qu'il serait heureux n'importe où.

Jenny se contenta de rire, et chassa cette idée. Elle avait assez de soucis comme ça.

— Et toi, pourquoi ne l'adoptes-tu pas ? Tu as toujours été une mère à chats si je ne m'abuse.

— Peux pas, décréta Amy. M. Knightley ne le tolérerait pas.

Ce fut au tour de Jenny d'arquer les sourcils. D'après Sue Ann, ni Amy ni Tessa n'étaient mariées. Pas plus que Rachel.

— M. Knightley ?

— Le chat que j'ai chez moi. Il est très possessif.

Tessa surgit entre deux étagères, une pile de livres dans les bras.

— Sois indulgente avec Amy, claironna-t-elle, elle ne vit que pour cet animal. Et elle lit trop de Jane Austen – d'où son nom.

Amy leva les yeux au ciel.

— Sache qu'il est techniquement impossible de lire trop de Jane Austen. Elle n'a écrit que six romans.

— Oui, bon, rétorqua Tessa en se tournant vers Sue Ann et Jenny, disons qu'elle *relit* trop de Jane Austen.

— Personnellement, j'adore Jane Austen, avoua Sue Ann.

— Comme nous toutes, convint Tessa. Enfin, de là à donner le nom d'un de ses héros à son animal de compagnie...

— Bon, d'accord, je comprends, marmonna Sue Ann.

Croisant les bras, Amy afficha une expression faussement contrariée.

— Si on passait aux choses sérieuses ? intervint-elle. Jenny, comptes-tu t'inscrire à mon club de lecture ?

— Ma foi, ce serait avec plaisir. Toutefois, mes auteurs de prédilection ne correspondent sans doute guère aux goûts de tes clientes. Stephen Hawking ? Brian Greene ?

Tessa plissa les yeux.

— Brian Greene ? C'est aussi un scientifique, non ?

— Un autre de ses physiciens fétiches, clarifia Sue Ann pour les copines.

— Tu t'intéresses toujours à l'astronomie ? fit Tessa.

— Je crains que oui. Pas très mondain, comme passion.

— Ça ne nous empêche pas de te fréquenter. Simplement, on évitera de lire avec toi.

— C'est dommage, observa Amy, parce que j'ai réussi à convaincre quelques hommes à se joindre à nous.

— Raison de plus pour que je me tienne à l'écart, rétorqua Jenny. Les hommes, j'en ai ma claque pour le moment.

Mis à part un criminel que j'ai rencontré dans les bois.

— As-tu vu Adam Becker dernièrement ? Il est en pleine forme. Et il m'a promis d'assister à la séance de la semaine prochaine, précisa Amy.

— Parce que tu l'y as forcé, fit remarquer Tessa.

— Qu'est-ce que vous avez tous à vouloir me jeter Adam Becker dans les pattes ? s'emporta Jenny, exaspérée. Il ne m'intéresse *pas*.

— Logan Whitaker, peut-être ? risqua Amy.

Fouillant dans sa mémoire, Jenny se rappela le voisin d'Amy, qu'elle avait considéré un peu comme un frère lorsqu'elles étaient gamines.

— Non, merci ! asséna-t-elle. Je n'ai rien contre Logan mais…

— Et Mike Romo ? s'obstina Amy. Il est un peu plus vieux que nous, mais il est flic et il travaille pour ton père. Tu le connais sans doute.

— Non, je ne connais pas Mike Romo. Enfin, si, je me souviens de l'avoir croisé autrefois, mais…

— Il est terriblement séduisant, coupa Amy d'un ton encourageant.

Tessa leva les yeux au ciel.

— Il n'assistera pas aux réunions de ton club de lecture, et c'est tant mieux car la plupart des gens le trouvent débile.

— En effet, renchérit Sue Ann. En revanche, sur un terrain de base-ball, il est remarquable. Jeff et lui sont dans la même équipe, ajouta-t-elle à l'intention de Jenny.

Bien que leur sujet de conversation ne soit pas le bienvenu, plus elles discutaient, plus Jenny avait l'impression de se retrouver projetée dans le passé. Amy avait toujours été une marieuse dans l'âme, ce qui rappela à Jenny qu'au fond, les gens ne changeaient guère avec le temps, ce qui était plutôt rassurant.

Mick faisait exception, bien sûr. Il n'était plus le même et elle en prenait un peu plus conscience chaque jour.

Plus elles papotaient, cancanaient et gloussaient, plus Jenny s'immergeait dans le confort simple d'une réunion entre filles. Elle aurait volontiers parlé de Mick à Amy et à Tessa, mais, bien entendu, il n'en était pas question.

Que c'était compliqué de mener une « presque double vie ». La journée, elle était Jenny la petite fille modèle. La nuit, elle était la maîtresse de Mick Brody. À cette seule pensée, elle ressentit un fourmillement entre les cuisses.

— Qu'est-ce que c'est que ce petit sourire coquin ? s'enquit brusquement Tessa.

Jenny tressaillit, furieuse contre elle-même.

— Un sourire ? Quel sourire ?

— Tu as un secret, devina Amy en étrécissant les yeux, tel Sherlock Holmes sur le point de résoudre une affaire. Un… homme secret.

Au secours !

— Quoi ? s'exclama-t-elle. C'est ridicule.

À ses côtés, Sue Ann s'étrangla, se mit à toussoter.

Tessa, qui avait depuis longtemps posé sa pile de livres, vint lui taper dans le dos en riant avant de pivoter vers Jenny.

— Contrairement à notre camarade « Mlle-Jane-Austen-ma-vie-ma-passion », dit-elle en désignant Amy, je ne suis pas de celles qui arrachent à tout prix les confidences de ce genre. Toutefois, je te trouve bien rouge.

— C'est le soleil, se défendit Jenny. J'y suis hypersensible. Demande à Sue Ann.

— C'est vrai, confirma celle-ci. Ça lui arrive tout d'un coup. Il a suffi qu'on vienne à pied du café.

Jenny s'aperçut que Sue Anna et elle opinaient toutes deux du chef. Elle s'obligea à s'arrêter et tenta d'afficher un air naturel. Comme si c'était encore possible.

— T'inquiète, répondit Amy. Nous ne te forcerons pas à en parler si tu n'en as pas envie. Mais nous finirons par savoir qui c'est.

L'estomac de Jenny se noua.

— Amy, mon mari vient de me plaquer. Qu'est-ce qui pourrait me pousser dans les bras d'un homme ?

— Euh… je crois que tu viens de répondre toi-même à ta question, argua Tessa. Ton mari vient de te plaquer. Qu'est-ce qui t'empêcherait de tomber dans les bras d'un homme ?

— Je ne suis pas prête.

Et, oui, d'accord, une relation purement sexuelle, ça aide.

— En outre, enchaîna-t-elle, je vois mal comment je pourrais fréquenter un homme à Destiny sans que vous soyez au courant.

Par chance, Amy et Tessa en convinrent.

— Très bien, le sujet est clos, décréta Amy. Mais je demeure persuadée que tu as un secret.

Génial ! Il ne manquait plus que cela. Elle avait déjà du mal à l'assumer, alors si ses amies se mettaient en tête de le découvrir…

Jenny se sentait bien.

Enfin, presque.

D'une part, les insinuations d'Amy l'avaient énervée. À présent, elle comprenait mieux ce que Mick avait ressenti quand elle l'avait titillé à propos de son propre secret. Heureusement, elles avaient discuté d'un tas d'autres choses ensuite, et avec un peu de chance, Amy n'y penserait plus.

D'autre part, la chaleur dans le chalet était étouffante – le climatiseur faisait encore des siennes. Pendant que son père essayait une fois de plus de le réparer, elle lisait dans le salon… et se demandait quand Mick reviendrait.

Et c'était pour cette dernière raison que le bien-être prenait le pas sur l'agacement. Depuis qu'elle s'était autorisée à vivre pleinement son aventure avec Mick, elle avait l'impression d'avoir grandi, de maîtriser les choses, d'être plus forte et indépendante.

Et puis, les retrouvailles avec ses amies la réjouissaient. Même si Amy se révélait un peu trop intuitive à son goût.

À la maison aussi, elle avait pris les choses en main. Un édredon neuf couvrait son lit et des rideaux assortis ornaient la fenêtre. Elle avait planté des impatiens sous un arbre dans le jardin et envisageait de repeindre le rocking-chair de la véranda. Si elle en avait le courage, elle reverrait peut-être la décoration le salon. Démonter l'autel avait été le premier pas vers la renaissance, le besoin de repartir de zéro.

— L'air se rafraîchit ? cria Walter.

Elle réfléchit.

— Peut-être. Oui, oui !

— Je crois que c'est bon, annonça-t-il.

En l'entendant fermer la porte de la buanderie, elle alla le rejoindre dans la cuisine. Il s'essuyait les mains sur un chiffon, l'air dubitatif.

— Si ça continue, je vais devoir appeler un professionnel. Pour l'instant, j'ai réussi à le bricoler, mais il faudrait probablement remplacer l'appareil complet.

— Oh, non, papa ! s'exclama-t-elle.

Ce serait trop coûteux. Son père ne roulait pas sur l'or.

— Je ne suis ici que pour l'été. Ce serait absurde de dépenser tout cet argent.

Mais Walter secoua la tête.

— Peu importe le temps que tu resteras. Il faut qu'on puisse respirer.

Il ouvrit le réfrigérateur et en sortit un soda qu'elle stockait exprès pour lui.

— Betty m'a demandé de te transmettre son invitation à leur pique-nique du 4 Juillet. C'est bientôt.

Décidément, le temps passait très vite.

— J'irai avec plaisir, murmura-t-elle.

— Presque tous les gens que nous connaissons y vont. Je suppose que certaines de tes copines d'autrefois y seront.

Quand Jenny était enfant, c'étaient ses parents qui organisaient cette réunion annuelle, mais le décès de sa mère avait mis fin à cette tradition. Ed et Betty n'avaient lancé la leur qu'après le départ de Jenny.

— Dis à Betty que je viendrai, et demande-lui ce que je peux apporter.

Son père but une gorgée de soda, sourit.

— Je savais que tu répondrais cela, j'ai donc déjà promis que tu viendrais avec ta fameuse tarte au citron.

— Ça marche !

C'est alors que Walter se dirigea vers le salon.

— Je vais me reposer quelques minutes avant de rentrer, annonça-t-il, avant de se figer sur le seuil. Où est la photo de ta mère ? s'écria-t-il, atterré. Où sont toutes ses photos ?

10

Nous rendons du sens à notre monde par le courage de nos questions et la profondeur de nos réponses.

CARL SAGAN

Aïe ! Peut-être avait-elle poussé le bouchon un peu loin en les ôtant *toutes*. Si elle avait redouté la réaction de son père, elle avait – stupidement – espéré qu'il n'en ferait pas un plat. S'étant habituée à ne plus voir l'autel, elle en avait plus ou moins oublié que lui ne l'était pas. À présent, elle devait faire preuve de diplomatie.

— Papa, j'ai tout enlevé, parce que cela me rappelait trop la mort de maman, dit-elle en le rejoignant. Les photos sont dans la chambre d'amis et je les remettrai à leur place lorsque je m'en irai.

Elle jugeait son explication claire, pourtant son père continuait d'afficher une expression ahurie.

— Papa, je t'en supplie, dis-moi que tu ne m'en veux pas, que tu comprends.

Il secoua la tête, désemparé.

— Je ne t'en veux pas, ma chérie, mais... je ne peux pas dire que je comprends.

— Asseyons-nous, veux-tu ? proposa-t-elle en se dirigeant vers le canapé. J'avais la sensation que cette pièce était… figée dans le passé. Sans vouloir manquer de respect à maman, sa présence m'étouffait. D'ailleurs, je me dis que ce serait le moment ou jamais pour repeindre ces murs. Ils en ont grand besoin. Je pourrais aussi acheter des rideaux neufs.

Il jeta un coup d'œil vers l'une des fenêtres.

— C'est ta mère qui a confectionné ceux-là.

Paupières closes, Jenny s'efforça de garder son calme.

— Papa, ils sont usés – ils sont presque aussi vieux que moi. Nous pouvons les entreposer avec le reste des affaires que tu as conservées, mais ce salon mérite vraiment un coup de propre. J'espère que tu ne m'empêcheras pas de me lancer dans ce projet. Ce sera bénéfique pour nous deux, je pense.

— D'accord, acquiesça-t-il finalement. C'est juste que je n'avais jamais imaginé entrer un jour ici et ne pas y voir ta mère me sourire.

Jenny retint son souffle, bouleversée. Cela la rendait tellement triste qu'il n'arrive pas à faire son deuil, à aller de l'avant. Elle avait envie de pleurer. Et que son père la regarde comme s'il ne la reconnaissait pas ne l'aidait pas.

Mon Dieu, s'il savait !

« Pour la première fois de mon existence, j'enfreins les règles, se rassura-t-elle. Je fais ce dont j'ai envie et rien ni personne ne m'en dissuadera. Point. »

Walter Tolliver ignorait ce qui l'incita à bifurquer dans le parking de l'auberge *Dew Drop* le lendemain après-midi. Il éprouvait le besoin de s'engourdir l'esprit. Une bière l'y aiderait peut-être. Après tout, il n'était pas en service. N'empêche qu'il était un représentant de la loi et qu'il conduisait une voiture de patrouille. Il opterait donc pour un soda.

L'aire de stationnement était vide. Le bar était-il seulement ouvert à cette heure-ci ? La porte céda lorsqu'il la poussa. Le juke-box diffusait une chanson de Stevie

Nicks, et la nouvelle propriétaire, moulée dans un jean, était occupée à ranger des bouteilles derrière le comptoir. Bien que visiblement surprise, elle lui sourit.

— Tiens donc, ne serait-ce pas l'officier Tolliver ? Que puis-je pour vous, Walter ?

Qu'elle l'appelle par son prénom le perturba, mais force lui était de reconnaître que cette femme avait de l'aplomb. Sans doute était-ce indispensable dans son métier.

— Désolé si je vous dérange. J'avais envie d'une boisson fraîche.

— C'est encore fermé, mais prenez un tabouret. Soda ?

— S'il vous plaît.

Un instant plus tard, elle posait un verre devant lui.

— Quelque chose vous tracasse, Walter ?

La question le prit de court.

— Pourquoi dites-vous cela ?

Elle pointa le doigt sur l'espace entre ses sourcils.

— Vous êtes tout pincé à cet endroit. On dirait que quelque chose vous pèse.

Il inclina la tête, partagé entre l'étonnement et l'agacement.

— Vous êtes télépathe ou quoi ?

— Non, répondit-elle en riant. Barmaid. Alors ? Qu'est-ce qui vous tourmente ? insista-t-elle en se remettant au travail.

Il ravala un soupir, réticent à se confier.

— Allez ! Quel que soit votre problème, je parie que j'ai entendu pire.

— Ma fille passe l'été dans notre ancienne maison, commença-t-il. Quand j'y suis allé hier, j'ai découvert qu'elle avait rangé toutes les photos de sa mère – qui est décédée.

La propriétaire – comment s'appelait-elle, déjà ? Ah, oui, Anita. Anita cessa de ranger ses bouteilles et se versa un verre de soda avant de demander :

— Elle vous a expliqué pourquoi elle avait fait cela ?

— Apparemment, ces portraits réveillent des souvenirs douloureux.

— Quel âge avait votre fille à la mort de votre femme ?

— Treize ans.

— Sans vouloir vous offenser, Walter, je trouve ça plutôt sensé. Pour une fille, perdre sa mère au tout début de l'adolescence, c'est terrible. Quel âge a-t-elle aujourd'hui, si je puis me permettre ?

— Trente et un ans.

Anita parut étonnée, comme si elle s'était attendue que Jenny soit plus jeune. Peut-être – comme Jenny – le trouvait-elle pathétique. Cette pensée l'incita à ajouter :

— Judy fut l'amour de ma vie.

À peine ces paroles prononcées, il se les reprocha. Qu'est-ce qui lui avait pris de révéler une chose aussi intime à une inconnue ? Hélas, il était trop tard !

Anita posa son verre et lui effleura la main. Un geste inattendu qui le décontenança autant qu'il le toucha… et fit naître en lui un sentiment de culpabilité. Après tout, c'était de Judy qu'ils parlaient.

— On dirait que votre fille et vous avez tous deux beaucoup souffert de sa disparition. Le problème, Walter, c'est que chacun a sa façon de surmonter son chagrin. Si votre fille se sent mieux d'avoir enlevé ces photos le temps de son séjour, où est le mal ?

Il s'interrogea, et dut admettre que la question méritait d'être posée. Où était le mal, en effet ?

— Vous avez sans doute raison, dit-il. Elle vient de divorcer – ma fille –, je suppose qu'elle a besoin de se sentir forte en ce moment.

— Certainement, confirma Anita avec un sourire indulgent.

Elle s'apprêtait à se détourner quand, impulsivement, il posa sa main sur la sienne.

— Merci, dit-il. Je sais que ça paraît simple, et que j'aurais dû le comprendre par moi-même, mais… je n'avais pas envisagé la situation de son point de vue à elle.

Loin de s'offusquer de son geste, Anita Garey se contenta de lui sourire, puis changea de sujet.

— Y a-t-il un feu d'artifice de prévu dans les environs pour le 4 Juillet ?

L'espace d'un instant, Walter songea à lui proposer de l'accompagner chez Ed et Betty. Au lieu de quoi, il but une gorgée de soda et répondit :

— Quelques particuliers en organisent ici ou là. Et il y a une kermesse dans le parc de Creekside.

Il omit de préciser que ce serait peut-être la dernière car la plupart des habitants de Destiny préféraient se rendre chez Ed et Betty.

Était-ce mesquin de sa part de ne pas la convier chez ses amis ? D'un autre côté, s'il l'invitait, cela ressemblerait à une sorte de... de rendez-vous galant ? Il décida de s'en tenir là.

Mick frappa à la porte de derrière du chalet et patienta. Il avait pensé à Jenny toute la journée en creusant, creusant, creusant... Il ne fut pas franchement surpris qu'elle ne vienne pas lui ouvrir – aucune lumière n'était allumée –, mais il ne se sentait pas la force de repartir. La traversée du lac avait été une épreuve après avoir passé une partie de la journée avec une pelle dans les mains, et faire demi-tour maintenant mettrait un terme merdique à une longue et chaude journée merdique.

Il frappa donc de nouveau, plus fort. Tant pis s'il la réveillait, il voulait seulement la voir... voir son sourire, voir ses longs cheveux en bataille au saut du lit.

Toujours rien.

Il aurait aimé venir en début de soirée mais Wayne était resté éveillé plus tard que de coutume, et ils avaient regardé *Butch Cassidy et le kid* à la télévision. Enfants, ils avaient adoré ce film. Du temps où ils vagabondaient dans les collines, Wayne avait endossé le rôle de Butch, Mick, celui du kid, et ils avaient arrêté des trains imaginaires avec des branches en guise de revolvers. En dépit de ce qu'ils avaient vécu plus tard, Mick chérissait ces souvenirs. Ils s'étaient tellement amusés à faire semblant. Malheureusement, le plaisir s'était envolé le jour où le jeu était devenu réel.

Plutôt que de frapper une troisième fois, il essaya de tourner la poignée. La porte s'ouvrit. Incroyable ce que les gens d'ici pouvaient être confiants ! Était-ce une bonne ou une mauvaise chose ? Il hésitait, mais à coup sûr Jenny méritait un sermon. Et s'il avait été quelqu'un d'autre ? S'il avait été... Wayne, à l'époque où il multipliait les cambriolages ? Cette pensée le perturba.

Il savait qu'il n'aurait pas dû entrer, mais il se dit qu'elle ne s'en offusquerait pas. Tous les sentiments négatifs qui pouvaient exister entre eux avaient disparu, et il se doutait qu'elle attendait ses visites.

Et bien qu'il eût très envie d'elle, ce n'était pas tant le sexe qui l'attirait ici que le besoin de la voir. Même endormie. Parce que la regarder lui rappelait toujours que la vie pouvait être plus belle que ce qu'il en connaissait de son côté du lac. Creuser une tombe était en soi une tâche sinistre. Creuser celle de son propre frère l'était encore davantage.

Guidé par le clair de lune filtrant à travers les fenêtres, il traversa la maison sur la pointe des pieds. Il aperçut le mur nu du salon. À en juger par l'odeur, Jenny avait dû repeindre la pièce, mais il ne pouvait en distinguer la nouvelle couleur. Elle avait quand même eu le bon sens de laisser l'une des fenêtres entrouverte bien que le climatiseur fonctionnât.

Mick n'était jamais monté à l'étage, mais il trouva l'escalier sans problème et commença de le gravir. Certaines marches grinçaient, aussi s'efforça-t-il de se déplacer aussi prudemment que possible. Il n'avait pas l'intention de la réveiller – juste de la contempler, de s'imprégner de sa bonté.

Il n'aurait su dire à quel moment il avait découvert combien il attachait d'importance à cette bonté qui émanait d'elle, quoi qu'il en soit, elle lui était vite devenue indispensable – au même titre que l'oxygène, quasiment.

« Mon pauvre, depuis quand es-tu si niais ? », se réprimanda-t-il. Il détestait être ainsi, mais aux grands maux, les grands remèdes. Aider son frère à mourir était la pire épreuve de sa vie, alors tant pis s'il virait un peu guimauve pendant quelques mois.

Un étroit couloir coupait la maison en deux. Au fond se trouvait la salle de bains, flanquée de deux portes. Il poussa la première, glissa la tête dans l'entrebâillement, et la joie lui serra la poitrine lorsqu'il découvrit Jenny étendue sur le lit. Le ventilateur de plafond tournait et le clair de lune jetait un carré de lumière sur son corps. Ses bras nus, aussi lisses que la soie, émergeaient du drap qui la couvrait jusqu'à la taille. Elle avait les lèvres entrouvertes, et sa chevelure s'étalait en éventail sur l'oreiller.

Elle était belle à couper le souffle, si innocente, si sensuelle. Elle était la ravissante jeune fille d'antan sur le ponton, celle de tous ses fantasmes – et plus que cela même.

S'il était né du bon côté du lac, il aurait été digne de Jenny Tolliver. Il n'aurait pas eu à se contenter d'une relation clandestine, exclusivement sexuelle. Il aurait pu l'épouser, vivre avec elle dans cette charmante maison, se coucher auprès d'elle dans ce lit à baldaquin et la serrer contre lui.

Sauf que ce genre de scénario lui paraissait inimaginable. Il ignorait tout des gens qui menaient cette existence-là. Il ne savait même pas comment être ce genre d'homme.

Non que ça ait une quelconque importance. Il n'était pas cet homme-là, ne le serait jamais.

Malgré tout, il s'approcha, parce que soudain, il avait très envie de savoir ce que l'on ressentait à partager le lit de Jenny.

Il ôta ses chaussures, replia le drap et s'allongea près d'elle, sur le flanc pour pouvoir l'admirer. Il écouta le silence, les stridulations étouffées des grillons à l'extérieur en songeant qu'il aimerait être celui sur lequel elle jetterait son dévolu un jour…

« Surtout, ne t'endors pas », s'ordonna-t-il. Ce serait pourtant facile après cette dure journée, mais pas question de laisser Wayne seul toute la nuit, et encore moins de prendre le risque d'être vu regagnant l'autre rive du lac à l'aube.

Il remonta le drap – et Jenny se réveilla en sursaut.

— Ce n'est que moi, Minou. Je ne voulais pas te réveiller.

— Oh, Mick !

Il regrettait de l'avoir effrayée, mais le soulagement dans sa voix lui fit infiniment plaisir. C'était si rare que quelqu'un soit soulagé de voir un Brody.

— J'ai frappé, chuchota-t-il. Je voulais juste m'étendre auprès de toi un moment.

Elle s'assit, révélant une ravissante nuisette sans manches, puis elle croisa les bras, attrapa l'ourlet, et fit passer le vêtement par-dessus sa tête d'un geste souple.

Mick en resta stupéfait. Jenny ne faisait jamais le premier pas. Soudain, il se sentit coupable de s'être invité dans son lit.

— On n'est pas obligés, dit-il en hâte.

Il était sincère. Après tout, il était épuisé.

— Mais j'en ai envie, répliqua-t-elle.

Elle en avait envie. Dieu lui vienne en aide ! Curieusement, la façon dont elle le dévisageait lui parut… différente. Comme si elle était plus sûre d'elle, plus prête que jamais. Il avait beau être fatigué, pour rien au monde il ne la repousserait. Il la prit dans ses bras.

Le corps de Jenny vibrait comme si un courant électrique le parcourait. Elle se sentait audacieuse. Belle. Un peu coquine aussi – juste assez pour un homme comme Mick Brody. Elle avait du mal à croire qu'elle avait pris l'initiative, mais s'offrir ainsi à lui était la preuve qu'elle était capable de vivre une aventure sans lendemain, capable de jouer les séductrices. Elle voulait donner du plaisir à cet homme. Et rien ne l'arrêterait.

Agréablement consciente de sa nudité, elle se pencha sur lui, glissa les mains sous son tee-shirt et réclama ses lèvres.

Sa bouche était chaude, humide, il sentait le musc, un mélange de sueur et de terre fraîche. Elle approfondit son baiser, sentit son désir redoubler. Son sexe se mit à palpiter et elle gémit doucement.

S'écartant, elle aida Mick à se débarrasser de son tee-shirt, puis le contempla. Jeune fille, elle n'aurait jamais imaginé qu'un corps d'homme pourrait exercer un attrait aussi brutal sur elle. Seigneur, elle avait envie de se repaître de lui, de prendre et de donner.

Elle se pencha, couvrit son torse de baisers et plaqua la main sur le renflement de son sexe – elle le sentit tressaillir sous sa paume, puis durcir davantage. Tout en donnant des petits coups de langue sur les mamelons de Mick, elle entreprit de déboucler sa ceinture.

— Aide-moi, chuchota-t-elle après avoir déboutonné sa braguette.

Mick se souleva légèrement, et elle tira sur son pantalon et son boxer. Son cœur tambourinait dans sa poitrine, et lorsqu'elle referma la main sur son sexe dressé, le souffle de Mick se fit plus bruyant, plus saccadé.

Enfin, elle le prit dans sa bouche et commença à le sucer. Elle s'était livrée à cet exercice dans ses fantasmes – sans trop savoir pourquoi car ce n'était pas ce qu'elle préférait, mais elle voulait à tout prix offrir cette gâterie à Mick, qu'il connaisse à son tour le plaisir indescriptible qu'il lui avait offert.

— Oh, mon ange, c'est bon, gémit-il. *Oh ! oui...*

Elle accéléra le mouvement, consciente du pouvoir qui était le sien en cet instant. Elle allait mener cet homme à la jouissance. Jamais elle ne s'était sentie aussi pleine d'énergie, de vitalité.

Mick, qui lui avait agrippé les cheveux, cria soudain d'une voix enrouée :

— Arrête, ma belle !

Il lui souleva doucement la tête, et elle cligna des yeux, surprise.

— Pourquoi ?

— Je suis sur le point d'exploser.

Elle demeura perplexe.

— N'est-ce pas le but de l'opération ?

Leurs regards se croisèrent dans la pénombre et un frisson secoua Jenny tandis que celui de Mick s'attardait sur ses lèvres gonflées, sur ses seins aux pointes durcies.

— Je te veux toi. Tout entière.

— Oh ! souffla-t-elle.

— Sans cesse, ajouta-t-il. Où que je sois, quoi que je fasse, je veux davantage de toi.

Elle grimpa sur lui et ils se caressèrent avec ardeur, s'embrassèrent avec fougue. Pourtant, lorsqu'il se mit à effleurer son cou et sa gorge de petits baisers tendres, Jenny se rendit compte qu'elle ne voulait pas lâcher les rênes. Elle savait exactement ce dont elle avait envie et était prête à le prendre.

— Enlève ma culotte, murmura-t-elle.

Il s'exécuta, après quoi, elle se mit à califourchon sur sa poitrine.

Il lui empoigna les fesses : il avait parfaitement compris ce qu'elle désirait. Elle se cramponna à la tête de lit, se positionna au-dessus de sa bouche. Jamais de sa vie elle n'avait fait montre d'une telle audace.

Comme elle s'abaissait lentement vers lui, la langue de Mick entra en action ; le plaisir qui la traversa fut si intense qu'elle cria.

La bouche de Mick l'électrisait, et chaque coup de langue propulsait une onde de chaleur à travers tout son corps. D'instinct, elle se mit à onduler du bassin. Elle devait serrer les dents pour ne pas hurler de bonheur.

— Oh, Mick ! C'est si bon ! Si bon !

Au bord du précipice, son regard dériva du côté de la fenêtre au-dessus du lit, jusqu'aux cieux qui scintillaient dans la nuit. Elle se rendit compte que c'était la première fois qu'elle les contemplait sans désirer autre chose que ce qu'elle avait à l'instant présent. La première fois qu'elle était heureuse d'être qui elle était, où elle était.

— Oh, Mick ! C'est si bon, répéta-t-elle.

Elle aperçut les bois au loin et songea que cet endroit qui lui avait toujours paru si mystérieux, si dangereux, ne l'était plus. C'était là où Mick vivait, et avec lui, elle était en sécurité.

— Oui ! Maintenant ! cria-t-elle avant de basculer dans la jouissance.

Quand elle redescendit sur terre, elle était si faible qu'elle eut juste la force de se laisser tomber au côté de Mick.

— Merci, souffla-t-elle.

Il eut un sourire malicieux.

— Crois-moi, Minou, ce fut un plaisir.

Un instant plus tard, elle était sous lui et il s'emparait de ses lèvres tout en insinuant son sexe entre ses cuisses. Le goût de sa propre intimité sur sa langue la grisa et elle s'arqua vers lui. Elle venait de jouir, mais cette brutalité qui lui rappelait leurs premiers ébats raviva son désir.

Il s'enfonça en elle, profondément, inexorablement, la plaquant sur le matelas à grands coups de reins impitoyables. Elle se cambra à sa rencontre, avide, concentrée uniquement sur son plaisir. Il s'écarta légèrement pour glisser la main à l'endroit où leurs corps étaient étroitement unis.

Elle gémit de bonheur, vaguement surprise.

— Mais j'ai déjà...

Les mots moururent sur ses lèvres tandis qu'il la fixait d'un regard incandescent.

— Je veux que tu jouisses encore.

Elle retint son souffle. Bien sûr, elle avait entendu parler d'orgasmes multiples, mais elle n'en avait jamais fait l'expérience. Elle s'était toujours imaginé que c'était pour les autres, les femmes assez téméraires pour draguer un type dans un bar, les femmes désinhibées, les femmes... pas comme elle.

Mais Mick continuait à titiller la petite crête sensible sans cesser d'aller et venir en elle. Haletante, fiévreuse, frénétique, elle gémit, les yeux rivés aux siens :

— Oh... j'y suis presque... presque...

Un sanglot lui échappa tandis que la deuxième vague déferlait sur elle, d'une intensité inimaginable. Elle perdait pied, se noyait, était emportée dans une spirale de sensations inouïes.

Elle reposait sous lui, vidée, sidérée. Elle ne contrôlait plus rien du tout.

Elle n'était pas la seule.

— Oh ! Ma belle, je ne tiens plus... articula Mick avant d'exploser en elle.

Mick se réveilla, le corps doux et tiède de Jenny blotti contre le sien. Il n'avait aucune envie de s'en aller, et chercha du regard le réveil digital sur la table de chevet. Ouf ! Il n'était là que depuis une heure, il pouvait s'attarder encore un peu.

Il n'avait pas souvent eu l'occasion de se réveiller ainsi. La plupart du temps, il couchait avec des femmes avec qui il n'avait pas envie de passer la nuit. Il aimait les relations éphémères. Il s'en serait volontiers contenté avec Jenny, mais ses secrets avaient tout compliqué.

Ce n'était pas la première fois qu'une relation au départ uniquement sexuelle durait un peu. Il était sorti avec un tas de femmes pendant un mois ou deux. Chaque fois, elles lui avaient parlé d'amour, mais ce n'était pas réciproque. Il avait donc rompu et tourné la page. Il n'avait jamais été amoureux, et avait depuis longtemps décidé que son éducation pourrie l'en empêchait et l'en empêcherait toujours.

En ce qui concernait Jenny, ce qu'ils partageaient lui semblait... indéfinissable. Elle n'était pas sa petite amie. Elle n'était pas non plus une simple « commodité ». Il s'en voulait de s'être laissé à lui dire : « Où que je sois, quoi que je fasse, je veux davantage de toi. » L'idiot !

Il n'était pas stupide, il savait qu'elle lui était devenue plus indispensable qu'il ne l'aurait voulu, parce qu'elle était l'unique lueur dans un monde de ténèbres. Mais il ne devait se trahir sous aucun prétexte au risque de lui donner des idées fausses. Quand l'été serait terminé, il serait parti depuis longtemps, sans un regard en arrière. Il ne voulait pas que Jenny en soit blessée – elle avait été si bonne pour lui, bien plus que la plupart des personnes qu'il avait croisées dans sa vie, surtout à Destiny. « Calme le jeu, nom de nom », s'intima-t-il.

— Hé, murmura-t-elle.

Il baissa les yeux, s'aperçut qu'elle le regardait avec un sourire rêveur.

— Coucou, Minou.

— Je n'ai jamais ressenti un pareil plaisir, avoua-t-elle.

Il se trouva incapable de mentir.

— Moi non plus.

« Imbécile ! » se réprimanda-t-il. Elle était si ouverte, si honnête, et depuis qu'elle avait découvert son secret, il trouvait tellement facile de se confier à elle.

Elle laissa glisser la main de son torse à son bras, effleura son tatouage.

— Raconte-moi. Pourquoi ?

Elle lui avait déjà posé la question.

— Il me semble que nous en avons discuté.

— La vraie raison ?

— J'ai probablement craqué parce que Wayne en avait un. J'avais dix-neuf, vingt ans et je trouvais ça cool.

— Il en a plusieurs, murmura-t-elle – elle le savait pour l'avoir vu torse nu dans la cabane, se rappela-t-il.

— La plupart datent de son séjour en prison.

— Mais toi, tu t'es arrêté à celui-ci.

— Je suppose que j'ai fini par moins le vénérer.

— Tu fumes ?

Il tressaillit, pris de court.

— Je m'interroge parce que le jour où je t'ai vu dans cette barque, quand nous étions adolescents, tu fumais. Je suis curieuse.

— Non. J'ai laissé tomber depuis une éternité.

Encore une mauvaise habitude qu'il avait dû prendre dans le seul but de ressembler à son frère.

— Tu bois ?

Cette fois, il s'esclaffa.

— Je boirais volontiers une bière si tu m'en offrais une, mais maintenant que j'y pense, je n'ai pas avalé une goutte d'alcool depuis mon retour à Destiny. En quel honneur, cet interrogatoire ?

Elle posa le menton sur son torse.

— Je ne sais pas. Je m'interroge à ton sujet, c'est tout… nous baisons comme des fous, est-il anormal que j'aie envie de mieux te connaître ?

— Non. C'est juste… nouveau.

— Parle-moi de ta vie à Cincinnati.

— Comme je te l'ai dit, je suis maçon.

— Où as-tu appris ce métier ? s'enquit-elle, visiblement intéressée, ce qui le décontenança.

Il haussa les épaules.

— Quand Wayne a été incarcéré, je me suis rendu compte qu'il était temps pour moi de me ressaisir. J'ai toujours admiré les beaux murs de brique ou de pierre. Je me suis dit que c'était un métier comme un autre et que je ne manquerais jamais de boulot.

— Ça te plaît ?

— Oui. J'éprouve une certaine fierté à construire des choses destinées à durer.

— Tu as… une petite amie ? Une fiancée ?

— Personne en particulier, Minou. Si c'était le cas, je ne serais pas ici avec toi.

— Tant mieux. Je déteste les tricheurs. Pour des raisons évidentes.

Son ex-mari infidèle. Au début, il avait compati de loin à sa souffrance. Maintenant qu'il la connaissait mieux, il n'avait qu'une envie : tabasser ce salaud.

— Et toi, mademoiselle l'Inquisitrice ?

— Quoi, moi ? rétorqua-t-elle, étonnée.

Et il était aussi étonné qu'elle de pouvoir bavarder ainsi de tout et de rien.

— Tu aimes ton boulot ?

Elle fit la moue, hésita, puis :

— J'adore enseigner ma matière de prédilection, l'astronomie. Mais je n'avais pas envisagé de devenir professeur de collège – c'est arrivé comme ça. J'ai quelques élèves formidables, mais dans l'ensemble, il est difficile de capter leur attention et j'ai souvent l'impression d'être davantage une baby-sitter qu'un professeur.

Remarquant sur le mur, qu'un rayon de lune éclairait, une affiche représentant un chat noir à longues moustaches, il demanda :

— Tu as eu d'autres chats après Flocon ?

— Non. À vrai dire, on m'en a proposé un pas plus tard qu'aujourd'hui mais j'ai refusé. Pourquoi cette question ?

— Eh bien, tu me sembles du genre… mère à chats.

Elle sourit.

— Tu as raison, je les adore. Malheureusement, ils meurent.

Un silence de plomb les enveloppa.

— Tout meurt. Tout *être* meurt, souffla-t-il.

Leurs regards se croisèrent et Mick sut à quoi ils pensaient tous deux. Wayne. Sa mère. L'un et l'autre savaient ce que c'était d'affronter la mort.

— Les chats plus vite que les autres, murmura-t-elle. Je n'ai pas pu m'empêcher d'y songer aujourd'hui quand mon amie a tenté de me refiler ce matou. Peut-être cela explique-t-il mon amour pour les étoiles. Elles finissent par mourir, elles aussi, mais au bout de plusieurs milliards d'années.

— Les étoiles meurent ?

Il avait bien entendu dire qu'elles explosaient de temps en temps, mais il n'était guère renseigné sur ce qui se passait dans l'espace.

— Oui. Tu as raison en affirmant que tout meurt – même les astres les plus gros de l'univers s'éteignent tôt ou tard.

— Tu sembles si fascinée par le cosmos, pourquoi n'es-tu pas chercheur ou savant ? s'étonna-t-il.

Contre toute attente, elle parut presque honteuse.

— J'en ai rêvé, avoua-t-elle. Je voulais être astronome ou physicienne.

— Pourquoi y avoir renoncé ?

Elle déglutit, visiblement mal à l'aise.

— Quand j'ai rencontré Terrence, il m'a expliqué que l'enseignement était un métier plus pragmatique, plus accessible. Lui voulait être professeur, il m'a donc plus ou moins convaincue de l'imiter. Avec le recul, je m'en veux de l'avoir écouté. J'éprouve même de la colère envers lui. Mais je suis la seule à blâmer. J'ai renoncé à mes ambitions.

— Montre-moi.

— Te montrer quoi ?

— Ce qu'il y a de si extraordinaire, là-haut. Ce que tu observes avec ton télescope.

Il n'en revenait pas de s'entendre prononcer ces paroles. Il n'était même pas sûr d'en avoir envie, mais il préférait être celui qui encourageait Jenny dans ses rêves plutôt que celui qui l'en privait.

Depuis quand était-il devenu un gentil garçon ? Mystère.

— Ce serait avec plaisir, répondit-elle, mais ici, c'est impossible. Il y a trop d'arbres.

— Dans ce cas traversons le lac.

— Vraiment ? Maintenant ?

Il haussa les épaules.

— Bien sûr, Minou.

Après tout, il n'avait plus rien à cacher.

— Nom d'un chien ! s'exclama-t-il en repérant Saturne et ses anneaux.

Il avait appris les bases du système solaire à l'école, bien sûr, mais voir cette planète et ses anneaux de ses propres yeux, quel pied !

— À présent aventurons-nous un peu plus loin dans l'espace, suggéra Jenny en s'approchant du télescope pour procéder à quelques ajustements et changer l'objectif.

— On peut voir encore plus loin ? s'exclama-t-il.

— Oh, oui ! *Beaucoup* plus loin.

Un moment plus tard, après s'être servie d'une lampe électrique à lentille rouge pour consulter ce qui ressemblait à une carte du ciel, elle se positionna derrière la lunette, effectua encore quelques manipulations, puis s'écria :

— Je l'ai !

Elle s'écarta.

— Jette un coup d'œil. La nébuleuse de l'Haltère.

Mick s'exécuta et son cœur fit un bond. Un énorme halo ceignait une forme plus sombre évoquant un sablier.

— Qu'est-ce que c'est que ça ?

— Une nébuleuse planétaire. En résumé, une gigantesque masse gazeuse produite par l'extinction d'une certaine sorte d'étoile.

— C'est dingue !

— Les nébuleuses les plus communes sont celles qui entourent une étoile formée.

Il s'éloigna du télescope.

— Formée comment ?

Tout en lui expliquant le processus, elle reprit le télescope quelques secondes avant de le lui rendre.

— Tiens, regarde… la nébuleuse en émission du Cygne. Elle contient des étoiles, mais celles-ci sont peu visibles. Avec un peu d'imagination, tu devrais pouvoir distinguer les contours d'un cygne, d'où son nom.

— Ce que je vois ressemble plutôt à… une espèce de V, admit-il. À quelle distance se trouve cette constellation ?

— Environ cinq mille années-lumière.

Il pivota vers elle.

— En d'autres termes, il faut cinq mille ans pour que sa lumière nous atteigne ?

— Exactement. Ce que nous voyons là est en réalité la nébuleuse telle qu'elle était il y a cinq mille ans. Il en faudra cinq mille de plus pour savoir à quoi elle ressemble ce soir.

— Waouh ! C'est à peine concevable.

Elle sourit.

— Je sais. C'est un drôle de monde, là-haut.

— Ici-bas aussi, répliqua-t-il. Merci, Minou, enchaîna-t-il en lui prenant la main. Tu as raison, observer les étoiles permet de relativiser nos problèmes.

— J'aime bien te montrer tout ça. Et je suis contente que tu ne me prennes plus pour une tocarde.

— Une tocarde, toi ? Jamais de la vie. Tu es trop belle.

Il lui prit la joue en coupe, et l'embrassa avec une douceur mêlée de tendresse. Un baiser en entraîna un autre, puis un autre, jusqu'à ce qu'il s'arrête brusquement.

À quoi jouait-il ? Il avait assuré à Wayne que ce n'était qu'une histoire de fesses. Il s'était répété cent fois qu'il ne cherchait que du réconfort. Mais comment expliquer ce bonheur qu'observer les étoiles avec elle lui avait procuré ?

— Je te raccompagne, annonça-t-il abruptement.

— J'espère que tu ne m'en veux pas de t'avoir retenu si longtemps loin de ton frère.

Il secoua machinalement la tête.

— Tu n'y es pour rien – c'est moi.

Tais-toi, imbécile ! Cependant, il avait une dernière chose à lui dire.

— Merci de ne pas avoir parlé de Wayne à ton père.

— Je ne te ferais pas un coup pareil, Mick.

Le cœur en fête, il se dit qu'il n'avait absolument plus rien à craindre de Jenny.

11

Trois choses ne peuvent demeurer longtemps cachées : le soleil, la lune et la vérité.

BOUDDHA

Jenny arriva au pique-nique du 4 Juillet chez Ed et Betty, sa tarte au citron entre les mains et le sourire aux lèvres. Pour l'occasion, elle avait choisi une robe légère, blanche à pois rouges, et des sandales plates. Pressentant une journée – et une nuit – torrides, elle avait attaché ses cheveux en queue-de-cheval.

Elle passa une heure à bavarder avec les uns et les autres, notamment Tessa et Amy. Cette dernière s'empressa de lui montrer Logan Whitaker, de l'autre côté du pré, et Jenny dut admettre qu'il avait changé en mieux.

— Il est pompier, précisa Amy, mais Jenny ne mordit pas à l'appât.

— Quel bonheur de se retrouver de nouveau ensemble ! s'exclama Sue Ann en les rejoignant. Il ne manque plus que Rachel.

Elles poussèrent un soupir. Rachel avait toujours été la plus exubérante du groupe, la meneuse – celle qui les avait mises dans le pétrin une ou deux fois. Enfin, à l'exception de Jenny qui avait toujours refusé de la suivre dans ses frasques.

— Elle ne vient jamais rendre visite à sa famille ? s'enquit celle-ci.

— Tout le monde a déménagé, répondit Amy, nostalgique. Il ne reste que sa grand-mère Edna, et quelques oncles et tantes.

— J'aimerais tant que tu viennes avec nous à Chicago à l'automne, Jenny, intervint Tessa. Toi aussi, Sue Ann. On s'amuserait comme des folles.

Jenny s'éclaircit la voix.

— Comme je n'ai de cesse de vous le rappeler, j'ignore où je serai en septembre. Avec un peu de chance, j'aurai un poste d'enseignante.

— Ne vous retournez pas, murmura Sue Ann. Mike Romo en vue.

Jenny s'autorisa un coup d'œil discret par-dessus son épaule et repéra un beau brun en uniforme de police.

— Mince alors ! souffla-t-elle.

Amy haussa les sourcils.

— Ah ! Tu vois que tu es intéressée. Difficile de ne pas l'être, je le reconnais.

— Cela dit, qu'est-ce qu'il est hargneux, observa Tess. Il s'est montré si désagréable avec ma tante Alice quand il l'a arrêtée qu'elle a fondu en larmes.

— Pour sa défense, rétorqua Amy, ta tante Alice conduit comme une dingue.

Sue Ann glissa un regard de biais à Jenny.

— À vrai dire, Jenny a parfois un faible pour les brutes.

Aussitôt, Tessa et Amy s'animèrent.

— Raconte, supplia la première.

— Ça ne te ressemble pas, commenta la deuxième. Mais j'en étais sûre. Il y a bel et bien un homme mystérieux dans ta vie.

Pitié ! À quoi Sue Ann jouait-elle ? Les joues brûlantes, Jenny nia avec force.

— Ne soyez pas ridicules, les filles. Sue Ann cherche à semer le trouble, voilà tout. Pas vrai ? ajouta-t-elle en fusillant son amie du regard.

Sue Ann opina.

— C'est tout moi. Le chien dans le jeu de quilles. Que voulez-vous, c'est une affection chronique.

Jenny décida de changer de sujet.

— À propos des Romo, qui est Mike par rapport à Lucky ? demanda-t-elle, se rappelant soudain qu'un certain Lucky Romo avait traîné autrefois avec Mick.

— Ils sont frères, répondit Amy. Mais Lucky a quitté la ville il y a des lustres. Je ne sais même pas si Mike a eu de ses nouvelles depuis son départ.

Non seulement Amy était une marieuse dans l'âme, mais elle était aussi au courant des faits et gestes de toute la population de Destiny, au passé comme au présent.

— Mesdames, il est temps de passer à table, annonça Ed.

Jenny fut soulagée. Elle était ravie de voir ses amies, mais elle en avait assez des allusions d'Amy. Et des maladresses de Sue Ann.

— Je devrais t'étrangler, lui chuchota-t-elle tandis qu'elles se dirigeaient vers le buffet.

— Je suis d'accord. Je ne sais pas ce qui m'a pris, c'est sorti tout seul. Ces filles ont une mauvaise influence sur moi. J'ai l'impression de me retrouver à une des soirées pyjama de Rachel.

— Je comprends. Mais si tu es incapable de tenir ta langue, interdiction de parler de mecs en leur présence. Mes secrets ne sont pas les seuls en jeu dans cette affaire.

Sue Ann hocha la tête, penaude.

— Tu as raison. J'oublie que tu es complice dans cette histoire.

Jenny ravala sa salive. Par moments, elle aussi l'oubliait. En revanche, elle n'oubliait jamais que la liberté de Mick était en péril.

Une fois installée autour d'une table avec le mari et la fille de Sue Ann, elle se détendit. Elle se régala de grillades, de la salade de pommes de terre de Mme Kinman, des haricots de Linda Sue, et des œufs farcis de Lettie Gale tandis que Sue Ann lui racontait des anecdotes à propos du centre de loisirs religieux. Cela faisait du bien de penser à autre chose qu'à ses propres soucis.

Cela ne dura, hélas, pas longtemps. Quand Jeff quitta la table avec Sophie, qui voulait aller à la chasse aux papillons, Sue Ann embraya :

— Revenons à nos moutons. Quoi de neuf dans ta vie trépidante ?

Au cours de leur dernier déjeuner, Jenny lui avait avoué avoir démantelé l'autel en mémoire de sa mère.

— Papa a eu un choc, mais il semble s'en remettre, conclut-elle.

— Tant mieux. Sauf que ce n'est pas la partie qui m'intéresse.

Jenny poussa un soupir. Elle avait de plus en plus de mal à parler de sa relation avec Mick, même avec Sue Ann.

— D'accord. Très bien. Le fait est que je... je suis folle de lui.

Comme elle l'avait craint, son amie parut effarée.

— Une seconde. Je croyais que c'était une simple histoire de fesses.

— Ça l'est, assura Jenny. Pour l'essentiel. Seulement, depuis un certain temps, nous discutons davantage. Il m'a même emmenée de son côté du lac pour que nous puissions observer les étoiles ensemble.

Sue Ann grinça des dents.

— Jenny... allô la lune, ici la terre. Ce n'est pas qu'une histoire de fesses, ma cocotte.

— Mais si. Ou disons que parler va de pair avec le sexe, et me permet d'être plus à l'aise. C'est tout de même mieux de connaître le type avec lequel tu couches, non ?

Sue Ann se pencha en avant et murmura :

— Donc, tu ne te sens plus coupable vis-à-vis de ton père ?

— Pas vraiment. Je n'y pense plus. Je suis plus en phase avec moi-même. Depuis que j'ai compris à quel point Terrence s'était trompé à mon sujet, depuis que j'en ai la preuve, j'ai l'impression de mieux maîtriser ma vie et...

— Bonjour, mesdames.

Toutes deux tressaillirent et relevèrent la tête, pour découvrir la version plus âgée mais toujours aussi séduisante d'Adam Becker, le premier flirt de Jenny, l'homme avec qui tout le monde voulait à tout prix la marier.

— Adam ! s'exclama-t-elle en battant des paupières.

— Heureux de te voir, Jenny, répondit-il d'une voix nettement plus grave que dans ses souvenirs.

— C'est réciproque.

— J'ai appris que tu étais de retour parmi nous et j'espérais que ton père m'appellerait pour que j'aille tondre la pelouse autour du chalet. En vain, avoua-t-il avec un petit rire.

— Avec cette sécheresse, l'herbe ne pousse pas.

— Dommage pour moi. Mais je suis content de te croiser enfin.

Sue Ann intervint :

— Je vais aller donner un coup de main à Betty. Il paraît qu'elle va nous servir des glaces maison.

Mais le regard dont elle gratifia Jenny disait clairement : « Je persiste à croire qu'Adam Becker te conviendrait beaucoup mieux que Mick Brody. »

Elle n'avait sans doute pas complètement tort. Adam était bel homme, apprécié de tous, prospère, et au fil des ans, il était devenu sacrément sexy. Il lui expliqua qu'il était divorcé, puis lui montra les jumeaux qui venaient de rejoindre Sophie pour la chasse aux papillons.

— Jacob et Joey. Je les ai trois jours par semaine et ils me manquent affreusement quand ils sont chez leur mère.

Jenny lui résuma ses propres mésaventures conjugales d'un ton léger. Et réalisa qu'il lui était plus facile d'en parler aujourd'hui que quinze jours plus tôt. Elle évoqua le poste d'enseignante dont elle avait démissionné, et expliqua qu'elle était venue passer l'été à Destiny pour réfléchir à son avenir.

— J'ai entendu dire que le conseil d'école t'avait proposé un emploi. On serait à coup sûr heureux de t'avoir parmi nous de façon permanente, Jenny.

Elle inclina la tête, surprise.

— J'avais oublié à quel point les nouvelles vont vite, ici.

— Le téléphone arabe de Destiny est plus efficace que jamais. Et je viens de refaire le jardin de Stan Goodman, membre du conseil d'école, concéda-t-il en lui adressant un clin d'œil.

— Je n'ai pas décliné leur offre, mais je dois dire que je n'ai pas vraiment réfléchi à la question.

— Écoute, je sais que ton divorce est tout récent, mais... laisse-moi t'inviter à dîner un soir cette semaine. Un nouveau restaurant italien vient d'ouvrir à Crestview.

Le cœur de Jenny se gonfla de gratitude. Elle appréciait énormément Adam. Sans Mick, qui sait ? peut-être se serait-elle laissé tenter. Elle imaginait sans peine le sourire de Sue Ann et celui de son père à cette nouvelle. Adam et elle formeraient un couple parfait. Il avait même les enfants que Terrence et elle n'avaient jamais mis au monde.

Toutefois, elle se voyait mal sortir avec Adam – ne serait-ce qu'en souvenir du bon vieux temps – alors qu'elle était si obsédée par Mick. Leur dernière soirée ensemble les avait complètement libérés, et lui montrer les étoiles avait resserré leurs liens.

Un peu tristement, elle prit la main d'Adam.

— Merci. Ton invitation me touche, mais je ne suis pas encore prête.

Cela semblait plus plausible que : « Désolée, mais je m'envoie en l'air avec Mick Brody, tu sais, le type qui a braqué un magasin de vins et spiritueux à Crestview ? »

Adam eut un sourire compréhensif.

— Ne t'inquiète pas, Jenny. Une autre fois, peut-être – si tu décides de prendre racine parmi nous.

— Peut-être.

Elle avait beau savoir que Mick disparaîtrait bientôt de sa vie, pour l'heure, elle était incapable de penser à un autre homme.

Adam l'ayant abandonnée pour aller surveiller ses fils, Jenny se dirigea vers Miss Ellie, qu'on avait installée sur une chaise de jardin à l'ombre d'un grand arbre. Bavarder avec la vieille dame l'apaisait toujours – même si elle devait crier pour se faire entendre.

— Bonjour, Miss Ellie !

— Tiens ! Jenny... Bonjour, chère petite.

— Quelle jolie robe vous portez !

Celle-ci était ornée de papillons de couleur pastel.

— Elle est très légère. Idéale par cette chaleur.

À cet instant, un superbe lépidoptère jaune surgit des feuillages, voleta autour de Miss Ellie, puis se posa sur ses genoux.

— Ma foi, il doit penser que mes papillons sont vrais !

Le sourire presque enfantin de Miss Ellie enchanta Jenny, qui comprit tout à coup ce que lui apportait sa présence : le souvenir des bonheurs d'une vie toute simple. Celle que connaissaient les habitants de Destiny. Cette pensée la fit sourire.

— Tu me parais de fort bonne humeur, ma chérie, commenta Miss Ellie. Je n'en reviens toujours pas que cet idiot de Terrence t'ait quittée pour une hippie.

— N'ayez crainte, Miss Ellie, je ne pense plus à lui. Voulez-vous que j'aille vous chercher une part de glace ?

— Tu dis ?

— De la glace, Miss Ellie ! *Voulez-vous une part de glace ?*

Le visage de Miss Ellie s'assombrit et elle fronça ses sourcils gris.

— Tu n'as pas de raison de perdre la face à cause de lui. Sais-tu ce qui devrait te réconforter ? ajouta-t-elle en retrouvant son sourire. La glace maison de Betty. Si tu allais nous en chercher ?

Jenny s'approcha de son père. Il était en pleine discussion avec Mike Romo, et lui tournait le dos. Elle voulait lui proposer un barbecue au chalet le lendemain soir, histoire d'atténuer les tensions au sujet des photos de sa mère.

— Dans ce cas, je vais aller faire un tour chez les Brody, une fois de plus, l'entendit-elle déclarer. Et j'ai intérêt à me dépêcher si je veux être de retour à temps pour le feu d'artifice.

Elle crut que son cœur s'arrêtait de battre. En dépit de la chaleur étouffante, un frisson courut le long de son échine. Elle avait dû mal comprendre.

Non, bien sûr que non. Oh, Seigneur !

Dès que Mike s'éloigna, elle s'avança et agrippa son père par le bras.

— Pourquoi veux-tu aller faire un tour chez les Brody ?

Il parut choqué par son ton, et elle se rendit compte qu'elle n'avait pas su maîtriser son émotion. « Du calme, s'ordonna-t-elle en inspirant à fond. Si tu veux protéger Mike, reste cool. »

— Pourquoi aujourd'hui ? Un 4 Juillet ? Tu adores ce pique-nique chez Ed et Betty, tu l'attends avec impatience tout l'été. Pourquoi t'éclipser au beau milieu ?

Il lui tapota la main.

— Détends-toi, ma fille. Je serai revenu pour le feu d'artifice, et j'aurai sans doute perdu mon temps.

Elle s'efforça de respirer normalement, mais elle avait du mal.

— Mais... pourquoi aller *là-bas* ? insista-t-elle.

Walter scruta les alentours pour s'assurer que personne ne pouvait les entendre.

— Surtout ne dis rien à personne. Inutile d'inquiéter les gens inutilement. Il se trouve que Wayne Brody s'est échappé de prison il y a quelques semaines. Les autorités de l'État m'ont tout de suite contacté, la cabane de Destiny étant son dernier domicile connu. Je m'y suis précipité – il s'était évadé depuis deux jours –, mais je n'ai rien remarqué de suspect.

Sans doute avait-il devancé Wayne et Mick !

— Alors pourquoi y retourner ?

— On ne l'a toujours pas coincé, or il est malade. Il n'a pas pu aller bien loin, et doit se terrer quelque part. Et voilà que ce matin, Willie Hargis, qui habite le long de la nationale, tout près de la route menant vers la rive sud du lac, a signalé à Mike les allées et venues d'un pick-up dans les parages. Selon lui, ce sont des chasseurs, mais je préfère vérifier.

— Es-tu obligé de le faire maintenant ?

Si elle parvenait à convaincre son père de patienter, elle pourrait traverser le lac pour prévenir Mick. Aurait-il le temps de débarrasser les lieux ? Wayne était-il en état de voyager ? Elle l'ignorait, mais ce serait mieux que rien.

— Oui, répliqua-t-il, hélas. La loi n'attend pas. Je passerais pour un crétin si je débarquais demain pour découvrir qu'il a déguerpi. Quelque chose te tracasse, Jenny ? ajouta-t-il en étrécissant les yeux. Que se passe-t-il ?

Le cœur de la jeune femme battait la chamade.

— Rien, répondit-elle avec un temps de retard.

— Ce n'est pas l'impression que j'ai.

Elle poussa un soupir. Elle était si désespérée qu'elle n'arrivait plus à penser. Que faire ? Que faire ? Elle finit par secouer la tête.

— Tout va bien, papa.

Sceptique, il la dévisagea longuement, puis déclara :

— Très bien. J'y vais de ce pas. Si quelqu'un s'enquiert de mon absence, tu diras que je serai de retour au coucher du soleil. Pas question de commencer le feu d'artifice sans moi.

Sur ce, il tourna les talons. Jenny sut qu'elle devait à tout prix l'arrêter. Comment ? Elle n'en avait pas la moindre idée, mais elle devait intervenir. Elle lui emboîta le pas, lui agrippa de nouveau le bras.

— Attends !

— Qu'y a-t-il, Jenny ?

Elle était au bord de l'évanouissement, ses jambes menaçaient de se dérober sous elle.

— Jenny ? insista son père. Que me caches-tu ?

Elle chercha ses mots. S'apprêtait-elle à commettre une erreur irréparable ? Mais avait-elle le choix ?

— Je... Pourrions-nous nous asseoir dans ta voiture pour discuter ? J'ai la tête qui tourne, un peu d'air frais me ferait du bien.

Visiblement perplexe, son père accepta. La main au creux de ses reins, il la guida jusqu'à son véhicule garé parmi une vingtaine d'autres sur un terrain herbeux près de la route.

Jenny avait beau se creuser la cervelle, rien ne lui venait. Une fois dans l'habitacle, après avoir monté la climatisation à fond, son père pivota vers elle.

— Bien, ma chérie. Qu'est-ce qui te tourmente ?

Elle fixa le tableau de bord.

— Je... j'ai quelque chose à te dire, papa. Mais avant, je veux que tu me fasses une promesse, articula-t-elle, la gorge nouée.

— Quel genre de promesse ? rétorqua-t-il, et à en juger par son ton, il subodorait un grave souci.

Elle déglutit.

— Si tu m'aimes, il faut que tu me promettes – que tu me *jures* – que tu renonceras à... à toute *action* relative à ce que je vais te révéler.

— Dieu du ciel, Jenny, que se passe-t-il ?

Elle devait tenir bon, insister.

— Donne-moi ta parole. Si je te confie un secret, promets-moi que tu ne prendras aucune initiative. Promets-moi que tu feindras de n'être au courant de rien.

— L'affaire semble sérieuse. Comment puis-je te faire une pareille promesse ?

Jenny retint son souffle, s'obligea à le regarder dans les yeux.

— Papa, c'est important pour moi – vital. Sans quoi, je ne te demanderais jamais cela. Mais je sais que j'ai raison, c'est pourquoi je te supplie d'accepter.

— Tu es dans le pétrin ?

— Non, pas moi ! glapit-elle. Papa, s'il te plaît, promets-moi !

Tous deux se figèrent de surprise : jamais de sa vie Jenny n'avait crié après son père.

— D'accord, Jenny. Tu as ma parole. Calme-toi.

Jenny retint un soupir de soulagement. À présent, il ne lui restait plus qu'à briser le cœur de son père.

— Depuis mon retour, je... fréquente quelqu'un – un homme.

Walter Tolliver afficha une expression stupéfaite. *Mon pauvre papa, attends la suite !*

— Je... Un soir, j'ai traversé le lac en canoë parce que je voulais observer les étoiles depuis les rochers en haut de la colline. L'endroit est idéal.

— Comment diable sais-tu cela ?

— Sue Ann et moi y allions en douce quand nous étions adolescentes. Ne t'affole pas, c'est la plus grosse bêtise que j'aie jamais faite.

Jusqu'à aujourd'hui.

— Continue.

— Toujours est-il que... je suis tombée sur... Mick Brody. Et nous avons commencé à... euh... nous voir. Il... il n'est pas aussi méprisable que tu l'imagines, papa. C'est même un type... plutôt bien. Le problème, c'est que...

— C'est que… ? aboya-t-il, devinant la suite.

— Le problème, c'est que Wayne est effectivement là-bas. Il est mourant, papa. Il souffre d'une tumeur au cerveau et d'une leucémie. D'après Mick, il ne passera pas l'été. S'il s'est évadé, c'est uniquement parce qu'il ne voulait pas mourir en prison. Il a demandé à Mick de s'occuper de lui jusqu'à la fin.

Le silence se prolongea, seulement troublé par le ronronnement de la clim et les grésillements de la radio de la police. Jenny, qui avait baissé les yeux, se risqua enfin à regarder son père. Et éprouva un désarroi sans nom. Elle l'avait profondément déçu. Il l'observait comme s'il ne la reconnaissait pas.

— Je tiendrai ma promesse, déclara-t-il enfin d'une voix anormalement calme, mais ce que je n'arrive pas à comprendre, c'est pourquoi tu m'as dissimulé une telle affaire.

Puis il secoua la tête, incrédule.

— Ma Jenny… avec Mick Brody ? marmonna-t-il.

Elle retint ses larmes. Elle ne devait faiblir sous aucun prétexte.

— Si tu le connaissais, tu te rendrais compte qu'il a des qualités. Ne pas t'en parler était très dur, mais si je me suis tue, c'est parce qu'au fond de moi, je suis convaincue que Mick ne fait rien de mal.

— Comment ça, il ne fait rien de mal ? tempêta Walter. Il enfreint la loi ! Ils l'enfreignent tous les deux ! Comment peux-tu prendre leur défense ? Je croyais t'avoir mieux élevée que ça.

Jenny eut un mouvement de recul, mais il n'était pas question de céder.

— Tu m'as enseigné ce qu'étaient le bien et le mal. En ce qui me concerne, je considère que rien n'est tout noir ou tout blanc. Entre les deux, il peut y avoir des nuances de gris.

Son père secoua vigoureusement la tête.

— La loi est la loi.

— Tu dis ça parce que tu es flic et que ton rôle est de l'appliquer. Cela ne signifie pas pour autant que toutes les lois sont bonnes. Il faut être étroit d'esprit pour ne pas admettre que les nuances de gris existent bel et bien. Appréhender Mick et son frère ne servirait à rien. L'un essaie simplement d'aider l'autre à mourir en paix, chez lui.

Comme son père ne répondait pas, elle ajouta :

— Cette histoire m'a incitée à considérer le bien et le mal sous un angle entièrement nouveau. Et j'ai découvert que parfois... faire le mal... revient à faire le bien.

Assise toute seule sur une couverture étalée dans le pré d'Ed et de Betty, Jenny admirait les bouquets multicolores qui explosaient dans le ciel. Elle avait prévu de partager sa place avec son père, mais la dernière fois qu'elle l'avait aperçu, en train de discuter avec Ed, il lui avait paru grognon. À raison, sans doute.

La bonne nouvelle, c'était qu'il avait renoncé à se rendre chez les Brody. Il avait inventé un prétexte pour rassurer Mike Romo. Il avait promis de garder le secret, et quand bien même cela lui déplaisait, Walter Tolliver tenait toujours parole.

Cependant, Jenny avait encore du mal à se remettre de leur altercation. Elle qui était arrivée de si bonne humeur ! Désormais, son père la méprisait, et tout cela, à cause de Mick Brody.

Pourquoi ? se demandait-elle. Pourquoi sacrifierait-elle sa relation avec son père pour ce type ?

Tandis que le feu d'artifice se poursuivait, elle tenta de se l'expliquer.

Dès le début, elle avait été convaincue que Mick agissait pour le mieux.

Et peut-être que se montrer honnête avec son père faisait partie de ce processus à travers lequel elle s'efforçait d'apprendre enfin à se comporter en adulte, à prendre le contrôle de sa vie.

Ou peut-être était-elle en train de tomber amoureuse de Mick.

Elle ravala un cri. Quelle idée ! Non, elle n'était pas amoureuse de Mick Brody. C'était impensable. Ils étaient si... différents. Comme le jour et la nuit. Le blanc et le noir.

Cela dit n'avait-elle pas découvert l'existence de nuances de gris un peu partout ?

Elle secoua la tête. Quelle importance ? Cette histoire avec Mick ne durerait pas. L'amour n'y avait pas sa place. Anéantie par la trahison de Terrence, elle s'offrait un peu de bon temps, rien de plus. En fait, c'était l'idée même de vivre une aventure sans lendemain qui l'avait séduite, avait renforcé son désir de s'émanciper.

Pourtant, quand elle avait craint que son père ne découvre le secret de Mick, elle avait failli s'effondrer. Comme si c'était *son* univers qui volait en éclats, pas celui de Mick.

Un soupir lui échappa. Ce discours n'était pas celui d'une femme affranchie. De là à admettre qu'elle était amoureuse... Le désarroi la submergea. Elle refusait de redevenir une petite fille vulnérable.

Non, ce n'était pas de l'amour, c'était du sexe pur et dur. Une aventure estivale, ni plus ni moins.

— Qu'est-ce que tu as, Tolliver ? On dirait que tu viens de perdre ta meilleure amie.

Sue Ann s'installa à ses côtés et Jenny lui prit la main.

— Heureusement que ce n'est pas le cas !

Son amie sentit tout de suite que quelque chose de grave s'était passé.

— Qu'y a-t-il ?

— J'ai été obligée tout raconter à mon père. Il avait été averti de l'évasion de Wayne et s'apprêtait à aller inspecter la cabane. Il y a renoncé, mais... il me déteste.

— Oh, Jenny ! s'exclama Sue Ann en l'entourant de ses bras.

— Il y a pire, murmura Jenny. Je crains de... Je me demande si je ne suis pas amoureuse.

— *Ça*, ce n'est pas un scoop, répliqua Sue Ann en lui tapotant le dos.

Quand Mick frappa à sa porte, quelques jours plus tard, Jenny avait la gorge serrée, car elle redoutait d'affronter Mick maintenant qu'elle avait révélé son secret à son père.

Elle remarqua tout de suite qu'il avait un long cylindre en carton à la main.

— Qu'est-ce que c'est que ça ?

Il afficha une expression penaude.

— Euh... rien d'important. Juste... un truc pour toi.

Elle étrécit les yeux. Elle rêvait ou Mick Brody lui offrait-il vraiment un cadeau ?

Il le lui tendit.

— Tiens. Si ça ne te plaît pas, ce n'est pas grave. Ce n'est pas grand-chose.

Elle l'ouvrit, un peu nerveuse. Que pouvait-il lui avoir acheté ? Et si ça ne lui plaisait pas ? Serait-elle capable de feindre le contraire ?

Ôtant le capuchon, elle extirpa une affiche qu'elle déroula aussitôt. C'était une reproduction du tableau de Van Gogh, *Nuit étoilée*. Elle poussa un cri de joie.

— Pour ton mur, expliqua-t-il. Il est un peu nu.

— Oh, Mick ! C'est magnifique !

Il prit un air nonchalant.

— N'exagérons rien. J'allais à la laverie de Crestview et je l'ai remarqué en passant devant une vitrine. Il faudra l'encadrer.

— J'ai hâte de l'accrocher, dit-elle, le cœur en fête. Je l'adore, merci !

Soulagé, Mick lui prit le poster des mains et le posa sur la table basse.

— Viens par ici, Minou, souffla-t-il en l'attirant contre lui.

Elle lui offrit ses lèvres.
— Je ne suis pas venu jusqu'ici uniquement pour te donner une représentation du ciel.
— Ah, bon ? riposta-t-elle d'un ton taquin.
— Je suis surtout venu te donner ceci.
Il resserra son étreinte et pressa son érection contre son ventre.
— Mmm, ça aussi, ça me plaît.
— Idem pour moi, assura-t-il.
— Tu veux qu'on monte ? proposa la nouvelle Jenny avec aplomb.
À peine avaient-ils franchi le seuil de la chambre qu'ils se déshabillèrent mutuellement.
Trois orgasmes plus tard, alors qu'ils reprenaient leur souffle, lovés l'un contre l'autre, elle demanda dans un murmure :
— Comment va Wayne ?
Elle avait décidé de ne rien dire à Mick de sa conversation avec son père. Il avait assez de soucis comme cela.
— Il est de plus en plus faible.
— Est-ce que je peux me rendre utile ? Je serais heureuse de venir faire la cuisine, le ménage, prendre soin de Wayne.
— C'est gentil, je te remercie, mais... non. S'occuper d'un mourant, c'est...
— Intime ?
— Si on veut, oui. Mais ça n'a rien à voir avec *ça*, ajouta-t-il en désignant leurs corps nus. Je pense simplement que ce serait difficile pour Wayne d'avoir quelqu'un d'autre que moi à son chevet, vu son état.
— Je comprends.
À la fin de sa vie, sa mère avait réagi de la même façon. Elle voulait qu'on se souvienne d'elle vivante, pas agonisante.
— Quand il est réveillé, nous discutons. Beaucoup. Nous parlons du passé et de plein d'autres choses. C'est plutôt sympa.

Ils demeurèrent silencieux un long moment. Mick semblait en paix avec lui-même et avec son frère. Elle ne pouvait en dire autant de sa relation avec son père. Elle s'en voulait de l'avoir déçu, mais elle n'avait pas eu le choix. Ils ne s'étaient pas adressé la parole depuis le feu d'artifice, et Jenny était d'autant plus heureuse que Mick soit là, de pouvoir se blottir contre lui, de se rappeler pourquoi elle avait agi comme elle l'avait fait.

Mick se tourna sur le flanc de sorte qu'ils soient face à face.

— Tu étais avec ta mère quand elle est morte ? lui demanda-t-il d'une voix étonnamment douce.

— Non. Mais j'ai su que c'était la fin le jour où mon père m'a emmenée la voir. Nous avons eu une longue conversation, de celles auxquelles on peut s'attendre dans ces cas-là. Elle m'a demandé d'être forte, elle m'a assuré qu'elle souhaitait mon bonheur et veillerait sur moi depuis le paradis. Ensuite, on m'a envoyée chez Sue Ann. C'était bizarre. D'un côté, je savais qu'elle était mourante ; de l'autre, j'acceptais volontiers de me distraire avec ma copine, de me baigner dans leur piscine, d'aller au cinéma, de passer des soirées à se coiffer l'une l'autre.

— Elle te manque ?

— Oui. Non. Parfois... Les premières années ont été douloureuses. J'étais à l'âge où l'on a le plus besoin de sa mère. Mais quand j'ai quitté la maison, j'ai eu l'impression d'avoir une existence plus normale, comme si, à l'instar de toutes mes camarades étudiantes, mon père et ma mère étaient là où je n'étais pas.

Mick ébaucha un sourire compatissant.

— Je ne suis pas sûr que tu aies vraiment répondu à ma question, Minou. Elle te manque toujours ? Après toutes ces années.

— Oui... Non. Parfois.

Elle lui caressa la joue.

— Tu as peur que Wayne te manque, devina-t-elle.
Il ne le nia pas et la contempla d'un regard triste.

— C'est curieux parce qu'il n'était jamais là, tu sais. Ce qui me manquera, c'est de le savoir *quelque part*. Il est ma seule famille.

— Comment tes parents sont-ils morts ?

— Arrêt cardiaque. Les deux. À quelques années d'intervalle. Ils étaient jeunes quinquagénaires, mais ils fumaient énormément.

— Je suis désolée.

— Bof ! Ils n'ont pas été de bons parents. Ils nous traitaient comme si nous étions des objets gênants, qui leur coûtaient du fric qui plus est. Lui buvait, et je pense aujourd'hui qu'elle était bipolaire ou schizophrène. Je ne les regrette pas. Je regrette seulement ce qu'ils auraient pu être, ce que j'aurais voulu qu'ils soient.

Jenny déposa un baiser sur sa bouche, appuya son front contre le sien.

— Pourquoi n'as-tu pas vendu le terrain quand tu es parti ?

Elle se posait la question depuis le premier soir.

— J'ai essayé. Il est resté sur le marché pendant environ un an. J'espérais qu'un promoteur immobilier profiterait de l'occasion pour construire des chalets sur la rive sud. Malheureusement, la parcelle est trop pentue, trop inaccessible, acheva-t-il avec un rire cynique.

— Je suis désolée, Mick, répéta-t-elle.

— De quoi ?

— J'aurais voulu que tu aies une vie plus heureuse.

Elle s'était toujours apitoyée sur son sort parce qu'elle avait perdu sa mère à l'aube de l'adolescence mais jamais, à l'époque, elle n'aurait imaginé le calvaire qu'enduraient les deux garçons de l'autre côté du lac.

— N'en parlons plus, Minou. Embrasse-moi.

Ils avaient refait l'amour, puis Mick s'en était allé. Debout, nue, devant la fenêtre, Jenny regardait la silhouette sombre de la barque qui glissait sur l'eau, et elle avait l'impression que son cœur était parti avec lui.

Ce n'est pas de l'amour. Je ne l'aime pas. C'est impossible. Elle s'était trompée en déclarant le contraire à Sue Ann le soir du feu d'artifice, elle avait laissé les émotions prendre le dessus.

Pourquoi est-ce impossible ? Comme surgi de nulle part, la question la prit de court.

Levant les yeux vers le ciel étoilé, elle s'interrogea : toute cette pression lui faisait-elle perdre la tête ? Car elle aurait juré avoir entendu la voix de sa mère.

C'était absurde, bien sûr, mais vu la dégradation de sa relation avec son père, elle se surprit à tenter d'imaginer ce que sa mère penserait d'elle, de ses actions, de ses sentiments, de son secret, si elle était encore en vie. Elle se rappela les mots qu'elle avait prononcés lors de leur ultime conversation : « Sois forte quand je ne serai plus là, aie le courage de faire ce qui te rend heureuse, même si c'est difficile. »

Sauf qu'aimer Mick Brody ne la rendrait pas heureuse.

Il était si différent d'elle, de tout ce qu'elle avait connu. Certes, il l'avait aidée à se remettre du fiasco avec Terrence, mais ce dernier avait été son premier amour, son premier amant, son *mari* ! Se divertir était une chose, mais on ne guérissait pas du jour au lendemain d'une telle perte. Ne devait-elle pas s'accorder le temps et l'espace nécessaires pour panser ses plaies ?

Après tout, Mick disparaîtrait bientôt. Il quitterait Destiny, et sortirait de sa vie.

Au fond, peut-être n'avait-elle accepté de se lancer dans cette liaison que parce qu'elle la savait provisoire.

Elle avait perdu sa mère, la confiance de son père, son mariage, son emploi, l'existence qu'elle s'était construite. Par moments, elle en venait même à se demander si elle ne pleurait pas encore la perte de Flocon !

Elle avait beau être une nouvelle femme, cela ne signifiait pas qu'elle voulait continuer à perdre tout ce à quoi elle tenait.

Si elle n'aimait pas Mick, elle ne ressentirait pas son départ comme une perte.

Par conséquent, elle ne l'aimait pas. C.Q.F.D.

12

Commandant, je crains que vous ne vous rendiez pas compte de la gravité de votre situation.

M. SPOCK *(Star Treck)*

Des gouttes de sueur dégoulinaient sur le torse de Mick tandis qu'il plongeait les rames dans l'eau en cadence. Les muscles de ses bras étaient endoloris, mais au moins, il avait fini de creuser.

Et c'était une bonne chose, pour plusieurs raisons. Wayne s'affaiblissait de jour en jour. Patchs ou cachets, les antalgiques le soulageaient de moins en moins.

Mick avait commencé à augmenter les doses. Parce qu'il ne supportait pas de voir son frère souffrir. Parce qu'il ne savait pas quoi faire d'autre. Il n'avait ni médecin ni infirmière sous la main. Il naviguait à vue en priant pour ne pas se retrouver à court de médicaments.

Pas plus tard que la veille, il s'en était inquiété auprès de Wayne.

— Et si on venait à bout du stock d'antalgiques ?

Il n'osait pas y penser, mais il avait vérifié le stock et, au rythme où ils allaient, ils manqueraient de patchs d'ici deux semaines, et de cachets, d'ici trois semaines maximum.

— Je connais un type que tu pourrais appeler, avait répondu Wayne.

En somme, il savait où Mick pouvait se procurer des drogues illicites. Génial. À ajouter à la liste de ses délits.

Faites juste en sorte qu'on en ait assez.

Il ignorait à qui ses supplications s'adressaient car il n'avait jamais cru en Dieu. Le comble, c'était qu'il avait l'impression de souhaiter la mort de son frère.

« Cesse de réfléchir, mon vieux, se conseilla-t-il. Rame ! »

Il avait besoin d'elle, ce soir. Terriblement.

Tant pis si cela se voyait. Qu'avait-il à perdre ? N'était-il pas déjà dépassé par les événements ? Rester auprès de Wayne, voir son état se dégrader de jour en jour devenait de plus en plus dur. Il avait besoin de se raccrocher à quelque chose pour ne pas sombrer. Comment aurait-il survécu à cette épreuve sans Jenny ? Comment se serait-il défoulé ? En tambourinant le sol dans les bois comme un homme des cavernes ? En se roulant en boule et en sanglotant comme un gosse ? Dieu merci, la question ne se posait pas. Jenny était là pour le réconforter, le soutenir.

Alors qu'il amarrait son embarcation au ponton, son sexe se mit à durcir. Tel un chien de Pavlov, effectuer le trajet, anticiper leurs ébats, déclenchait chez lui un réflexe conditionné. Plus il se rapprochait, plus l'excitation montait.

Il traversa la route dans l'obscurité. Quelques fenêtres étaient éclairées ici et là, mais à cette heure-ci, tout était calme – il n'avait jamais vu une voiture passer après la tombée de la nuit. Pourtant, en remontant furtivement l'allée et en contournant le chalet, il eut la sensation de commettre un délit. Le délit le plus exquis de sa vie.

Il aurait parfaitement pu passer par-devant, mais il aimait utiliser l'entrée de la cuisine – en digne amant secret de Jenny Tolliver.

La porte intérieure était ouverte et, à travers la vieille moustiquaire, il la regarda venir vers lui, sa silhouette auréolée par la lumière en provenance du salon. Elle portait en tout et pour tout un soutien-gorge rose transparent et l'une de ces culottes ornées de dentelle qui ressemblent à un short minuscule. Ses cheveux étaient rassemblés sur le sommet de son crâne.

— Tu me guettais ? s'enquit-il, la voix déjà rauque.

Un joli demi-sourire illumina son visage.

— Non. Le climatiseur a rendu l'âme, je meurs de chaud.

Une fois à l'intérieur, il l'examina effrontément, de ses seins pointant dans son soutien-gorge à ses cuisses effilées.

— Sexy à souhait, approuva-t-il.

Elle eut un petit rire doux, mélodieux, qui le transporta. Spontanément, il posa la main sur le côté de son sein et en caressa la pointe durcie du pouce tout en se penchant vers elle pour l'embrasser. Cette tenue ne le poussait guère à prendre son temps.

— Tu t'es baladée comme ça toute la journée ? ne put-il s'empêcher de demander.

— Non. L'appareil a lâché il y a environ une heure, mais il était un peu tard pour appeler mon père.

— J'avoue que ça m'arrange. Ça m'aurait ennuyé de devoir faire demi-tour.

— Moi aussi, reconnut-elle, les joues en feu tandis qu'il intensifiait sa caresse.

— Je n'aurais pas pu t'offrir ceci, enchaîna-t-il en plaquant son sexe dur contre elle.

Il lui encadra le visage de ses mains, et reprit ses lèvres. Puis soudain, son sens pratique prit le dessus. Il n'était pas du genre à se précipiter au secours des demoiselles en détresse, pourtant il s'entendit dire :

— Je peux jeter un coup d'œil sur ton climatiseur, si tu veux. Je suis assez habile. J'ai bossé pour un chauffagiste pendant six mois, juste après avoir quitté Destiny. Le problème, c'est que je ne peux pas m'attarder. Donc, ce sera soit le climatiseur, soit *ceci*, conclut-il en la poussant contre le plan de travail. À toi de choisir.

— En somme, soit tu m'échauffes, soit tu me rafraîchis ?

— En gros, oui.

— La clim, on s'en fiche ! Embrasse-moi.

Soulagé, il captura sa bouche tout en lui empoignant les fesses. Elle se cambra contre lui, et son sexe tressaillit dans son jean. Plutôt que de perdre du temps à l'entraîner jusqu'au canapé ou dans la chambre, il la souleva et l'assit sur le comptoir avant de se placer entre ses jambes écartées.

Qu'elle était belle, tout humide de transpiration ! Il couvrit de baisers ardents son cou, sa gorge, sa poitrine, savourant le goût salé de sa peau. Elle le débarrassa de son tee-shirt et noua les jambes autour de lui.

— Attends une seconde, murmura-t-il.

— Hein ?

Mais déjà, il rompait leur étreinte pour se retourner et ouvrir les portes du réfrigérateur et du congélateur.

Un souffle d'air frais les enveloppa, leur arrachant une exclamation de bien-être. Puis Mick plongea la main dans la réserve de glaçons.

Pivotant vers Jenny, il appliqua un cube de glace à la base de son cou. Elle poussa un petit cri, et ferma les yeux tandis que le glaçon descendait lentement vers son buste, glissait dans son soutien-gorge, courait autour de son mamelon. Rouvrant les paupières, elle enfouit les doigts dans les cheveux de Mick, qui répéta l'opération sur son autre sein avant de mordiller celui-ci à travers l'étoffe mouillée.

Le glaçon fondait rapidement. Mick jeta ce qu'il en restait dans l'évier et en attrapa un autre dans le bac. Cette fois, il le posa sur le ventre de Jenny, descendit jusqu'à sa culotte, l'inséra sous l'élastique, puis entre ses cuisses. De nouveau elle cria, puis se mit à gémir. Mick eut l'impression que son corps s'embrasait tandis que ses doigts s'immisçaient dans les replis veloutés de sa chair, forcément encore plus mouillés que de coutume.

Elle creusa les reins, puis leva les bras pour se raccrocher aux placards.

— Soulève-toi, ordonna-t-il à voix basse.

Il l'aida et lui ôta sa culotte qui atterrit sur le sol. Abandonnant le glaçon, il se repositionna entre ses jambes, le souffle court, et, ensemble, ils s'attaquèrent à sa ceinture puis à sa braguette, libérant d'un coup son sexe palpitant.

Maintenant Jenny au bord du comptoir, il s'enfonça en elle sans attendre. Puis il s'immobilisa, tira sur son soutien-gorge pour dénuder ses seins qu'il se mit à sucer à tour de rôle avec ardeur tout en commençant à aller et venir en elle.

Il accéléra le mouvement lorsqu'il sentit ses muscles intimes se contracter autour de lui, et la regarda, émerveillé, s'abandonner à l'orgasme.

La vague avait à peine reflué qu'il l'embrassait, puis la soulevait du comptoir sans se retirer d'elle. Il envisagea une seconde de l'allonger sur la table, mais opta finalement pour le linoléum frais, juste devant le réfrigérateur.

Il s'agenouilla entre ses jambes, la tira à lui et se remit à la besogner avec fougue. À chaque coup de reins, elle criait, et l'espace d'un instant, il se crut dans un rêve. Était-ce vraiment la douce et gentille Jenny Tolliver qui se tortillait et gémissait sur le sol de la cuisine ?

— Mick ! Oh, mon Dieu ! Mick !

Mais oui, c'était bien elle, les yeux fermés, les bras étendus au-dessus de la tête.

Cette vision incroyablement impudique et érotique, associée à ses cris, suffit à le faire basculer dans l'abîme.

Dans le calme revenu, Mick entendit les stridulations des grillons. Il se retira doucement, et s'allongea sur le sol près de Jenny, le souffle haletant.

— Que c'était bon, chuchota-t-il.

Apercevant la fenêtre ouverte, elle s'inquiéta.

— Et si quelqu'un nous avait entendus ?

Vu sa situation, il aurait sans doute dû se faire du souci. Il ne put que rire.

— Destiny, la ville où personne ne fait l'amour la fenêtre ouverte.

— Sérieusement… si quelqu'un nous avait entendus ? répéta-t-elle

— *Toi*, tu veux dire.

Elle était beaucoup plus bruyante que lui – à sa grande satisfaction. Cependant, en réponse à sa question, il se contenta de hausser les épaules.

— On se dira probablement que tu as de la compagnie.

— Et si quelqu'un m'en parle ? insista-t-elle, nullement rassurée.

— Sois réaliste, Minou. Personne à Destiny ne va te demander qui t'a fait hurler de plaisir.

— Tu as sans doute raison, concéda-t-elle. Tout de même, c'est assez gênant.

— Uniquement à Destiny.

Elle secoua la tête.

— Non… pour moi, ce serait gênant n'importe où. Je… je n'ai pas l'habitude de me laisser aller de cette façon.

Cet aveu le décontenança, et il se félicita d'être venu.

— Dans ce cas, il était grand temps que ça change.

— Je suis d'accord. Cela dit, Destiny ne me déplaît pas tant que ça. Je n'étais pas ravie de revenir, et voilà que je ne rechignerais pas à rester.

— Vraiment ? fit-il, sidéré.

— On m'a proposé un poste d'enseignante au lycée. Sur le moment, je n'ai pas voulu en entendre parler, mais aujourd'hui, j'ai croisé le proviseur. Il m'a expliqué que j'aurais surtout des premiers de la classe et que ma matière serait optionnelle. En d'autres termes, les élèves s'inscriront par choix et non par obligation. Je me dis que j'aurais moins l'impression de jouer les baby-sitters. L'automne approche et j'ai besoin d'un emploi. Pourquoi ne pas tenter le coup ? D'un autre côté, ajouta-t-elle avec un soupir, peut-être est-ce une solution de facilité. Un manque d'ambition de ma part.

Elle le regarda dans les yeux comme si elle espérait trouver la réponse à ses interrogations.

— Ces derniers temps, je ne me pose pas trop de questions, avoua-t-il. Je me fie surtout à mes émotions. L'homme que j'étais autrefois en était bien incapable mais, à présent, je prends mes décisions en fonction de ce que je ressens.

— C'est ce qui t'a poussé à accepter la requête de Wayne ?

— Oui.

— Comment va-t-il ?

— Pas bien, Minou.

— C'est pour ça que tu ne peux pas t'attarder.

— Oui.

— Tu es certain que je ne peux pas t'aider ?

Le cœur de Mick se gonfla de reconnaissance. Il l'embrassa, le temps de recouvrer sa voix.

— Tu es adorable, mon ange. Ces interludes m'aident. Être avec toi m'aide. Malheureusement, je dois endurer cette épreuve jusqu'au bout. Je préférerais rester ici avec toi, mais…

— Tu dois t'en aller.

Il opina, aussi désolé qu'elle. Puis il appuya la tête sur sa main et s'autorisa à la contempler de haut en bas, luisante de transpiration, sexy à mort.

— Tu ressembles à l'une de ces filles dans les magazines coquins, déclara-t-il avec un sourire lascif.

Elle rougit joliment.

— Je croyais que tu t'étais… corrigé.

Il s'esclaffa.

— Pas à ce point. Si j'en arrive là, il faudra m'abattre.

Le lendemain matin, encore grisée par ses ébats de la nuit, Jenny installa son ordinateur portable sur le petit secrétaire du salon et entreprit de répondre à ses mails. Cela lui permettait de rester en contact avec ses amis de Columbus et facilitait l'organisation de sorties avec Sue

Anna, avait-elle remarqué. En plus, Amy lui avait envoyé des photos de leur dernière escapade à Chicago.

Toutefois, la sensation d'ivresse prenait le dessus sur l'aspect pratique des courriers électroniques et elle avait un mal fou à ne pas taper : *Hier soir, je me suis envoyée en l'air avec des glaçons !*

Enfin, jusqu'à ce qu'elle entende son père batailler dans la pièce voisine avec le climatiseur. Vu qu'ils s'étaient à peine adressé la parole depuis le 4 Juillet et qu'elle était en nage, et donc incapable de se concentrer, elle décida de remettre sa tâche à plus tard.

Elle s'apprêtait à cliquer sur le site du télescope Hubble quand un nouveau message arriva dans sa boîte de réception. Il venait de Ralph Turley, proviseur du lycée de Destiny. Elle s'empressa de l'ouvrir.

Bonjour Jenny. Juste un petit mot pour vous dire que ce fut un plaisir de bavarder avec vous hier. J'espère de tout cœur que vous accepterez notre offre. Si vous avez des questions, n'hésitez pas à me contacter.

Ils avaient très envie de la recruter, apparemment. Jenny en était flattée.

Mick avait-il raison ? Devait-on se fier à ce que l'on ressentait sans trop s'inquiéter des conséquences d'une décision – prise par soi-même ou par d'autres ?

Mick. Son cœur se dilatait lorsqu'elle pensait à lui. Ce que cet homme avait le don de faire naître en elle... Quand il était parti, la veille, elle en avait été bouleversée. Mince ! C'était plus facile avant, lorsque ce n'était qu'une histoire de sexe.

Elle avait tenté d'attribuer ses émotions à la chaleur, mais c'était idiot, elle le savait. « Je l'aime », songea-t-elle, atterrée. Elle aurait beau le nier, se raisonner, cela ne changerait rien au fait qu'elle était amoureuse. Follement. Profondément. Malgré elle. C'était à la fois merveilleux et cauchemardesque. Comment cela avait-il pu se produire ? En s'autorisant à céder au plaisir pour le plaisir, elle n'avait pas imaginé une seconde que le pire qui puisse lui arriver serait de s'éprendre de son amant.

À cet instant, son père s'encadra sur le seuil.

— Je crois que ça marche, annonça-t-il. Tu devrais en ressentir les effets d'ici peu. Tu aurais dû me téléphoner hier soir. Ou venir dormir chez moi. Tu as pu fermer l'œil, par une chaleur pareille ?

Les paroles étaient gentilles, mais son ton manquait de naturel, et son expression était hagarde. Le cœur de Jenny se serra.

— J'ai étonnamment bien dormi, répondit-elle. J'ai déniché un vieux ventilateur et je l'ai placé dans le creux de la fenêtre au-dessus du lit.

— Eh bien... tant mieux.

Elle nota soudain qu'il avait les yeux rivés sur l'affiche offerte par Mick, désormais accrochée à la place du portrait géant. La veille, elle s'était rendue à la quincaillerie pour acheter de quoi l'encadrer.

— Qu'est-ce que c'est ?

Elle ravala la boule qui lui obstruait la gorge.

— Une reproduction de la *Nuit étoilée*, de Van Gogh.

Son père pinça les lèvres.

— C'est joli, convint-il. Moins que la photo de ta mère mais... ça s'harmonise bien avec le jaune du mur.

— C'est un cadeau de Mick, avoua-t-elle dans un murmure, histoire de le tester.

Elle n'avait aucun avenir avec lui mais par principe, elle ne voulait pas que son père déteste l'homme qu'elle aimait.

— Mick, répéta Walter d'un ton méprisant.

— Oui. Il connaît ma passion pour l'astronomie et sait que je n'ai pas pu observer les étoiles autant que je l'aurais souhaité cet été.

Walter pivota vers elle.

— Je n'ai cessé de retourner cette histoire dans ma tête, Jenny, mais j'ai beau faire, je ne comprends pas comment tu peux... batifoler avec un type comme lui.

Jenny cilla, choquée, offensée. Non... folle de rage. D'accord, elle avait commis des maladresses. Elle était consciente d'avoir mis son père dans une position plus que délicate en lui révélant le secret de Mick tout en lui demandant de n'en parler à personne. Mais ce qu'il venait de lui dire était insupportable. Elle explosa.

— *Batifoler ?* J'ai trente et un ans, papa !

— Quel rapport ? répliqua-t-il, perplexe.

Elle ne put que soupirer. Il ne comprenait rien à rien.

— Il me semble que je suis assez grande pour batifoler avec qui je veux.

— Ce garçon est un criminel. Tu étais au courant ? Certes, on ne l'a jamais pris sur le fait, mais je sais qu'il a participé à au moins un cambriolage.

Oui, elle était au courant. Oui, elle détestait cela, mais elle avait plus ou moins tourné la page sur cet épisode.

— C'est du passé. Il a changé. Ce n'est *plus* un criminel.

— Bien sûr que si.

Ah ! Parce qu'il hébergeait un évadé de prison. Merde.

— Pas par choix, souligna-t-elle. Il ne fait que répondre à la dernière requête de son frère.

— On a *toujours* le choix.

— Possible, mais Mick a agi selon sa conscience, et moi aussi. Pourquoi insistes-tu ? Pourquoi ne pas feindre l'ignorance, tout simplement ?

— Parce que, techniquement parlant, j'enfreins la loi. Pour toi, lui rappela-t-il d'une voix plus douce.

Et re-merde ! Avec un soupir elle se leva, s'approcha de son père et lui prit les mains.

— J'en suis navrée, papa. Tu n'imagines pas à quel point cela me tourmente. Tout ce que je te demande, c'est de me faire confiance, de croire en moi suffisamment pour savoir que je ne t'aurais pas caché cette histoire, ni demandé ce que je t'ai demandé, si je n'avais pas le sentiment que Mick est quelqu'un de bien. Je t'en supplie, papa, aie foi en moi.

Elle pria pour qu'il la rassure, lui dise qu'il avait confiance en elle et la serre dans ses bras.

Mais il se contenta de déposer un baiser sur son front, avant de tourner les talons et de sortir.

Plus tard ce jour-là, Jenny et Sue Ann lézardaient sur des chaises longues dans le jardin.

— C'est le paradis, commenta Sue Ann en portant à ses lèvres un cocktail de fruits.

— N'exagérons rien, marmonna Jenny, maussade depuis sa querelle avec son père. On crève de chaud. Si on avait un soupçon de bon sens, on serait à l'intérieur, au frais.

— Pas du tout, j'adore ! Passer un après-midi au soleil avec sa meilleure amie, quel pied. Je n'imaginais pas qu'on se retrouvait un jour à paresser ainsi toutes les deux, tu sais. Au fond, les frasques du salopard n'auront pas eu que des conséquences négatives.

Jenny ne put que grogner. Elle adorait traîner avec Sue Ann, mais elle n'était pas d'humeur à abonder dans son sens.

— À propos, enchaîna son amie, tu ne connaîtrais pas quelqu'un qui chercherait à louer une maison ? Ma grand-tante Celia va emménager chez Dinah et John. Elle a quatre-vingt-cinq ans et ne peut plus rester toute seule. Ils ne veulent pas vendre. De toute façon, ils risquent d'avoir du mal, avec ce nouveau lotissement qui devrait se construire.

La maison en question – un petit chalet vert pâle, de plain-pied – était située un peu plus loin, au bord du lac.

— Qui veux-tu que je connaisse ? répliqua Jenny.

— Ma foi, tu es à cran, aujourd'hui.

— Et toi, particulièrement enjouée. Tu as passé un bon week-end ?

— Magique, merci.

— Magique ?

— Totalement. Et si je te parais enjouée, c'est parce que je baigne encore dans le bien-être post-marathon sexuel.

Jenny haussa les sourcils.

— Raconte.

— Ma mère avait prévu une visite de la manufacture Longaberger. Tu en as entendu parler ? L'édifice a la forme d'un gigantesque panier, le plus grand du monde – il vaut le détour. Bref, elle a emmené Sophie avec elle.

— Ah !

— Ce n'est pas tout. Bien que ma petite fille me manque et que je meurs d'impatience de la récupérer tout à l'heure, j'envisage sérieusement de faire de ces « week-ends avec grand-maman » un événement mensuel. Jeff et moi avons pu profiter de deux nuits entières d'ébats amoureux, ce qui ne nous était pas arrivé depuis des siècles.

Cette nouvelle réjouit Jenny.

— Romantiques ou coquins ?

— Un agréable mélange des deux. Et toi ? Ton week-end ? Toujours amoureuse de Mick Brody ?

Jenny soupira.

— Oui. Et ça ne me plaît pas.

— Pourquoi ?

— Exemple. Hier soir, il a dû repartir très vite et je lui en ai voulu. Ensuite, je me le suis reproché. Après tout, il avait une excuse plus que valable. Et bientôt, il s'en ira pour de bon, j'ai donc tout intérêt à m'y faire, non ?

— Tu es sûre qu'il va partir ?

— Il n'est pas fan de Destiny. D'après ce que j'ai compris, l'état de Wayne se détériore rapidement. Dès qu'il sera mort, Mick prendra ses cliques et ses claques, et disparaîtra.

— C'est nul, compatit Sue Ann.

— Tu le sais, je ne voulais pas m'attacher à lui. Cette histoire me paraît encore surréaliste par moments. Seulement voilà, je suis devenue complètement accro : je pense à lui sans arrêt, je me demande quand il reviendra, comment on fera l'amour, de quoi on discutera... C'est affreux. Je me sentais beaucoup mieux quand j'étais persuadée que ce n'était qu'une aventure sans lendemain.

— N'empêche que l'amour, même quand rien ne se passe comme on l'aurait voulu, c'est merveilleux, non ? Je me rappelle quand j'ai jeté mon dévolu sur Jeff. À l'époque, il me considérait comme une simple amie et j'étais au trente-sixième dessous. Pourtant, le seul fait de penser à lui me donnait des ailes.

— Idem pour moi. Sauf que ce serait mieux si la situation était différente.

— Certes, le fait qu'il héberge un fugitif n'arrange rien, répliqua Sue Ann en s'efforçant d'alléger l'atmosphère.

Jenny ne put s'empêcher de rire.

— Sans oublier la position dans laquelle je mets mon père et sa déception à mon égard… De quoi me déprimer encore un peu plus.

— Revenons plutôt à un sujet plus joyeux. Le sexe. Qu'en est-il avec M. Brody ?

— C'est fabuleux. Hier soir, le climatiseur était de nouveau en panne. Mick a ouvert les portes du réfrigérateur et du congélateur, et on a fait ça dans la cuisine.

— Pas possible ! Où ?

— Sur le comptoir, puis par terre… Avec des glaçons.

— Nom d'un petit bonhomme ! s'écria Sue Ann en abattant le poing sur l'accoudoir de sa chaise longue. Je m'offre un marathon sexuel, et tu réussis une fois de plus à me surpasser avec ce type. La cuisine, je n'y avais jamais pensé. J'en parlerai à Jeff lors du prochain week-end chez grand-maman.

Jenny leva l'index pour tempérer l'enthousiasme de son amie.

— À vrai dire, si nous sommes restés dans la cuisine, c'est parce que nous étions trop pressés pour aller jusqu'au salon ou la chambre. Sur le plan du confort, il y a mieux.

Sue Ann refusa de se laisser abattre.

— N'oublie pas les glaçons.

— Un point pour toi, admit Jenny. Le coup des glaçons, c'était... phénoménal.

Vu le cours qu'avait pris leur conversation, Jenny ne résista pas à la tentation de poser à Sue Ann la question qui la taraudait.

— Alors, tu n'as plus rien contre ma relation avec Mick ?

— Je te rappelle que je baigne dans le bien-être post-marathon sexuel. Demain, je serai peut-être moins tolérante. Cela dit, je suis soulagée que ton père soit au courant.

Jenny leva les yeux au ciel.

— Tu es bien la seule. Je crains d'avoir creusé un fossé entre nous qui ne se comblera pas, même après le départ de Mick.

— La question sera alors : le jeu en valait-il la chandelle ? Saboter une relation permanente pour une autre, provisoire ?

L'estomac de Jenny se noua.

— Tu es censée me répondre : « Ne t'inquiète pas, avec le temps, ton père finira par s'en remettre. »

Sue Ann grimaça, puis essaya de se rattraper.

— Euh... Ne t'inquiète pas, avec le temps, ton père finira par s'en remettre.

Elles continuèrent à bavarder, mais à mesure que l'après-midi avançait, Jenny se surprit à regarder à plusieurs reprises le bois de l'autre côté du lac. Le jeu en valait-il *vraiment* la chandelle ? s'interrogea-t-elle. Qu'avait-elle sacrifié pour protéger Mick ?

La réponse était complexe – elle allait bien au-delà de Mick. Il s'agissait du bien et du mal, de la vie et de la mort, et de la façon dont elle avait été amenée à les considérer depuis ce premier soir où elle avait traversé le lac. Mais il s'agissait aussi de Mick, de ses diverses facettes, de l'homme respectable qu'elle entrevoyait derrière l'ex-voyou tatoué. Il s'agissait enfin du bonheur qu'il avait apporté dans sa vie à un moment où elle se sentait seule et désespérée.

Elle aurait beau tergiverser, analyser, peser le pour et le contre, décortiquer, sa réponse à la question de Sue Ann demeurerait la même.

Oui, le jeu en valait la chandelle.

Désolée, papa, mais je n'ai aucun regret concernant Mick et je n'en aurai jamais. Sauf le jour où il s'en ira.

Elle ne s'en consolerait pas.

13

Le ciel était clair – remarquablement clair – et le scintillement des étoiles semblait n'être que la palpitation d'un seul corps, rythmée par un pouls commun.

THOMAS HARDY

En bifurquant dans le parking de l'auberge *Dew Drop*, Walter se rendit compte qu'il enfreignait l'une de ses règles. Mais il était fatigué, il avait soif, et il avait envie de décompresser. Il avait terminé son service, épuisé par la chaleur, et, pour une fois, il allait s'offrir une bonne bière.

« Tu n'es là que pour ça, se dit-il en se garant. Pour boire une bière. »

Il était près de 23 heures, un jeudi soir, l'endroit était donc calme. Seuls quelques clients traînaient encore, la plupart autour de la table de billard.

Comme il se perchait sur le même tabouret que lors de ses visites précédentes, il se surprit à scruter les visages, à la recherche de celui de Mick Brody. Il ne l'avait pas revu depuis des années, mais aucun de ces hommes ne lui paraissait familier.

Il avait écouté avec attention ce que lui avait dit sa fille, mais il avait quand même quelques doutes. Elle prétendait avoir vu Wayne sur son lit de mort. Et s'il était simplement drogué ? Certes, le fonctionnaire de la prison à qui il avait parlé avait précisé que Wayne était malade au moment de son évasion – sans plus. Où était la vérité ?

Quand bien même tout ce que lui avait raconté Jenny était vrai, cela ne le rassurait pas pour autant. Un criminel ne se transformait pas soudain en innocent sous prétexte qu'il était à l'agonie.

Walter s'efforçait de ne pas y penser, de feindre que Jenny ne lui avait rien dit. En vain. Il était littéralement obsédé, sans toutefois savoir ce qui le minait le plus : savoir où se terrait un évadé et faire semblant de l'ignorer parce qu'il en avait fait la promesse à Jenny ? Ou savoir que celle-ci fréquentait un vaurien ? Sa petite fille chérie. Il avait cru la connaître. À présent, il s'interrogeait.

Quand Anita Garey émergea des toilettes, il avait presque oublié pourquoi il était là. Elle portait le même jean que d'habitude, avec un débardeur mauve au col en V bordé de dentelle. Moulant à souhait.

— Bonsoir Walter ! lança-t-elle comme s'ils étaient de vieux amis.

— Bonsoir.

— Un soda ?

— Non. Ce soir, je m'offre une bière. Pression.

— Ça marche, répondit-elle en s'emparant d'un verre. Vous fêtez quoi ?

Malgré lui, il laissa son regard errer sur ses courbes tandis qu'elle se détournait. Elle avait un joli corps – seins voluptueux, taille de guêpe –, il ne pouvait pas lui reprocher de le mettre en valeur.

— Vous avez perdu votre langue ? lui demanda-t-elle avec un sourire amical en posant la bière devant lui.

Mince ! Il était tellement occupé à la contempler qu'il avait omis de lui répondre.

— Euh… eh bien, je suis sous pression ces temps-ci et j'avais besoin de me détendre un peu.

— Et quoi de mieux qu'une bière, approuva-t-elle.

Décidément, plus il la voyait, plus il la trouvait attirante.

— Il paraît qu'il va pleuvoir bientôt, ajouta-t-elle. Vous, je ne sais pas, mais moi, je trouve que ce ne serait pas du luxe.

Il rit tout bas. Anita était si… spontanée. Authentique. Bien dans sa peau. Cela lui plaisait.

— J'attends de voir, mais je reconnais qu'un peu de pluie améliorerait mon humeur.

Elle croisa les bras, mettant en valeur son décolleté, ce dont Walter ne se plaignit pas. Au fond, plus il passait de temps avec elle, moins il était choqué – et plus son instinct masculin, en hibernation depuis trop longtemps, se réveillait.

— Qu'est-ce qui vous turlupine, Walter ? Si vous avez envie d'en parler, je suis tout ouïe.

— J'ai encore des soucis avec ma fille.

— Ne me dites pas que vous lui en voulez toujours d'avoir enlevé les photos ?

Il haussa les épaules.

— Pas vraiment. Mais il se trouve que c'était le premier signe que… qu'elle n'est pas celle que je croyais, acheva-t-il dans un souffle.

— Ah, non ? Qui est-elle, alors ?

Derrière le comptoir, Anita sélectionna un grand verre et entreprit de se confectionner un cocktail.

Walter hésitait à se confier à elle, mais la dernière fois, elle l'avait aidé à y voir plus clair.

— Jenny… fréquente un bon à rien.

Anita s'interrompit un instant, comme pour réfléchir, puis :

— Permettez-moi de vous poser une question. Ce bon à rien, vous le connaissez personnellement, vous avez eu maille à partir avec lui ? Ou vous vous fiez simplement à sa… réputation ?

— Un peu des deux, je suppose. Jeune, c'était de la mauvaise graine. Jenny m'assure qu'il a changé, mais si trente années chez les flics m'ont appris une chose, c'est que la plupart des gens ne changent pas. Certains s'y efforcent, d'autres affirment y être parvenus, et il est possible que ce soit vrai, pour un temps. Mais rares sont ceux qui changent vraiment en profondeur.

— La plupart, avez-vous dit. L'exception confirme la règle.

— Exact, convint-il. Parfois, un individu me surprend en se remettant dans le droit chemin. Mais je dois le voir pour le croire… dans la durée.

Anita Garey goûta sa boisson.

— Mmm, murmura-t-elle, d'une façon qui le mit en émoi.

Puis elle le dévisagea comme si elle s'apprêtait à lui dévoiler un secret.

— Nous nous connaissons à peine, mais j'en suis déjà à nous considérer comme des amis, Walter. Êtes-vous d'accord ?

— Oui, admit-il, intrigué et vaguement inquiet.

— Entre nous, poursuivit-elle, je m'aime bien. Je suis fière de ce que je suis. En regardant ce bar, on pourrait se dire que je n'ai pas grand-chose, mais tout ce que je possède, je l'ai gagné à la sueur de mon front et je m'en félicite. Voyez-vous, dans ma jeunesse, j'ai subi de mauvaises influences et pris des décisions regrettables. Puis, un jour, je me suis rendu compte que j'en avais par-dessus la tête de mener une existence minable, que j'étais majeure et vaccinée, qu'on n'avait qu'une vie et que j'étais en train de gaspiller la mienne. Je me suis secouée, je suis retournée à l'école, j'ai obtenu mon diplôme d'études secondaires, et j'ai même suivi quelques cours du soir pour apprendre à gérer une entreprise. J'ai retourné la situation, Walter. Je suis une femme bien mais, surtout, je suis la preuve vivante qu'une personne *peut* changer.

Contre toute attente, Walter se découvrit incapable de la juger. Au fond, son histoire, il aurait pu la deviner.

Pourtant, dès le début, il avait perçu ses qualités et avait été capable d'aller au-delà des apparences.

— Justement, argua-t-il. Que vous êtes une femme bien, je le sens rien qu'en discutant avec vous. Mais en ce qui concerne ce type, je n'ai encore rien trouvé de bon chez lui.

— Avez-vous cherché ?

— Ma foi, je ne l'ai pas revu depuis son adolescence. En revanche, je sais de source sûre qu'en ce moment, il est impliqué dans une affaire... louche, acheva Walter, à court d'inspiration.

— Je ne le connais pas, pas plus que votre fille et la situation. En revanche, il y a des choses dont je suis certaine. On peut changer. Je parie que vous avez élevé votre fille comme il le fallait, et qu'elle est intelligente. Vous devriez peut-être lui faire un peu plus confiance. En admettant que vous ayez raison, que ce type soit pourri jusqu'à la moelle, ça servira de leçon à votre fille. En attendant, elle a besoin de savoir que son père sera toujours là pour elle, quoi qu'il advienne.

Il dut paraître mal à l'aise, car elle enchaîna :

— Croyez-moi, Walter, si vous laissez trop de malentendus s'immiscer dans votre relation, tôt ou tard, un fossé se creusera entre vous. Comme entre ma mère et moi. Encore aujourd'hui, je suis convaincue qu'elle voulait me pardonner mes frasques de jeunesse, mais n'a pas pu s'y résoudre. Résultat, elle est morte sans que nous nous soyons réconciliées. Vous ne voulez pas risquer de perdre votre fille pour cette histoire, n'est-ce pas ?

— Bien sûr que non ! s'exclama-t-il, horrifié.

Il n'imaginait pas sa vie sans Jenny.

— Vous m'avez dit qu'elle se remettait d'un divorce sordide – c'est dur pour une femme, et je sais de quoi je parle. Elle fait face à toutes sortes de bouleversements dans son existence, elle tente de se reconstruire. La façon dont elle s'y prend ne vous plaît peut-être pas, mais vous devez la laisser faire. Compris ?

Malgré lui, Walter opina. Anita s'exprimait avec une telle autorité qu'il était difficile de ne pas acquiescer. À moins que ce ne soit la sagesse qu'il entendait dans sa voix ? En tout cas, son discours était sensé. Dommage qu'il ne suffise pas à le rassurer complètement.

Walter vida son verre, et Anita lui demanda s'il voulait une autre bière. Il faillit accepter parce qu'il appréciait sa compagnie et que la perspective de se retrouver seul chez lui le rebutait.

Cependant, la modération était de mise. Après tout, il était le chef de la police, il devait mériter le respect de ses concitoyens.

— Non, merci, répondit-il. Je vous dois combien ?

Elle lui coula un regard qu'il eut du mal à déchiffrer – à la fois gentil, assuré et... coquin ? Non, non, son imagination lui jouait des tours.

— C'est la maison qui offre.

— En quel honneur ?

— Les flics, il vaut mieux se les mettre dans la poche, plaisanta-t-elle.

Walter s'esclaffa. Pour la première fois depuis un moment. Depuis le 4 Juillet, en fait. À ce propos...

— Vous avez assisté au feu d'artifice de la municipalité ? s'enquit-il.

— Oui. Je pensais vous y croiser.

— Je... pour finir, je suis allé pique-niquer chez des amis.

Elle inclina la tête, souriante.

— Ce devait être sympa.

Il s'en voulut. Il aurait dû l'inviter.

Quoique, non. C'était là que Jenny lui avait parlé de Mick Brody, lui gâchant sa journée. En outre, se montrer en compagnie d'Anita ne manquerait pas de susciter des commentaires plus ou moins aimables. Car personne ne comprendrait ce qu'il voyait en elle.

Or Walter se souciait de l'avis des autres. Il en avait honte, mais c'était ainsi.

Comme il se levait pour partir, il prit la pleine mesure de sa bassesse, tout en admettant à quel point il avait envie de la revoir. Dans un autre environnement, quelque part où il n'était pas le chef de la police.

— Anita, commença-t-il, et il réalisa qu'il était nerveux.

— Oui, Walter ?

Il pinça les lèvres, ravala sa salive, s'obligea à soutenir son regard.

— J'ignore comment on doit s'y prendre mais... voudriez-vous venir dîner chez moi un de ces soirs ?

Il avait la nausée. Il aurait volontiers mis ce malaise sur le compte de la bière, mais l'alcool n'y était pour rien. La vérité, c'était qu'il était terrifié. Et sa terreur ne fit qu'augmenter quand il vit la lueur de surprise dans ses yeux. Aïe ! Il avait commis un faux pas.

— Je n'aurais pas dû... je... Ce doit être la bière qui me monte à la tête, je bois rarement. Je ne vous en voudrai pas si vous refusez, bafouilla-t-il.

Elle lui adressa un sourire rassurant.

— Je suis ravie que vous l'ayez bue, cette bière, car je n'ai aucune envie de refuser. En fait, c'est la proposition la plus sympathique que l'on m'ait faite depuis mon installation à Destiny.

Au début, Jenny eut du mal à identifier le bruit. Il lui était familier, mais... Tout à coup, elle comprit. La pluie, enfin ! Elle se rua vers la porte d'entrée pour regarder les premières gouttes s'écraser sur le sol.

Un instant plus tard, ce fut le déluge.

Jenny entendit presque Destiny pousser un soupir de soulagement.

Le présentateur de météo avait annoncé des averses dans les jours à venir, mais n'avait pu en préciser l'intensité ni la quantité. Apparemment, les prières des agriculteurs avaient été enfin exaucées. Elle-même n'aurait plus à arroser les fleurs matin et soir, l'herbe redeviendrait verte, l'air, respirable. Ouf !

Bien sûr, au bout de quelques minutes, elle s'accoutuma à ce changement climatique et décida de s'attaquer à une activité constructive. Avant cela, elle plaça sur la platine du salon une pile de disques vinyle qui avaient appartenu à sa mère. Elle prenait plaisir à les écouter, et avait eu la surprise de tomber sur plusieurs albums de hard rock dont elle ignorait l'existence. Ainsi, Judy Tolliver avait eu, elle aussi, son jardin secret. Elle avait esquissé un sourire à cette pensée, et la musique lui avait permis de se remémorer sa mère vivante, épanouie, heureuse.

Elle s'installa devant son ordinateur, répondit à quelques mails, surfa sur Internet. Elle poussa même le vice jusqu'à rechercher des thèmes qu'elle pourrait inclure dans son programme *si* elle acceptait le poste au lycée.

Elle hésitait encore, d'autant que la situation avec son père ne s'était pas arrangée. Mais elle ne cessait de penser au conseil de Mick, selon lequel elle devait suivre son instinct.

Elle n'était pas certaine de vouloir vivre indéfiniment à Destiny mais, petit à petit, elle s'y sentait mieux. Pourquoi ne pas rester un an ? Deux ? Peut-être serait-ce la meilleure façon de se rabibocher avec son père. Une fois Mick parti, il reviendrait peut-être à de meilleurs sentiments.

Une fois Mick parti ? L'estomac noué, elle s'efforça de se concentrer sur le plan de cours affiché sur son écran. En vain. Quand Mick envahissait son esprit, il avait une fâcheuse tendance à s'y incruster.

À cet instant, Night Ranger entonna son tube *Don't Tell Me You Love Me* et le cœur de Jenny se serra.

Si seulement elle n'était pas amoureuse de lui. Si seulement elle s'en était tenue à ce qu'elle avait prévu, une relation sans conséquence.

Mais il était trop tard.

Il ne lui restait plus qu'à tenir bon et à prier pour ne pas s'effondrer quand il s'en irait.

La nuit était tombée et Jenny était confortablement assise dans le canapé en train de relire *Une brève histoire du temps*, l'ouvrage de Stephen Hawking. La pluie martelait le sol à un rythme régulier à présent, et elle avait arrêté le climatiseur pour ouvrir toutes les fenêtres. L'air sentait bon la terre mouillée.

On frappa à la porte de derrière et son cœur fit un bond. Elle ne s'était pas attendue qu'il vienne ce soir, vu le temps.

Stupéfaite, elle courut lui ouvrir. Il se tenait sur le seuil, trempé, beau à couper le souffle.

— Il pleut, articula-t-elle bêtement.

Il arqua un sourcil.

— Merci pour le scoop, Minou. Je peux entrer ?

— Je... euh... bien sûr ! bégaya-t-elle en s'effaçant.

Mick se dirigea vers l'évier, ôta son tee-shirt et l'essora.

— Désolé, j'ai mouillé ton sol.

Jenny ne répondit pas. Quand il lui jeta un coup d'œil, elle se rendit compte qu'elle était là, en pyjama, à le fixer comme si elle ne l'avait encore jamais vu.

— Quoi ? fit-il.

— Rien. Tu es... beau.

Un soupçon d'arrogance masculine altéra son expression. Il lâcha son vêtement dans l'évier, afficha un sourire canaille et lui tendit les bras.

Il la serra contre son torse à la fois humide et brûlant, et elle se noya dans son baiser.

— C'est curieux, je croyais que les chats détestaient l'eau, chuchota-t-il. Après le coup du glaçon, je commence à croire que tu as un faible pour cet élément.

— Euh, non, non.

— Comment ça, non ? la taquina-t-il.

— Le fait est, monsieur Brody, déclara-t-elle d'un ton espiègle, que *tout*, chez vous, m'excite. L'eau n'a aucun rapport.

Apparemment satisfait, mais toujours d'humeur joueuse, il recula d'un pas, la saisit par la main et l'entraîna vers la porte.

— Allons dehors, Minou. Je vais te prouver le contraire.

Jenny écarquilla les yeux.

— Allô ? Il pleut. Pourquoi sortir alors qu'on peut rester au sec ?... Enlève ton jean, je vais le mettre dans le sèche-linge, ajouta-t-elle avec un sourire.

— Bien essayé, mais j'ai envie d'aller dehors sous la pluie avec toi.

Elle inclina la tête, l'air de dire : « Tu es fou. »

— Tu ne te laisses donc jamais aller à tes impulsions ? s'enquit-il d'un ton de reproche.

Elle retint un petit cri. Comment osait-il... ?

— Allô ? Allô ? N'avons-nous pas baisé dans les bois ? Et dans la cuisine ?

— C'était plutôt réussi, non ? Allez, Jenny, viens te mouiller avec moi. Lâche-toi un peu.

Les poils sur sa nuque se dressèrent, des frissons coururent le long de ses bras. Mick Brody l'excitait comme aucun autre ne pouvait le faire.

Elle était tentée, et cela devait se lire sur son visage, car il insista :

— Viens dehors avec moi, Minou. Viens te mouiller.

— Je le suis déjà, souffla-t-elle, les jambes flageolantes.

À ces mots, il la gratifia d'un sourire sexy, et elle lui emboîta le pas en ayant l'impression de se jeter dans un brasier. C'était une chose de se laisser séduire, encore et encore, et d'y prendre plaisir. Mais là, c'était différent. Cette fois, elle avait l'impression de capituler, de s'abandonner totalement.

Une fois dehors, elle s'immobilisa et regarda le ciel sombre.

— Je vais être trempée.

— C'est le but, mon ange.

Il l'attira contre lui, l'embrassa à pleine bouche, et le reste suivit tout naturellement.

C'était un peu comme si la pluie l'avait libérée, avait balayé ses dernières inhibitions. Ils s'étreignirent avec ardeur, se caressèrent fiévreusement. Mick fit glisser les bretelles de son débardeur qu'il baissa jusqu'à la taille, dévoilant ses seins. Puis il la débarrassa de son pantalon de pyjama et de son slip.

Et Jenny se surprit à le pousser vers la balançoire suspendue au vieil érable. Elle le força à s'asseoir, s'agenouilla dans l'herbe devant lui et déboutonna sa braguette. Son sexe jaillit, elle se pencha, et le prit en bouche.

La dernière fois, elle l'avait fait pour lui. À présent, elle le faisait aussi pour elle. Envolées, les tergiversations, la crainte de se montrer trop hardie, la culpabilité. Il n'y avait plus qu'elle, ses désirs, et l'homme avec lequel elle voulait les assouvir.

— Oh, mon ange ! c'est bon... gémit-il en plongeant les doigts dans ses cheveux.

Encouragée, elle continua de le caresser avec une habileté qu'elle ignorait posséder, jusqu'à ce qu'elle ait envie de davantage.

Elle se redressa alors et se plaça à califourchon sur lui, prête à l'accueillir en elle. La respiration saccadée, il l'y aida d'une main tout en se retenant à la chaîne de l'autre. Tous deux gémirent lorsqu'il la pénétra.

— C'est fabuleux, murmura-t-elle en le regardant droit dans les yeux.

Elle commença à onduler des hanches.

— Tu me fais vivre, Mick, lâcha-t-elle spontanément.

— Quoi ?

— Tu me fais vivre. Tu m'obliges à vivre. J'étais venue ici pour panser mes plaies et tu m'as ressuscitée.

Touché, il l'embrassa avec passion et, les bras noués autour de son cou, Jenny savoura l'instant – la pénombre, la pluie, la douceur de l'air, la vigueur de Mick, la montée du plaisir – jusqu'à l'extase suprême. Elle s'affaissa sur lui, cramponnée à ses épaules, le corps secoué de spasmes.

Quelques secondes plus tard, Mick recommença à bouger en elle, avec plus de force maintenant qu'elle avait joui.

Soudain, tout se mit à tournoyer autour d'eux et ils s'affalèrent sur le sol – la balançoire s'était cassée. Le premier choc passé, Mick plongea entre les cuisses de Jenny, encore et encore, puis elle le fit basculer sur le dos et le chevaucha follement avant qu'il ne la fasse de nouveau rouler sous lui, lui emprisonnant les poignets au-dessus de la tête.

— Je veux que tu jouisses en moi, souffla-t-elle, à bout de souffle.

Et c'est ce qu'il fit.

Quand ils revinrent au présent, Jenny s'aperçut que la pluie avait cessé. Ils n'en étaient pas moins trempés. Elle laissa échapper un petit rire.

— Quoi ? fit Mick.

— Rien. C'était… sacrément amusant.

— Je te l'avais dit, Minou.

Puis le sourire de Jenny s'estompa, et le cœur battant à toute allure, elle murmura :

— Lorsque je t'ai dit que tu m'obligeais à vivre, j'étais sincère.

Il la gratifia d'un baiser.

— J'en suis heureux.

Au-dessus de leurs têtes, les nuages s'étaient déchirés, laissant voir la lune et quelques étoiles au loin. Jenny décida qu'il était temps de ravaler ses émotions, de redevenir pragmatique.

— Ma proposition de mettre tes vêtements au sèche-linge tient toujours.

— J'aimerais pouvoir te prendre au mot, mon ange, dit-il d'une voix sourde.

— Mais tu dois t'en aller, devina-t-elle.

— Désolé.

— Wayne va plus mal, c'est cela ?

Mick se raidit légèrement.

— N'en parlons pas, d'accord ? C'est une règle que je m'impose : quand je suis avec toi, je ne suis qu'avec toi, et pas ailleurs.

— Cette règle me plaît bien, déclara-t-elle, alors qu'elle avait envie de dire : « Je t'aime. Je t'aime. Je t'aime. »

— Si on se rhabillait ? Tu pourrais m'accompagner jusqu'au bout du ponton, suggéra-t-il.

Ce serait une première, mais l'idée l'enchanta – n'était-ce pas une jolie manière de conclure cette soirée ? Non. L'idéal serait qu'il passe la nuit avec elle. Comme des gens normaux, sans secrets ni réputations à défendre. Au fond, sa proposition de mettre ses vêtements au sèche-linge était probablement moins pragmatique qu'émotionnelle – un prétexte pour l'obliger à prolonger sa visite. Mais avec Mick, elle prenait ce qu'il était à même de lui offrir.

Ils retournèrent à l'intérieur, et se frictionnèrent avec des serviettes-éponge. Jenny enfila un débardeur propre et un short, Mick ne prit pas la peine de remettre son tee-shirt. Ensemble, ils traversèrent la route et gagnèrent le ponton.

Là, Mick encadra son visage des deux mains pour l'embrasser et elle se laissa aller contre lui. Elle était insatiable, semblait-il. Tandis qu'il approfondissait son baiser, il remonta son débardeur jusqu'à révéler ses seins.

— Que... qu'est-ce que tu fais ?

— Je te fais vivre, chuchota-t-il en inclinant la tête pour aspirer la pointe de son sein dans sa bouche.

Elle faillit protester car, bien que ce fût peu probable, il n'était *pas impossible* qu'un de ses voisins le long de la rive soit à sa fenêtre ou en train de se promener. Elle se retint. Avec Mick, elle se sentait libre comme l'air.

Elle le laissa la caresser, la tête renversée, savourant son plaisir.

Enfin, il rabattit doucement son débardeur, lui offrit un ultime baiser, et murmura :

— Bonne nuit, Minou.

14

Nous avons trop aimé les étoiles pour craindre la nuit.

ÉPITAPHE SUR LES TOMBES
DE DEUX ASTRONOMES AMATEURS.

Les ampoules sur les mains de Mick commençaient à guérir, mais il savait qu'elles se reformeraient bientôt. Toute la terre qu'il avait sortie du trou devrait y retourner.

Assis au chevet de Wayne, il le regardait dormir d'un sommeil agité. Il ressentait la souffrance de son frère jusque dans ses entrailles. Il pensa à ce que Jenny lui avait dit l'autre soir – qu'il la faisait vivre. Aider une personne à vivre tout en accompagnant l'autre dans la mort, quelle ironie ! Toutefois, il était heureux de pouvoir apporter un peu de bonheur à Jenny. Il pouvait aussi réconforter Wayne, mais celui-ci était au-delà de la joie ou de la tristesse.

Les patchs antidouleur ne lui faisaient plus aucun effet, et Mick était désormais obligé de lui injecter un produit sous la langue. Quant aux cachets, il devait les écraser car son frère ne pouvait plus les avaler.

Dieu merci, il avait plu. Une aubaine. La cabane était moins étouffante – un détail, peut-être, mais quel soulagement. Les averses n'avaient duré que vingt-quatre heures, mais les températures demeuraient raisonnables.

La nuit venait de tomber, et un air doux entrait par les fenêtres ouvertes. Wayne le sentait-il ? Mick le souhaitait de toutes ses forces.

Il le regarda de nouveau, rassuré de constater qu'il se calmait – sans doute grâce aux derniers remèdes ingurgités. Devant ce visage émacié, ce teint cireux, il tenta de se préparer mentalement à ce qui allait se produire bientôt. Puis il porta le regard sur la photo que Wayne avait conservée depuis l'enfance, et il pleura, juste un peu.

Furieux contre lui-même – ce n'était pas le moment de flancher –, il se leva et sortit. Il leva la tête vers le ciel étoilé et se remémora les paroles de Jenny. Elle avait raison. Face à toute cette immensité, ses soucis ne lui paraissaient plus insurmontables.

Deux jours plus tard, aux alentours de midi, Wayne ouvrit les yeux.

— Je suis mort ?

Mick crut tout d'abord qu'il délirait. Son frère n'avait pas prononcé un mot depuis longtemps. Toutefois, en plongeant son regard dans le sien, il décela une lueur de lucidité.

— Non. Pas encore.

— Je suis désolé de t'infliger ça, murmura Wayne.

Son débit était lent, sa voix râpeuse.

— Ça va, ne t'inquiète pas.

Puis Wayne émit une sorte de sifflement. Mick s'empara précipitamment d'un verre d'eau et d'une paille. Il aida son frère à boire, puis lui demanda :

— Tu as envie d'autre chose ?

— Non.

L'espace d'un instant, son regard se fit si lointain, que Mick eut l'impression qu'il n'était plus avec lui. C'est alors qu'il tourna légèrement la tête et murmura :

— Tu vois toujours la fille de l'autre côté du lac ?

La question prit autant Mick de court que la soudaine clarté d'esprit de son frère.

— Oui.

— C'est comment ?

— Quoi ?

— Ça fait un bout... de temps... que je n'ai pas sauté une nana. C'est comment ?

Mick inspira à fond. En d'autres circonstances, il aurait eu l'impression de trahir Jenny, mais là, il s'agissait... d'aider son frère à mourir. Paupières closes, il chercha ses mots.

— C'est... exquis. Elle a la peau douce. Des courbes parfaites, comme moulées tout spécialement pour mes mains. Quand je suis en elle, je me sens en sécurité. Quand elle jouit, ses gémissements me bouleversent.

Quand Mick rouvrit les yeux, ceux de Wayne étaient clos.

— Mince, frérot... ça doit être bien.

— Ça l'est, oui.

— Est-ce que tu peux... m'emmener dehors ? Au soleil ?

— Bien sûr.

Mick le souleva dans ses bras. Il n'avait plus que la peau sur les os. Il le transporta jusqu'à l'unique endroit ensoleillé de leur côté du lac – là où, couchés sur le dos, Jenny et lui avaient observé les étoiles après qu'il lui avait révélé son secret.

Wayne était allongé sur l'herbe, trop faible pour s'asseoir seul. Mick l'abandonna une minute, le temps d'aller chercher une vieille chaise longue qu'il avait repérée dans l'abri de jardin.

Il y installa son frère, et sentit que ce dernier s'imprégnait de cette belle journée, de... cette vie qui lui échappait. Un oiseau chantait non loin de là. Mick se réjouit que le temps soit si beau, chaud mais pas trop. Les feuilles frémissaient sous une petite brise douce, les branches des sapins oscillaient. L'instant avait quelque chose d'irréel.

Mick vit le regard de Wayne errer vers la rive opposée, vers tous ces charmants chalets qui semblaient sortis d'un conte de fées. Enfants, ils les avaient souvent observés, mais sans jamais en parler, sans jamais avouer combien la vie leur apparaissait meilleure de l'autre côté du lac.

— Tu ne te demandes jamais... comment c'est... d'habiter là-bas ?

— Si, répliqua Mick.

— Moi aussi.

— J'y ai goûté ces derniers temps. Avec Jenny.

— Oui ? Et alors ?

— C'est agréable. Mais dangereux. Je préférerais presque ne pas savoir comment c'est, parce que ça ne durera pas.

— Peut-être que si.

Mick en doutait sérieusement, mais à quoi bon le dire à son frère ? Celui-ci semblait heureux de l'imaginer au milieu de ces maisonnettes aux couleurs pastel, ces canoës, ces pots de fleurs suspendus.

— Peut-être, concéda-t-il.

Puis Wayne leva les yeux vers le ciel d'azur où dérivaient quelques nuages cotonneux. Il le fixa intensément, comme quelqu'un qui, visionnant un film, est fasciné par ce qui se déroule sur l'écran.

— Tu vois ça ? Qu'est-ce que c'est beau !

Ses paupières se fermèrent, un souffle léger s'échappa de ses lèvres... et il se figea.

Le cœur de Mick se contracta violemment.

— Merde, chuchota-t-il. Mon Dieu !

Il s'était cru préparé, mais il ne s'était pas attendu que cela se produise *maintenant*, en pleine conversation.

Il songea aux ultimes paroles de son frère. Faisait-il allusion à la beauté du ciel ? Avait-il vu une lumière blanche, ou peut-être la main de Dieu ? Si oui, était-ce réel ou une simple hallucination ? Lui-même ne connaissait que l'étrange brutalité de la mort.

Qui se souviendrait de Wayne ? Qui se rappellerait qu'il pouvait être drôle, qu'il était doué en maths, qu'enfant il adorait les chevaux, mais n'avait jamais eu l'occasion d'en monter un ? Ce serait comme si Wayne n'avait jamais existé – d'autant que vu les circonstances, Mick ne pouvait même pas lui offrir une tombe convenable.

— Moi, je ne t'oublierai jamais, murmura-t-il, juste avant que les larmes débordent.

Il avait dû faire appel à toute sa volonté pour fermer le couvercle du cercueil qu'il avait fabriqué durant l'été. Pour le descendre en terre à l'aide du système de cordes et de poulies qu'il avait fabriqué. Pour combler la fosse.

Le chagrin l'étouffait, vibrait dans sa poitrine à chaque pas, chaque mouvement.

Une fois sa tâche accomplie, il s'assit devant la tombe fraîche et resta là un long moment. Des heures. Sans trop savoir pourquoi.

Attendait-il la tombée de la nuit ? Redoutait-il de retourner dans la cabane parce qu'il savait combien elle lui paraîtrait vide ? Peut-être rechignait-il tout simplement à abandonner Wayne dans ce trou. Il n'arrivait pas à croire qu'il avait *enterré* son frère. Pelletées après pelletées !

Les genoux repliés contre son torse, il enfouit les doigts dans le petit monticule de terre fraîche devant lui. Il se demandait si Dieu existait. S'il avait pitié des pêcheurs comme son frère lorsqu'ils mouraient. Et des pêcheurs comme lui.

Levant les yeux pour scruter le ciel entre les arbres entourant le minuscule cimetière familial à un jet de pierre de la maison, il constata que le ciel virait au violet. Enfin, le crépuscule ! Il voulait que la nuit vienne vite, très vite, afin qu'il puisse se rendre chez Jenny. Au fond, peut-être était-ce *cela* qu'il avait attendu tout ce temps. Car seule la pensée de Jenny lui apportait bonheur et réconfort.

15

La gravitation ne peut être tenue pour responsable du fait que les gens tombent amoureux.

ALBERT EINSTEIN

Jenny avait passé sa journée à accomplir des tâches dignes d'une habitante de Destiny. Elle était déprimée. Sans nouvelles de Mick depuis une semaine, elle avait décidé de se changer les idées. Pas question de rester sans rien faire, à se languir d'un homme.

Elle avait donc confectionné des muffins – aux bleuets et aux pommes – et en avait emporté un plein panier au poste de police, pour son père et ses collègues. Walter l'avait embrassée sur le front en guise de remerciement. Il était encore tendu, mais faisait des efforts, indéniablement.

Elle s'était ensuite rendue à la boutique de vêtements et s'était offert une robe bain de soleil à l'imprimé audacieux mandarine et jaune, ainsi qu'un châle. De là, elle avait fait un saut à l'agence immobilière au coin de la rue pour inviter Sue Ann à un déjeuner impromptu. En chemin, elles s'étaient arrêtées pour saluer Amy dans sa librairie.

De retour au chalet, elle avait porté un deuxième panier de muffins à Miss Ellie qui avait insisté pour lui offrir un thé glacé. Quand la vieille dame lui demanda si elle avait décidé où elle irait à la rentrée, elle avait souri.

— Je vais peut-être rester.

— Ah ! avait approuvé Miss Ellie. Prier vous apaise l'âme.

— Non, rectifia Jenny. Je vais peut-être *rester*. Ici, à Destiny. Pour enseigner.

Miss Ellie parut surprise.

— Prier est une chose, ma chère, mais je ne suis pas sûre que tu sois faite pour prêcher. Laisse donc le révérend Marsh s'en charger et réfléchis à ton avenir.

Jenny avait passé la fin de l'après-midi à jardiner. Après la pluie, l'herbe avait poussé d'un seul coup. La veille, elle avait appelé l'entreprise Becker afin qu'on lui envoie quelqu'un pour tondre la pelouse. Elle s'était débrouillée pour ne pas être là, au cas où Adam se présenterait en personne : elle préférait l'éviter, si séduisant soit-il. Pour le reste – arracher les mauvaises herbes, tailler les rosiers –, elle pouvait s'en charger elle-même. Ce qu'elle avait fait après avoir fourré la balançoire cassée dans la poubelle.

Comme chaque soir depuis huit jours, elle était chez elle. Au cas où Mick lui rendrait visite.

Au temps pour elle, qui ne voulait soi-disant pas rester sans rien faire, à se languir d'un homme !

L'absence de Mick pouvait signifier deux choses. La première : Soit Wayne était sur le point de mourir. Soit il était déjà mort et Mick était parti sans même lui dire au revoir.

Ils n'avaient jamais évoqué la façon dont les choses se passeraient après le décès de Wayne. Était-il possible que Mick ait regagné Cincinnati à bord de son pick-up ? Que deviendrait-elle si elle l'attendait tous les soirs jusqu'à la fin de l'été et qu'il ne venait pas ?

Tu survivras. Tu remettras cette histoire à la place qui lui revient, celle d'une banale aventure.

Après s'être rincé les mains au robinet près du porche, elle alla se chercher une canette de soda bien fraîche.

« Mais tu l'aimes. Tu l'aimes tellement que tu ne parviens plus à penser correctement. Ce n'est donc pas si simple », argua-t-elle.

Épatant ! Non seulement elle se parlait à elle-même, mais en plus, elle se contredisait.

Cela dit, quelle importance ? Parce que, qu'elle l'aime ou pas, s'il était parti, elle n'y pouvait rien.

Poussant un soupir las, elle se laissa tomber sur une chaise.

Elle avait aimé Terrence, mais avec Mick, c'était différent. Terrence avait été sa première passion, dans son cas tout allait tellement de soi qu'elle avait renoncé à ses rêves pour lui sans ciller. Avec Mick, en revanche, rien n'allait vraiment de soi, pourtant son absence creusait un vide dans son existence. Et le besoin qu'elle avait de lui était tel qu'il en devenait physiquement douloureux.

Elle avait toujours su qu'il quitterait Destiny, mais, mon Dieu, pas sans lui dire au revoir ! C'était essentiel pour qu'elle puisse tourner la page. Elle voulait avoir une chance de lui dire combien elle lui était reconnaissante de tout ce qu'il lui avait apporté. Peut-être même avait-il besoin de l'entendre. Elle aimait à penser que leur rencontre avait un peu adouci sa vie.

On frappa à la porte et elle sursauta. La silhouette de Mick se découpait sur le seuil. *Neuf jours*. Elle avait essayé de ne pas les compter, sans y parvenir. Le cœur tambourinant dans la poitrine, elle alla lui ouvrir.

Son tee-shirt et son jean, de même que son visage et ses bras, étaient maculés de terre, sa peau humide de transpiration. Il avait un regard las, hanté.

— Mon Dieu, Mick ! souffla-t-elle en lui prenant la main pour le tirer à l'intérieur. Entre.

— Il est parti, articula-t-il d'une voix blanche.

— Je sais, chuchota-t-elle. Viens… suis-moi.

Elle l'entraîna à travers le salon jusqu'à l'escalier, bouleversée et honteuse de s'être apitoyée sur elle-même alors qu'il était en train de traverser la pire des épreuves. Pas une fois il ne lui était venu à l'esprit que Mick devait non seulement aider son frère à mourir, mais qu'ensuite, il lui faudrait *l'enterrer*.

Il avait l'air à bout, physiquement et moralement.

Sans un mot, elle l'emmena dans la salle de bains, ne lâchant sa main que pour écarter le rideau de douche et ouvrir les robinets. Puis, toujours en silence, elle entreprit de le déshabiller.

Comme elle attrapait le bas de son tee-shirt pour le passer par-dessus sa tête, il leva les bras tel un enfant. Elle délaça ses chaussures, attendit qu'il s'en débarrasse, et quand elle s'attaqua à sa braguette, ce fut un geste plus amoureux que sexuel.

À présent il se tenait devant elle, magnifique dans sa nudité, mais le regard toujours aussi vide.

Elle se dévêtit à son tour, rapidement, avant d'entrer dans la douche et d'inviter Mick à la rejoindre. Elle n'avait qu'une idée en tête : le laver de toute cette terre, l'aider à oublier ce qu'il avait ressenti en ensevelissant son frère.

Perclus de douleurs, Mick était à bout de forces. Il avait l'impression d'avancer dans la brume. Il s'empara de la main que Jenny lui tendait.

Elle était devant lui, aussi belle qu'un ange, et il avait envie d'elle comme jamais. Pourtant, il avait le sentiment d'être dans un rêve ; il était presque… paralysé.

Quand elle prit les choses en main, il la laissa faire. Elle le positionna sous le jet, saisit un savon parfumé et se mit à le lui passer sur le torse et les épaules. Il tenta de savourer ce contact mais les images déferlaient dans son esprit, des images de Wayne vivant, mort, bavardant, se taisant, puis devenant une sorte de carcasse creuse qu'il avait fallu enterrer au plus vite avant que la chaleur la décompose.

Jenny fit glisser la savonnette le long de ses bras, à l'extérieur et à l'intérieur, sur son ventre, et plus bas... Il ne réagit pas. Peut-être aurait-il dû en être gêné, songea-t-il furtivement, mais il ne voyait que Wayne. Et ces tonnes de terre.

Il tressaillit lorsqu'elle voulut lui laver les mains.

— J'ai des ampoules, marmonna-t-il.

Leurs regards se croisèrent.

— Désolée, souffla-t-elle.

Elle examina l'une de ses paumes, la porta à ses lèvres pour y déposer un baiser tendre. Petit à petit, la sensation d'engourdissement s'estompait, la douleur aussi. Grâce à Jenny. Après lui avoir shampouiné et rincé les cheveux, elle se plaça derrière lui, l'enlaça et se pressa contre son dos. Il lui serra les mains – timidement, à cause de ces fichues ampoules –, et comme l'eau continuait à couler, il s'autorisa à pleurer de nouveau.

Jenny n'avait jamais été une championne du maternage. Mais le regard de Mick l'avait bouleversée. À présent, allongés nus entre les draps frais, il dormait dans ses bras. Ils n'avaient pas fait l'amour. Elle l'avait simplement conduit jusqu'au lit et serré contre elle.

Elle profita d'un rayon de lune qui filtrait à travers la fenêtre pour étudier le visage de Mick au repos. Longs cils noirs, traits réguliers, bouche sensuelle, même dans la douleur, il était beau.

Une fois assurée qu'il dormait profondément, elle s'écarta de lui et sortit du lit avec précaution. Elle enfila une culotte et un débardeur, puis gagna la salle de bains sur la pointe des pieds. Sans allumer, elle ramassa les vêtements de Mick et descendit à la buanderie. Elle régla la température de l'eau au maximum. Pendant que la machine tournait, elle nettoya sa ceinture et ses chaussures avec un chiffon humide. Elle alla ensuite inspecter le contenu de son réfrigérateur, et y découvrit avec satisfaction des œufs et même du lard. Demain matin, elle lui préparerait un copieux petit déjeuner. Il n'avait sûrement rien avalé depuis un jour ou deux. Pendant le cycle d'essorage, elle prépara deux assiettes, deux verres et la vieille poêle à frire préférée de sa mère.

Le jean, le tee-shirt et le caleçon étaient propres – étonnamment, vu leur état d'origine. Elle fourra le tout dans le sèche-linge avant d'éteindre les lumières du rez-de-chaussée et de rejoindre Mick.

Comme elle s'allongeait près de lui, il changea de position, enroula le bras autour de sa taille et posa la tête sur sa poitrine. Elle lui caressa les cheveux, avant de sombrer dans un sommeil profond et réconfortant.

Quand elle ouvrit les yeux, la pièce était inondée de soleil et Mick la contemplait. Elle se réjouit de l'avoir près d'elle au réveil, tout en regrettant la raison pour laquelle il pouvait désormais passer la nuit avec elle.

— Ça va ?

— Ça va, répondit-il.

— Tant mieux.

Il lui caressa la joue.

— Merci. Pour hier soir.

— Tu n'as pas besoin de me remercier, dit-elle d'une voix douce.

Il déglutit, visiblement ému.

— Si. Peu de personnes ont été aussi bonnes avec moi, Jenny.

— Tu le mérites pourtant autant que n'importe qui.

— Tu es adorable, soupira-t-il, l'air encore terriblement las.

— Tu as faim ? J'ai des œufs et du bacon.

Il opina, d'abord hésitant, puis avec vigueur.

— Oui... oui, ce serait bien... Mais je ferais mieux de m'habiller sans quoi je risque d'effrayer tes voisins en passant devant une fenêtre.

— Tes vêtements sont dans le sèche-linge.

Il parut sidéré.

— Tu les as lavés ?

— Oui.

— Quand ?

— Cette nuit.

— Tu ne cesses de me surprendre, Minou.

Elle aurait voulu sourire, mais en fut incapable. Il avait beau s'efforcer de se comporter normalement, il semblait accablé de chagrin.

— Est-ce que je peux faire quelque chose pour t'aider, Mick ?

— Tu le fais déjà, mon ange, murmura-t-il en posant la main sur son ventre, par-dessus son débardeur à pois. C'est juste que j'ai comme une impression de... d'inachevé, ajouta-t-il en laissant errer son regard vers la fenêtre et le lac au-delà.

— Que veux-tu dire ?

— Je l'ai enterré et je l'ai laissé là. Point final. Des types bien plus mauvais que lui ont eu droit à... un semblant de funérailles, tu sais.

Jenny frémit. Elle n'y avait pas songé.

— On pourrait peut-être s'en charger, toi et moi, suggéra-t-elle.

Il fronça les sourcils, incrédule.

— Tu crois ?

— Bien sûr.

— Comment ?

Elle n'était guère inspirée, d'autant qu'elle détestait les enterrements. Mais pour Mick, elle était prête à tout.

— Laisse-moi réfléchir, répondit-elle en roulant sur le dos. Wayne avait-il une chanson préférée ?

— Le groupe AC/DC. *Highway to Hell.*

Jenny poussa un soupir. Elle avait une idée.

Tels des faisceaux divins, des rayons de soleil transperçaient les feuillages pour éclairer la tombe de Wayne. Jenny appuya sur la touche *Play* de son ghetto-blaster et les premières notes de *Highway to Hell* jaillirent des haut-parleurs. Bientôt, la voix reconnaissable entre toutes de Bon Scott s'éleva, et l'enfer et le paradis se rapprochèrent l'un de l'autre dans les bois près du lac de Blue Valley.

Après le petit déjeuner, Jenny avait laissé Mick à la maison et s'était précipitée chez Sue Ann pour lui emprunter une vieille cassette du groupe AC/DC que son amie avait conservée dans un fond de tiroir. Elle avait ensuite déterré quelques plants d'œillets roses et d'impatiens blancs. D'après son expérience, l'un et l'autre appréciaient les terres riches – et puis, c'était tout ce qu'elle avait sous la main. Aux autres accessoires déjà préparés dans un carton, elle avait ajouté la bible qui avait eu sa place sur l'autel en mémoire de sa mère. Ils avaient tout mis dans la barque et traversé le lac, au risque qu'on les remarque. C'était peu probable car c'était une matinée calme en pleine semaine.

Une fois dans le petit cimetière, près de la cabane, elle découvrit une douzaine de stèles, certaines de travers, d'autres érodées par le temps. Toutes portaient les noms de divers Brody, et les dates gravées dessus remontaient au début du siècle dernier. Elle contempla la croix que Mick avait façonnée à l'aide de morceaux de contreplaqué. Un imperceptible sourire flottait sur les lèvres de ce dernier, et elle s'en étonna.

— Je me disais que Wayne aurait adoré ça... un enterrement au son des AC/DC.

— J'en suis ravie, avoua-t-elle en souriant à son tour.

À la fin de la chanson, elle arrêta l'appareil.

— Et maintenant ? s'enquit Mick.

Elle leva les yeux sur lui.

— Tu veux prononcer quelques mots ?

Il réfléchit brièvement.

— Wayne sait que je l'aimais et qu'il me manquera. C'est suffisant.

— Je ne le connaissais pas, mais si tu l'aimais, je suis certaine que c'était un type bien.

Il inclina la tête de côté.

— Je n'irais pas jusque-là. Disons qu'il n'a jamais voulu blesser personne et qu'il a fait de son mieux. Et maintenant ? répéta-t-il en tournant les yeux vers la tombe.

— Tu veux... prier ?

— Je n'en sais rien. J'ignore comment on fait. Je n'ai jamais prié.

Inexplicablement, cet aveu attrista la jeune femme.

— Tu veux que moi, je prie ?

— D'accord.

Elle serra la main de Mick dans la sienne et ferma les yeux.

— Dieu Tout-Puissant, nous sommes ici pour te confier l'esprit de Wayne. Nous te prions de donner à son frère, Mick, la force et le courage de le laisser entre tes bras et croyons en ta promesse d'une vie éternelle à travers Jésus Christ, notre Seigneur. Amen.

Lorsqu'elle rouvrit les yeux, Mick la fixait d'un air stupéfait.

— Mince ! C'était... super. Où as-tu appris ça, Minou ?

— À l'église de Destiny.

— Ah !

Elle se pencha pour récupérer la bible dans le carton à ses pieds.

— J'ai pensé que je pourrais lire quelques lignes.

Elle feuilleta le livre saint, trouva la page qui l'intéressait, puis lut le psaume XXIII.

Ensuite, ils observèrent une minute de silence.

— C'était très beau, murmura Mick. Et à présent ?

— Tu veux m'aider à planter les fleurs ?

Il acquiesça, et tous deux s'agenouillèrent pour s'atteler à la tâche.

— C'est une bonne idée, déclara Mick. Comme il n'y aura pas de pierre tombale, ça prouvera que... quelqu'un est là, même si la croix finit par pourrir.

Ils s'activèrent en silence, avec le pépiement des oiseaux et le bourdonnement des insectes en arrière-fond. Jenny s'efforçait de ne pas penser à la dépouille de Wayne sous ce monticule de terre.

— J'ai apporté un arrosoir. Si tu peux m'indiquer un robinet, je les arroserai avant que nous partions.

Elle se redressa et s'empara du petit arrosoir.

— Attends.

Elle tourna la tête, constata qu'il était toujours à genoux.

— Quoi ?

— J'aimerais te dire quelque chose.

Elle opina.

Mick fixa la tombe, visiblement ému. Lorsqu'il reprit la parole, sa voix était affreusement sourde.

— Quand j'étais petit et que j'avais peur dans cette maison – peur des bruits dehors ou des cris de mes parents –, Wayne m'entourait les épaules du bras et me rassurait. En ce temps-là, il était le meilleur des grands frères.

Retenant un sanglot, Jenny se pencha pour agripper la main de Mick.

— Repose en paix, Wayne, murmura-t-elle.

Quand Mick déclara à Jenny qu'il avait des trucs à faire dans la cabane et proposa de la raccompagner chez elle, puis de revenir seul, elle insista pour lui donner un coup de main. Il lui expliqua qu'il voulait surtout emballer les affaires de Wayne, mettre ses vêtements et ses draps dans des sacs-poubelle afin de les porter à la déchetterie.

Elle fut sidérée de constater à quel point la maison était petite. Quel calvaire cela avait dû être de vivre dans un espace aussi étriqué avec des parents qui les maltraitaient ! Elle s'efforça d'ignorer combien l'ensemble était délabré. Certains murs étaient inachevés, si bien que la charpente était encore visible.

Tandis que Mick vidait le mini-réfrigérateur de toutes les provisions périmées ou destinées à Wayne, elle commença à avoir du mal à respirer. Elle aurait voulu pouvoir mettre ce malaise sur le compte de la chaleur, mais depuis l'épisode pluvieux qui avait eu lieu quinze jours auparavant, le temps était agréable. *Mince, qu'est-ce qui m'arrive ?*

Quand elle aida Mick à retirer les draps du lit médicalisé de location, un étau se resserra autour de sa poitrine et elle faillit fondre en larmes. *Bon sang, ressaisis-toi !*

Ce fut encore pire lorsqu'ils entreprirent de fourrer les vêtements de Wayne dans un sac-poubelle.

— Je les donnerais volontiers au Secours populaire, dit Mick, mais Wayne les a portés pendant sa maladie.

Il s'attaqua ensuite à un petit placard – quelques étagères protégées par un rideau.

— Ça m'ennuie de jeter ces pêches, grommela-t-il. Mais je ne supporte plus la vue de fruits en conserve. Tu les veux ?

Il lui expliqua que, sur la fin, Wayne ne se nourrissait pratiquement plus que de pêches.

— Je pourrais m'en servir pour des tartes ou des *crumbles*, murmura-t-elle en ravalant ses larmes. Sinon, je les déposerai à la collecte de nourriture au moment des fêtes.

Il pivota vers elle.

— J'aurais dû me douter que tu songerais à une solution de ce genre, Minou... Que se passe-t-il, mon ange ? s'inquiéta-t-il.

— Les funérailles me font toujours cet effet-là.

Ce n'était pas un mensonge.

Le regard de Mick s'adoucit.

— J'imagine que ça te rappelle ta maman.

— Oui. Et... et j'ai du mal à supporter l'idée que tu es désormais seul au monde, sans famille.

Cela non plus, ce n'était pas un mensonge. C'était même une vérité on ne peut plus brutale.

Il paraissait aussi solide et fort qu'avant ces deux derniers jours, et elle était rassurée de le voir rebondir aussi vite.

— Wayne a dit quelque chose du même genre, avoua-t-il. Mais je me suis *toujours* senti seul, ajouta-t-il, comme si ce n'était pas grand-chose.

— Que veux-tu dire ?

Il haussa les épaules.

— Je t'ai déjà parlé de mon père et de ma mère. J'aimais Wayne, mais il était… différent de moi. Il avait un côté obscur. Je l'ai suivi dans cette voie un moment parce que je n'avais personne d'autre, mais au fond, on ne se ressemblait guère. Voilà pourquoi j'ai toujours été plus ou moins seul.

— Eh bien, je n'aime pas cette idée, s'entêta-t-elle.

Une lueur s'alluma dans le regard de Mick.

— Ces derniers temps, je ne me suis pas senti seul, mon ange, dit-il d'une voix douce. Pas depuis que je te connais. Tu m'as sacrément aidé dans cette épreuve.

— Mais c'est fini, maintenant, articula-t-elle.

Bien sûr ! Voilà pourquoi elle avait la gorge nouée. Et cette atroce envie de pleurer.

— Ne t'inquiète pas pour moi, Minou. Je suis un grand garçon. Je m'en sortirai.

Peut-être pas moi. À l'évidence, Mick avait accompli sa mission, et se débarrasser des affaires de son frère était la dernière étape avant son départ. Jenny décida de lui confier son désarroi. En partie seulement.

— Peut-être que mon abattement est dû au fait que, moi aussi, je me sens seule au monde.

Mick afficha une expression où la compassion se mêlait au doute. Elle comprenait pourquoi. Comparée à lui, elle avait tout pour être heureuse. Il s'avança vers elle, encadra son visage de ses mains.

— Comment peux-tu te sentir seule, mon ange ? Tu as ton père, ton amie Sue Ann, tous ces voisins de l'autre côté du lac qui tiennent à toi.

— Tu as raison, reconnut-elle, un peu honteuse. Mais j'ai parfois l'impression que tous ceux que j'aime s'obstinent à… m'abandonner. Même si ce n'est pas leur faute. Maman. Terrence. Flocon.

— Minou, Flocon n'était pas un être humain.

— Mais je l'aimais tant !

Elle baissa les yeux et secoua la tête, franchement embarrassée. Elle se comportait comme la gamine que son père avait voulu qu'elle soit depuis son retour. Le fond du problème était pourtant évident : Mick allait l'abandonner à son tour. Elle en avait le cœur déchiré d'avance.

Elle eut beau faire, une larme solitaire roula sur sa joue. Mick l'entoura de ses bras.

— Je n'aurais pas dû t'impliquer autant dans tout ça – la mort de Wayne, venir chez toi hier soir dans l'état où j'étais.

— Non, Mick, répliqua-t-elle avec véhémence. Je voulais t'aider, te soutenir, être là pour toi de toutes les manières possibles.

Leurs regards se verrouillèrent, et elle se noya dans le sien avant qu'il ne s'empare de ses lèvres avec douceur.

— Merci de m'avoir accueilli, Minou.

Elle ravala ses larmes.

— Tu... reviens avec moi sur l'autre rive ? Tu dors chez moi cette nuit ?

Pourvu qu'elle ne paraisse pas trop en manque d'affection ! s'inquiéta-t-elle. Mais peut-être avait-il prévu de partir *immédiatement*. Après tout, ils n'avaient jamais évoqué ses projets, et cette cabane était en quelque sorte une scène de crime.

Il acquiesça, et le soulagement la submergea.

— J'ai aimé dormir avec toi cette nuit. Toute la nuit, je veux dire.

— Moi aussi, avoua-t-elle avec un sourire.

— Ce soir, je ne me contenterai pas de dormir.

En s'enfonçant dans sa moiteur, Mick eut le sentiment d'être là où il devait être. Cette pensée l'affola, mais il n'y pouvait rien.

— Mmm ! Que c'est bon d'être en toi, murmura-t-il.

Elle se cambra à sa rencontre. Et tandis qu'il commençait à aller et venir en elle, Mick se rendit compte que le lien qui les unissait n'était pas uniquement physique. Jamais il n'aurait pu laisser une autre femme qu'elle prendre soin de lui comme elle l'avait fait, être témoin de sa détresse. Mais avec Jenny, il ne s'était même pas posé la question. Il s'était précipité chez elle lorsqu'il en avait ressenti le besoin, et elle l'avait reçu à bras ouverts.

Elle était si différente de toutes les filles qu'il avait connues. Si douce, si aimante, si généreuse. Et sur le plan sexuel, il semblait ne pas pouvoir se rassasier d'elle.

Il accéléra le rythme. Il voulait se perdre en elle. Il la voulait tout entière, corps et âme, pour…

Merde ! La révélation lui fit l'effet d'un coup de massue.

Paupières closes, mâchoires serrées, il se laissa engloutir dans le gouffre sans fond de la jouissance.

Quand il remonta enfin à la surface, il murmura :

— Je t'aime, Jenny.

16

En suivant la lumière du soleil nous avons quitté le Vieux Monde.

INSCRIPTION SUR LES CARAVELLES
DE CHRISTOPHE COLOMB

Jenny paraissait stupéfaite. Merde ! qu'est-ce qu'il lui avait pris ?

— Désolé, ça m'a échappé. Faisons comme si je n'avais rien dit.

Il la délesta de son poids et bascula sur le dos. La tête renversée, il essaya d'apercevoir la lune ou quelques étoiles par la fenêtre au-dessus du lit. Déjà, il comptait sur les astres pour l'aider à relativiser ses problèmes.

Quelle mouche l'avait piqué de dire une telle chose ?

Il sentit la main de Jenny sur son bras. Elle s'était tournée sur le côté.

— Non, Mick, souffla-t-elle. Moi aussi, j'ai eu envie de te le dire, mais j'avais peur.

Ah ! Voilà qui changeait tout. Les battements de son cœur ralentirent. Tout allait bien. Sauf pour un détail.

— Je ne veux plus que tu aies peur de moi, Minou.

— Je n'ai plus peur de toi depuis longtemps. J'ai simplement craint de te faire fuir si je te faisais un tel aveu.

En vérité, avant aujourd'hui, peut-être aurait-il pris ses jambes à son cou. Mais ces deux derniers jours – non, cette dernière semaine – avaient tout changé. Il avait regardé son frère mourir. Il avait souffert à ses côtés. Et Jenny l'avait soutenu, réconforté, arraché à son désespoir.

— Je t'ai désirée toute ma vie, confessa-t-il à voix basse.

Dans le regard de Jenny, il lut un mélange d'étonnement et de joie.

— Vraiment ?

Il opina et, roulant sur le flanc, il attira son corps nu contre le sien.

— Tu étais la fille parfaite, et... inaccessible. La vérité, c'est que tu es beaucoup plus que cela, Jenny, plus généreuse, plus douce, plus sexy que tout ce que j'avais imaginé à l'époque. Tu n'es pas qu'un joli visage, tu es... tout ce dont un homme peut rêver chez une femme.

Jenny avait un mal fou à respirer. Alléluia ! Mick l'aimait aussi. Elle n'en revenait pas. Mick Brody, le mauvais garçon, était amoureux d'elle. En l'espace d'un éclair, l'horizon s'éclaircit : elle n'était plus seule.

— Tu peux me le dire aussi, si tu veux.

— Te dire quoi ?

— Ce que je viens de te dire.

— Oh ! fit-elle en souriant, certaine qu'il n'avait jamais fait une pareille suggestion à une femme avant elle. Je t'aime, Mick. Je t'aime. Je t'aime. Je t'aime.

Il ferma les yeux, comme s'il savourait l'instant.

— J'ai encore envie d'être en toi, chuchota-t-il.

— Tu es le bienvenu.

— Seulement, il va falloir que tu m'aides. Je suis plutôt doué, mais...

— Pas tant que ça, le taquina-t-elle.

— ... mais cette journée m'a épuisé.

— Je suis à ta disposition, mon cher.

Il s'esclaffa, puis se pencha pour couvrir son cou et sa poitrine de petits baisers tendres. Elle enroula une jambe autour de sa taille.

— T'ai-je dit ce que je préfère chez toi ?

— Non...

il fit glisser son pouce sur le bout de son sein.

— J'adore la façon qu'ont les pointes de tes seins de durcir dès qu'on les frôle.

— Quoi d'autre ?

— J'adore ton ventre si doux. Et ce grain de beauté à côté de ton nombril. Et j'adore que tu deviennes toute moite dès que je te touche.

— Apparemment, les mots sont aussi efficaces, l'informa-t-elle.

Les pupilles de Mick se dilatèrent de désir.

— Tant mieux.

Et soudain, spontanément, elle avoua :

— Tu m'as permis de reprendre confiance en moi. Au lit, j'entends.

— Tu es une amante fabuleuse, Jenny. La meilleure des meilleures.

Jenny le poussa doucement sur le dos, et traça un chemin de baisers de son torse à son ventre, puis plus bas. Elle n'aurait su dire si elle voulait ainsi le remercier de lui avoir avoué son amour, le préparer à la suite, ou si elle agissait par pur instinct, toujours est-il que lorsqu'elle referma sa bouche sur son sexe, ce fut son cœur qui parla.

Le lendemain matin, elle dénicha l'ancien gaufrier de sa mère au fond d'un placard et découvrit qu'il était encore en état de marche. Cette nuit à la fois torride et romantique avec Mick lui avait donné envie de préparer un petit déjeuner exceptionnel.

Tout lui apparaissait sous un jour nouveau. Comme s'ils avaient entamé une nouvelle phase dans leur relation. Sans aller jusqu'à se réjouir de la mort de Wayne, force lui était de constater que celle-ci semblait avoir libéré Mick.

Ils venaient de laver la vaisselle ensemble quand elle se rendit compte que le climatiseur faisait encore des siennes.

— Je vais devoir rappeler papa, annonça-t-elle d'un ton presque enjoué.

L'expression de Mick la ramena brutalement sur terre.

— Je suis sûr qu'il sera enchanté de me trouver ici.

Ah ! Bien vu. Elle fit la moue, réfléchit.

— Ma foi, il est peut-être temps. Maintenant que Wayne… n'est plus, ce n'est pas vraiment un problème. Après tout, tu n'as rien à cacher. Bon, d'accord, tu ne l'as pas franchement épaté par le passé, mais au moins, nous n'avons plus à craindre qu'on t'arrête sous prétexte que tu héberges ton frère.

Il haussa les épaules.

— Possible. N'empêche que je ne trouve pas que ce soit une bonne idée.

Bien sûr, il ignorait que son père était au courant de l'affaire et avait promis de ne pas intervenir. Elle n'avait du reste pas l'intention de le lui dire. À quoi bon l'alarmer ? D'autant que pour la première fois depuis leur rencontre dans les bois au début de l'été, il paraissait complètement détendu.

— Comme tu voudras, concéda-t-elle. En ce qui me concerne, je ne suis pas inquiète.

— Oui, eh bien, ce n'est pas toi qui as commis le crime, Minou. En outre, je suis tout à fait capable de le réparer, ton appareil.

Elle avait oublié qu'il avait travaillé pour un chauffagiste. D'un geste, elle lui indiqua la buanderie.

— Je t'en prie.

Cinq minutes plus tard, alors qu'elle essuyait les assiettes, il réapparut pour lui annoncer qu'il devait remplacer une pièce.

— Tu as déjà diagnostiqué la panne ?

— Oui. Rien de grave. Une petite corrosion qui empêche deux parties de s'emboîter correctement. Pas facile à détecter à moins de savoir où chercher.

Il essuya ses mains sur son jean.

— De toute façon, il faut que j'aille à Crestview aujourd'hui. Je dois rendre le lit médicalisé, et c'est tout près d'un magasin de bricolage. J'en profiterai pour y faire un saut.

— Tu veux que je t'accompagne ?

Il parut agréablement surpris.

— Tu plaisantes ? Tu as déjà emprunté la route qui mène de chez moi à la nationale ? Une demi-heure de virages et de nids-de-poule.

— Et alors ? Quelques ornières ne m'effraient pas. Et puis... j'aime être avec toi.

Un sourire illumina le visage de Mick.

— Dans ce cas, pourquoi pas ?

Ils passèrent le reste de la matinée à traverser le lac à la rame, charger le lit à bord du pick-up de Mick, un modèle Ford récent qui correspondait parfaitement à la description de Willie Hargis. Elle se surprit à espérer que ce dernier ne les remarquerait pas aujourd'hui, puis se rappela que cela n'avait plus d'importance. Son père avait tenu parole, et Mick n'avait plus rien à se reprocher.

Il avait raison, le trajet se révéla particulièrement inconfortable, et elle comprit mieux pourquoi il n'avait pas réussi à vendre la propriété. On aurait dit que les Brody avaient choisi l'endroit le plus isolé, le plus escarpé de la région pour y construire leur maison. Le lieu où Mick avait grandi était totalement coupé du reste de Destiny.

Plus ils avançaient, plus la curiosité la rongeait. À propos d'eux en tant que couple. La veille, ils avaient échangé des « je t'aime » et elle en était ivre de bonheur. Restait une question d'envergure. Et l'avenir, dans tout cela ? Jusque-là, elle avait résisté à la tentation d'interroger Mick sur ses projets. À présent, elle sentait qu'elle pouvait se le permettre.

— Maintenant que Wayne n'est plus, commença-t-elle alors qu'il contournait un trou particulièrement profond, que va-t-il se passer ?

— Je ne sais pas encore, Minou.

— Il paraît qu'il y a une maison à louer pas très loin de chez moi. Celle de la grand-tante de Sue Ann. Je pourrais lui dire que je connais quelqu'un qui serait susceptible d'être intéressé.

Mick ralentit, puis immobilisa le véhicule sur une partie plane de la route flanquée d'un côté d'un ravin et de l'autre, d'une colline abrupte. Il dévisagea Jenny comme si elle avait perdu la tête.

— Tu rigoles ? Pas question, Minou. Jamais je ne pourrai vivre ici – les habitants de Destiny me chasseraient à coups de pompes.

Elle ne s'était pas attendue à une telle réaction – à tort. Elle inspira profondément.

— Peut-être pas. Donne-leur une chance. D'autant qu'un lotissement va bientôt voir le jour à la lisière de la ville. Des centaines de maisons. On va avoir besoin de maçons.

Le regard de Mick se fit songeur, et dubitatif.

— Je ne sais pas, mon ange. Je n'avais pas prévu de m'éterniser dans le coin.

— Pourtant, les choses ont changé, non ?

Entre elle et lui.

Il se tourna vers elle.

— Tout ce que je peux te dire, c'est que je vais y réfléchir.

Il allait y réfléchir. L'idée ne lui paraissait pas totalement saugrenue. Tous les espoirs étaient permis.

— Je ne te demande rien d'autre, assura-t-elle en réprimant un sourire.

Il redémarra.

— Et si tu venais avec moi ? suggéra-t-il au détour du virage suivant. À Cincinnati ? Ou ailleurs ? Je sais que tu envisages d'accepter ce poste au lycée, mais tu pourrais en trouver un autre quelque part où personne ne me connaît.

Jenny en resta sans voix. Elle était bouleversée. Il lui demandait la même chose qu'elle, en mieux. Il était en train de lui dire qu'il voulait vivre avec elle.

— Ça pourrait être une solution, je suppose, souffla-t-elle.

Mick gardait les yeux rivés sur la route. Elle devinait que pour lui, construire quelque chose avec une femme, quelque chose qui était destiné à durer, c'était complètement nouveau. Il lui saisit la main et la serra.

— Merci, Minou.

À ses yeux à elle, la suggestion de Mick était plus déstabilisante, parce qu'elle impliquait de se lancer dans une aventure conséquente, un peu au hasard. Toutefois, elle se dit qu'elle n'avait pas le droit de se dérober. Mick Brody lui avait redonné goût à la vie. Pourquoi ne pas le laisser continuer ?

Après avoir fait leurs courses et déjeuné dans un café de Crestview (c'était la première fois qu'ils allaient ensemble au restaurant) ils retournèrent à la cabane de Mick pour y garer son pick-up. Il n'avait plus besoin de se cacher, mais semblait résolu à demeurer discret. Elle n'y voyait pas d'inconvénient pour le moment. Le crépuscule tombait quand ils traversèrent le lac dans l'autre sens. Mick eut le temps de réparer le climatiseur pendant que Jenny grillait des filets de poulet et des épis de maïs sur la terrasse.

Ils firent l'amour dans le salon, tout simplement parce que la chambre leur paraissait trop loin. Blottis dans les bras l'un de l'autre, sur le canapé, Jenny proposa une nouvelle escapade sur la rive sud pour observer les étoiles.

— Tu me prends pour une bête de somme ? grogna Mick. Creuser des tombes, ramer, te satisfaire au lit… j'ai besoin de me reposer de temps en temps, figure-toi.

— Je ramerai. Et tu *es* une bête. De sexe.

Il haussa les épaules.

— Sur ce point, tu as raison, admit-il en l'embrassant sur le bout du nez. Et c'est moi qui ramerai.

Après avoir escaladé les rochers, avant même d'avoir installé son télescope, Jenny s'exclama :

— Regarde ce ciel, Mick !

La nuit était particulièrement claire, et l'heure, idéale pour contempler la Voie lactée dans toute sa splendeur.

Elle lui expliqua que cette galaxie avait la forme d'un disque et que la Terre était tout près de son bord extérieur.

— Et donc, ce que tu vois, ce sont les milliards d'étoiles qui la composent.

— Fascinant, murmura-t-il. Comment se fait-il que je n'ai jamais remarqué tout ça ?

— En ville, la lumière et la pollution masquent tout. En outre, il faut que la nuit soit claire et que ce soit le bon moment de l'année. Enfin, il faut penser à lever les yeux, le taquina-t-elle.

— Je le fais de plus en plus souvent depuis peu, confirma-t-il. Tu as raison, contempler le cosmos aide à relativiser ses problèmes. En tout cas, ça m'a aidé, les derniers jours avec Wayne.

Il l'embrassa, et elle lui rappela, d'un ton léger, que s'ils restaient à Destiny, ils pourraient profiter de ces ciels magnifiques quand bon leur semblerait. Il lui répliqua que si elle venait à Cincinnati, il la tiendrait si occupée au lit qu'elle n'aurait plus assez d'énergie pour observer les étoiles.

Ce soir-là, après avoir admiré Saturne, Vénus et l'Amas d'Hercule, ils s'endormirent tendrement enlacés. Quoi qu'il arrive, elle allait vivre avec Mick. Il ne la quitterait pas.

Elle avait passé l'été à se dire qu'au mois d'août, elle serait probablement seule à pleurer la perte de son amant. Au lieu de quoi, elle avait un homme qui l'aimait et qu'elle aimait et en qui elle avait toute confiance. Un homme grâce auquel elle croyait de nouveau en elle. Un homme qui la chérirait pour toujours.

Le lendemain, Jenny et Mick finissaient leur petit déjeuner – œufs brouillés, saucisses grillées et muffins. En général, elle se contentait d'un jus de fruits et d'un café, mais la présence de Mick l'inspirait. D'autant qu'ils avaient besoin de reprendre des forces après leurs folles nuits d'amour.

— Je dois retourner de l'autre côté du lac ce matin, Minou. J'ai encore des choses à faire là-bas.

— Je t'aurais volontiers accompagné, mais j'ai prévu de déjeuner avec Sue Ann et d'autres amies.

À vrai dire, elle était tellement éprise de lui qu'elle avait envie de passer tout son temps avec lui. Toutefois, elle était assez grande pour savoir qu'on ne délaissait pas les copines pour son amoureux, si sexy soit-il.

— Pas de problème. Je vais continuer à vider la cabane, me débarrasser de détritus qu'on aurait dû jeter depuis des siècles. J'en profiterai peut-être pour dégonfler le matelas pneumatique sur lequel je dormais, puisque j'ai un nouveau lit.

Une lueur coquine dansa dans ses prunelles et elle sentit son ventre se contracter.

— À ce propos, as-tu réfléchi à la possibilité de t'installer à Destiny ? risqua-t-elle.

Il s'adossa à sa chaise et laissa échapper un long soupir.

— S'il ne s'agissait que de toi et de moi, mon ange, je n'hésiterais pas. Malheureusement, ce n'est pas le cas. Et toi ? As-tu réfléchi à la possibilité de venir à Cincinnati ?

Elle acquiesça. Elle avait pesé le pour et le contre. Elle n'était pas complètement opposée à cette idée sauf qu'ici, elle était sûre d'avoir un emploi. Lui aussi, sans doute. C'était un facteur non négligeable. Elle s'était offert une pause durant l'été, mais elle n'était pas riche, loin de là.

— Le hic, c'est que la rentrée des classes est pour bientôt. Je crains de ne pas pouvoir décrocher un autre poste d'ici là. Or mes économies fondent à vue d'œil.

— Je comprends. Je suis dans la même galère depuis que j'ai tout plaqué au mois de mai dernier pour m'occuper de mon frère. J'avais un peu d'argent de côté, mais il ne me reste pratiquement plus rien. Cela étant, ajouta-t-il en se penchant vers elle, je prendrai soin de toi, que tu travailles ou non. Tu peux compter sur moi.

Jenny en fut émue, car Mick n'avait sans doute jamais eu envie de prendre soin de qui que ce soit d'autre que lui jusqu'à présent. Mais elle ne voulait pas dépendre d'un homme. Enfin si, sur le plan sexuel, peut-être. Émotionnel, aussi. Mais pas financier.

— C'est gentil mais, vois-tu, c'est important pour moi de travailler. Et autant ces vacances m'ont fait du bien, autant je suis contente de me remettre à enseigner.

Une partie d'elle-même aurait volontiers tout envoyé balader et déclaré : « D'accord, Mick, je te suis à Cincinnati et nous aviserons ensuite. » Une autre voulait faire ce qui lui plaisait, pour changer. Elle avait renoncé à ses rêves pour Terrence. Elle avait beau aimer Mick passionnément, elle refusait de tout sacrifier pour lui. Le temps était venu d'agir intelligemment, de prendre des initiatives afin que leur relation s'appuie sur une base solide, et durable.

Et puis, ici, elle avait son père. Ses amies. Et cela aussi comptait.

— Très bien, répondit-il en se levant. Si l'idée de partir t'est insupportable, si tu tiens à cet emploi... à ta guise, Minou.

— Tu resterais avec moi ?

Il eut une hésitation imperceptible.

— J'essaie de me convaincre que ce serait une bonne solution.

Elle se leva à son tour, vint se planter devant lui et lui prit les mains.

— Tout se passera bien. Je te le promets. Je ferai tout pour.

— Tu ne peux pas contrôler une ville entière, Jenny.

— Ne me sous-estime pas, Mick Brody, riposta-t-elle en lui martelant le torse du doigt. Je me suis aperçue que je pouvais faire quantité de choses dont je ne me croyais pas capable.

Quelques minutes plus tard, elle l'escortait jusqu'au ponton sans se soucier le moins du monde qu'on les voie ensemble. Au contraire, il était grand temps que les habitants de Destiny découvrent qui étaient la véritable Jenny. Et apprennent que Mick Brody n'était pas celui qu'ils imaginaient.

La matinée était calme, le soleil déjà chaud, et les voisins invisibles. Mick embrassa Jenny et lui assura qu'il serait de retour en fin d'après-midi. Elle le regarda s'éloigner sur le lac, et, de son côté, il ne la quitta pas des yeux.

Elle achevait de ranger la vaisselle du petit déjeuner quand elle entendit une voiture dans l'allée. Un instant plus tard, son père entrait par la porte de la cuisine.

— Bonjour, papa.

Le sourire de Walter était un peu figé, mais, une fois de plus, elle se rendit compte qu'il faisait des efforts.

— Ma fille.

— Tu veux des œufs brouillés ?

— C'est gentil, mais non, merci. J'ai fait un crochet en me rendant au boulot parce que… je ne t'ai pas beaucoup vue ces derniers temps.

Il l'avait évitée depuis qu'elle lui avait révélé son secret. Mais puisque Mick n'avait plus l'intention de la quitter, elle se dit que l'heure était venue de préparer son père à cette idée.

Plaquant un sourire sur ses lèvres, elle lâcha :

— Tu sais quoi ? Mick a réparé le climatiseur. Il se trouve qu'il a travaillé chez un chauffagiste autrefois. Il a remplacé une petite pièce et, d'après lui, l'appareil est comme neuf.

L'expression de son père trahit son embarras. D'un côté, il était soulagé d'apprendre qu'il n'aurait pas à remplacer le climatiseur. De l'autre, il avait du mal à accepter que Mick puisse faire partie de la vie de sa fille. De *leur* vie à tous les deux.

— C'est une bonne nouvelle, je suppose.

— Et autant tout te raconter, enchaîna-t-elle à mi-voix. Wayne est mort il y a quelques jours. Il n'y a plus de secret à garder. C'est fini, personne n'a besoin de savoir ce qui s'est passé.

— *Ça* c'est une bonne nouvelle, déclara-t-il. La meilleure depuis longtemps.

Elle s'approcha de lui.

— Papa, je suis vraiment désolée de t'avoir mis dans une position aussi délicate. Maintenant que c'est terminé, pourrions-nous faire comme s'il ne s'était jamais rien passé ?

Il hocha la tête, l'air mal à l'aise, et elle prit la mesure de ce que garder le silence avait dû lui coûter. C'était un homme de loi, et ce qu'elle lui avait demandé de faire allait à l'encontre de ses principes, de ses valeurs, de sa nature profonde.

— Et merci encore, conclut-elle.

De nouveau, Walter opina, mais il semblait toujours sur ses gardes. Jenny avait espéré que l'annonce du décès de Wayne le rassurerait. Peut-être avait-elle eu tort de lui parler si rapidement de Mick. Mais elle avait voulu se montrer honnête. Et elle en avait assez de chercher à tout prix l'approbation des autres.

La conversation s'orienta vers des sujets plus anodins, le déjeuner à venir avec Sue Ann et les copines, la rentrée des classes. Il parut heureux d'apprendre qu'elle envisageait sérieusement d'accepter le poste de prof de sciences au lycée. Concernant les projets de Mick, elle préféra s'abstenir : elle franchirait cette étape le moment venu.

— Bon, je ferais mieux d'y aller, annonça-t-il enfin.

— On pourrait peut-être manger ensemble un de ces jours ? proposa-t-elle avant qu'il sorte.

— Volontiers, dit-il, mais son manque d'enthousiasme ne lui échappa pas.

Mick avait arrosé les fleurs sur la tombe de Wayne, et était resté assis un moment devant le monticule de terre, à penser à son frère, à leur passé, à son avenir. Il n'était pas du genre à se confier aux morts, pourtant ces quelques instants l'avaient aidé à y voir un peu plus clair.

Pouvait-il être heureux à Destiny ? Il n'en revenait toujours pas de ce qu'il avait dit à Jenny au cours des deux derniers jours. Les mots qui avaient jailli de sa bouche lui semblaient ceux d'un autre. Mais le plus étonnant, c'était qu'il était sincère : il avait envie de vivre avec elle.

Cependant, tout au fond de lui, il avait des doutes. Tout s'était passé si vite. Il l'aimait – la question n'était pas là –, mais Jenny était-elle prête ? Après tout, elle était divorcée depuis peu. Elle avait offert sa virginité à Terrence. Mick n'était que le deuxième homme avec qui elle avait couché.

D'un côté, cela le flattait. De l'autre, il ne pouvait s'empêcher de s'interroger : et si leur liaison n'avait été qu'une façon pour elle de repartir du bon pied ? Une fille comme Jenny pouvait-elle vraiment l'aimer, lui, Mick Brody ? Peut-être n'était-il là que pour l'aider à panser ses plaies. Le temps d'un été.

En fait, ses inquiétudes ne changeaient rien au problème. Pour la première fois de son existence, il était amoureux. Tout à coup, il prenait conscience de l'étrange affliction que cela représentait – il était à la fois heureux et triste. L'idée de s'attacher à quelqu'un l'effrayait, pourtant il ne s'imaginait pas tourner les talons et s'en aller.

Donc, si Jenny tenait à rester à Destiny, il se plierait à son désir. Et si elle voulait l'aimer, il la laisserait faire. Parce que sans elle, sa vie serait un vaste désert. Mieux valait prendre le risque de s'enraciner *ici* que de se morfondre sans elle *ailleurs*.

Du reste, qu'est-ce qui le retenait à Cincinnati ? Il n'y avait guère d'amis – seulement quelques copains avec qui il buvait une bière de temps en temps. Jenny, elle, était entourée de gens qui l'aimaient. L'en éloigner serait égoïste.

« Je vais tenter le coup, décida-t-il. Pour elle. Je vais... m'ouvrir. Me comporter comme le type que je n'ai jamais été, un homme amoureux, attentionné envers la femme de sa vie, un homme qui donne plus qu'il ne prend. » Tandis que ces pensées lui traversaient l'esprit, il se surprit à contempler la croix. Mais, non, cela ne signifiait pas qu'il parlait avec les morts.

Après cela, il avait entrepris de débarrasser la cabane de tout ce qui l'encombrait depuis des années. Il ignorait pourquoi cette tâche lui tenait à cœur dans la mesure où il n'allait pas tarder à abandonner les lieux, mais cela avait un rapport avec la tombe de Wayne. Il ne voulait pas qu'elle soit cernée par les détritus.

Alors qu'il jetait des sacs-poubelle bourrés à craquer à l'arrière de son pick-up, il entendit un bruit de moteur. Il se retourna et aperçut une voiture de patrouille de la police. *Merde !* Son sang se glaça.

Putain, qu'est-ce que ça voulait dire ?

Son esprit s'affola. Pouvait-on encore le mettre en taule pour avoir hébergé son frère ? Une tombe fraîchement creusée derrière la cabane délabrée d'un fugitif était-elle une preuve suffisante ? Exigeraient-ils d'exhumer le corps de Wayne pour s'assurer que c'était bien lui ? Qui conduisait ce véhicule ? Walter Tolliver ou l'un de ses collègues ?

Des années auparavant, il aurait déguerpi sur-le-champ. Aujourd'hui, il savait que fuir ne servirait à rien, sinon à donner l'impression qu'il avait quelque chose à se reprocher. Le cœur battant la chamade, il s'efforça de respirer calmement et de réfléchir.

« Surtout, ne t'énerve pas, mon vieux, se conseilla-t-il. Reste sur tes positions. Joue-la intelligemment. »

Aussi intelligemment que possible, vu les circonstances. Si seulement il avait enterré Wayne plus loin dans les bois et non au beau milieu du cimetière familial ! Il s'était dit que personne n'y viendrait jamais. Pourquoi maintenant ? L'avait-on vu traverser le lac en plein jour ?

La voiture s'arrêta devant sa camionnette, dont l'arrière était face à la maison. Mick continua de charger comme si de rien n'était. Après tout, il n'avait rien à se reprocher. Toutefois, quand le père de Jenny mit pied à terre, il se prépara au pire.

— Mick Brody ? s'enquit Tolliver d'un ton empreint d'un dédain qui ne le surprit pas.

Mick s'immobilisa et se redressa de toute sa hauteur.

— Chef Tolliver, répondit-il.

— Brody, j'irai droit au but. Je sais ce que vous fabriquez ici. Je suis au courant de toute cette foutue histoire.

Merde. L'estomac de Mick se noua. Il croisa les bras, toisa son vis-à-vis.

— Ah, oui ? Et que croyez-vous savoir ?

Tolliver demeura impassible.

— Que votre frère s'est échappé de prison et qu'il est venu ici pour y mourir.

Bon Dieu ! Mick marqua un temps d'arrêt – deux secondes de trop – avant de riposter :

— Allez-y, jetez un coup d'œil. Il n'y a que moi.

— Je sais. Wayne est mort il y a quelques jours. Je suis aussi au courant de votre relation avec ma fille.

Mick balança son poids d'un pied sur l'autre. Il était comme assommé – au point d'en avoir le tournis. Tolliver enchaîna en haussant la voix :

— Écoutez-moi, Brody, écoutez-moi attentivement. Je passerai l'éponge – je vous ai fichu la paix alors que vous hébergiez un homme recherché par les autorités. Bien que cela me coûte, je ne dirai rien. Mais maintenant, je vous demande de ficher le camp et de ne plus jamais revenir. De laisser ma fille tranquille une bonne fois pour toutes.

Mick digéra le tout, la menace, le fait que Tolliver avait patienté jusqu'à aujourd'hui avant d'intervenir.

— Je peux vous demander d'où vous tenez vos informations ?

— Jenny m'a tout raconté.

Le cœur de Mick fit un bond.

— Non. Elle n'a pas pu.

— Si. Comment le saurais-je autrement ?

Mick eut l'impression d'imploser. Tolliver disait-il la vérité ? Il ne pouvait pas y croire mais... en effet, comment le saurait-il autrement ? La colère enfla en lui.

— Depuis quand êtes-vous au courant ?

— Le 4 juillet. Vous avez d'autres questions ? Parce que sinon, vous feriez bien d'aller préparer vos bagages. Je vous veux hors de la ville d'ici la fin de la journée, et je ne veux plus jamais vous croiser. C'est clair ?

Mick soutint son regard sans ciller.

— Comme de l'eau de roche.

Il resta cloué sur place tandis que Walter remontait dans son véhicule, démarrait et disparaissait entre les arbres dans un nuage de poussière. Puis il se laissa aller contre son pick-up, atterré.

Jenny lui avait tout dit ? Voilà des semaines ? Il refusait d'y croire, mais Tolliver en savait tellement, et avait paru si sûr de lui.

Il avait eu confiance en elle. Il avait cru en elle. À ses yeux, elle était... parfaite. Comment avait-elle pu le trahir à ce point ?

Peu importait la raison pour laquelle Jenny s'était confiée à son père. Elle l'avait mis en danger. Ainsi que Wayne. Elle avait mis en péril sa liberté, la possibilité pour Wayne de mourir paisiblement et non pas derrière des barreaux, sans aucun proche pour l'accompagner.

Et surtout, elle ne lui en avait pas soufflé mot.

Si elle avait cédé à un sentiment de culpabilité vis-à-vis de son père, n'aurait-elle pas pu au moins le mettre en garde ? Lui laisser la possibilité de décider lui-même s'il devait partir ou rester ? *Merde ! Merde ! Merde !*

En somme, ce qu'il avait craint se révélait vrai. Jenny ne l'aimait pas tant que ça, pas assez. Elle s'était servie de lui pour restaurer son estime de soi après son divorce. Quel imbécile ! Il aurait dû se fier à son instinct.

« Depuis quand es-tu si faible, Brody ? s'interrogea-t-il. Si faible que tu as cru pouvoir dépendre de quelqu'un ? » Il connaissait la réponse : c'était à cause de Wayne. Assister à l'agonie de son frère l'avait terrassé.

Au début, il avait été conscient qu'il se tournait vers Jenny pour le réconfort qu'elle lui procurait. Que cette épreuve l'avait déstabilisé.

C'est ensuite, qu'il avait tout gâché. En commettant la bêtise de tomber amoureux de Jenny Tolliver – une femme pas si parfaite que ça.

17

C'est ainsi que finit le monde,
Pas sur un Boum, sur un murmure.

T.S. ELIOT

En rentrant après son déjeuner avec Sue Ann, Tessa et Amy, Jenny ne s'inquiéta pas de l'absence de Mick. Il était encore tôt. Mais elle était impatiente de lui annoncer qu'après le départ de Tessa et d'Amy, elle avait demandé à Sue Ann de lui faire visiter la maison de sa tante le lendemain. Et de lui dire aussi que, d'après Sue Ann, une entreprise de Crestview avait décroché le contrat pour la première phase de construction du nouveau lotissement. Elle lui donnerait le nom de la personne à contacter pour une éventuelle embauche. Les choses se mettaient en place. Elle était convaincue que Mick pouvait être heureux à Destiny, qu'ils pouvaient l'être tous les deux, *ensemble*.

Elle avait pris un tel plaisir à annoncer les toutes dernières nouvelles à ses amies.

— Il t'aime ? s'était écriée Sue Ann.

Jenny l'avait gratifiée d'un coup de pied dans le tibia pour qu'elle baisse d'un ton avant de répondre en souriant :

— Oui, il m'aime, il m'aime, il m'aime.

Sue Ann avait secoué la tête, médusée.

— Tu sais ce que cela signifie ? Tu es une sorte de... dompteuse de lions. Tu as apprivoisé le gros méchant Mick Brody.

Jenny avait levé les yeux au ciel en riant.

— Tu crois vraiment qu'il va rester ? avait enchaîné son amie. Que les gens d'ici l'accepteront ?

— Oui à tes deux questions. D'ailleurs, tu vas m'aider. Je compte sur toi pour prendre sa défense si on dit du mal de lui. Rappelle-leur que tout le monde peut changer.

— Je veux bien mais, sans vouloir t'offenser, j'ai du mal à l'imaginer jouant au golf avec Jeff ou ton père.

— Je sais que ce sera difficile à encaisser pour mon père, mais ils finiront bien par trouver des terrains d'entente. La pêche, par exemple.

— Tu n'as plus aucun doute sur lui ? Tu penses sincèrement qu'il a évolué, qu'il a fait une croix sur le passé, qu'il n'y a rien à craindre de ce côté-là ?

— J'ai totalement confiance, Sue Ann.

Celle-ci s'était penchée vers elle.

— Je suis très heureuse pour toi, Jenny. Tu le mérites – un type qui est fou de toi. Et qui, cerise sur le gâteau, t'envoie au septième ciel.

À cet instant, Mabel, la serveuse âgée d'au moins soixante-quinze ans, avait tourné la tête vers elles, les yeux aussi ronds que les assiettes qu'elle portait.

— Baisse le volume, avait grommelé Jenny.

Sue Ann avait haussé les épaules.

— Écoute, vu comment tu le décris, dès que les gens le verront, ils *sauront* qu'il t'expédie régulièrement au septième ciel. Alors autant t'habituer tout de suite à ce qu'on te regarde d'un autre œil.

Au début, prise de court, Jenny avait éprouvé un sentiment de honte. Puis elle avait souri.

— Ainsi soit-il. Il était temps.

À l'heure du dîner, Mick n'était toujours pas là. Jenny ne s'affola pas : il avait sans doute dû se rendre à Crestview puisqu'il n'osait pas faire ses courses ni même prendre de l'essence à Destiny. Ça ne durerait pas. Bientôt, il se sentirait plus à l'aise.

Elle entreprit de griller des hamburgers dans l'espoir qu'il arriverait pendant qu'elle cuisinait puis, plus tard, pendant qu'elle mangeait. Elle garda le sien au chaud un moment, et finit par décider qu'elle pourrait le mettre au micro-ondes, le cas échéant.

Lorsque la nuit tomba, Jenny s'efforça de ne pas paniquer. Elle ignorait ce qui pouvait le retenir si tard, mais peut-être voulait-il simplement en finir pour ne pas avoir à retourner à la cabane.

Elle se mit en pyjama et alluma la télévision, histoire de se distraire, et commença à se demander sérieusement où il était. Et s'il avait eu un accident ?

Ce serait stupide d'aller le chercher là-bas. Car il y avait sûrement une explication raisonnable. Et puis, elle avait beau s'être déjà promenée seule sur sa propriété, elle n'y était jamais allée dans le noir complet, or le ciel était couvert, ce soir. Non, le plus sage était de patienter.

Elle faillit téléphoner à Sue Ann, mais se ravisa à la dernière minute. Que pourrait faire son amie, sinon écouter ses lamentations ? En outre, il était tard, Sue Ann travaillait le lendemain. Le plus mieux était d'aller se coucher. Elle se réveillerait lorsqu'il s'allongerait près d'elle, et saurait alors où il avait passé la journée.

Bien entendu, le sommeil ne vint pas. Elle était à l'affût du moindre bruit.

Mais il ne vint pas.

Le lendemain matin, elle était malade d'inquiétude. Qu'est-ce que cela signifiait ? Et si Mick gisait quelque part, blessé ?

N'ayant aucun appétit, elle sauta le petit déjeuner, s'habilla et fonça jusqu'au canoë. La gorge nouée, elle pagaya fébrilement, le regard fixé sur la rive sud.

Parvenue de l'autre côté du lac, elle aperçut la barque de Mick sur le sable, à sa place coutumière. Ouf ! Il ne s'était pas noyé.

Elle gravit la pente jusqu'à la maison sans rien remarquer d'anormal. Le pick-up était invisible. Elle aspira une grande bouffée d'air. *Où es-tu, Mick ? Où es-tu ?*

Il était à peine 8 heures, pourtant la chaleur était déjà étouffante. La canicule revenait en force. Dégouliner de sueur dès le début de la matinée n'améliora en rien son humeur.

Arrivée à la cabane, elle s'approcha d'une fenêtre et jeta un œil à l'intérieur. Elle ne nota rien de particulier sinon que le matelas pneumatique avait disparu. Les abords de la bâtisse étaient plus nets, remarqua-t-elle ensuite. Mick s'était débarrassé du vieux vélo rouillé et des poteaux corrodés qui avaient servi de support pour la corde à linge.

C'est alors qu'un détail la frappa. Le générateur avait disparu. Par précaution, Mick l'avait apporté avec lui plutôt que de demander un raccordement électrique. Il lui avait expliqué qu'il s'en servait essentiellement la journée et l'éteignait le soir afin d'éviter tout risque de surchauffe. Il lui avait aussi précisé quelques jours auparavant qu'il avait l'intention de le laisser là parce qu'il ne voyait pas où l'entreposer pour le moment.

Son absence signifiait donc que Mick était parti, lui aussi.

Il avait quitté Destiny.

Il avait fui – comme elle l'avait craint tout l'été.

Il l'avait abandonnée. Comme sa mère. Comme Terrence. Comme tous ceux qu'elle aimait.

Allongée sur le canapé, un coussin serré contre son cœur, Jenny essayait d'arrêter de pleurer, mais elle en était incapable. Elle avait sangloté à la mort de sa mère, puis à celle de Flocon. À présent, elle versait toutes les larmes de son corps pour Mick Brody.

Assise dans un fauteuil de l'autre côté de la pièce, Sue Ann mangeait de la glace, l'air désemparé. Elle avait choisi le parfum préféré de Jenny, mais celle-ci n'en avait pas voulu.

— Je ne supporte pas d'être dans cet état, gémit Jenny entre deux reniflements.

Sue Ann pinça les lèvres.

— Tu l'aimes. Ta réaction est parfaitement normale. Tu n'as rien à te reprocher.

— Peut-être que je m'en veux d'avoir été assez bête pour le croire. Mon père m'avait dit que c'était un vaurien, et toi, tu m'avais mise en garde. Est-ce que je vous ai écoutés ? Non.

— Ce pourrait être pire. Au fond, ce n'est pas un type dangereux. Juste un beau salaud.

— N'empêche que ça fait mal. Comment ai-je pu m'attacher à lui ?

— Il me semble que tu n'avais guère le choix. Tu ne maîtrisais plus rien… En tout cas, il t'a apporté beaucoup de bonheur à un moment où tu en avais besoin. Comme on dit, mieux vaut avoir aimé et perdu celui qu'on aime que de n'avoir jamais connu l'amour.

Jenny se redressa et lui coula un regard noir.

— Paroles d'une fille qui n'a jamais aimé et perdu qui que ce soit.

— Je plaide coupable. Mais n'est-ce pas vrai ? Au moins, tu auras goûté aux merveilles de la passion. Serais-tu plus heureuse si tu n'avais pas eu cette chance ?

— Justement, soupira Jenny. C'est en cela que l'amour est frustrant. Je serais probablement plus heureuse si je n'y avais jamais goûté, mais dans la mesure où j'y ai goûté, comment ne pas regretter d'en être privée ?

— J'ai une suggestion, annonça Sue Ann, la bouche pleine.

— Laquelle ?

— Adam Becker.

Jenny s'autorisa une seconde de réflexion. Non pas qu'elle eût envie de se lancer dans une nouvelle aventure amoureuse, bien au contraire. Mais l'idée n'était pas sotte : Adam était un type bien, ils étaient issus du même milieu qu'elle et son père serait tellement heureux.

— Je ne peux pas, murmura-t-elle enfin.

— Pourquoi ?

— J'aime Mick.

— Tu pourrais te consoler en couchant avec Adam. N'est-ce pas ce qui t'a incitée au départ à t'envoyer en l'air avec Mick ?

— Ce ne serait pas aussi bien.

— Qu'en sais-tu ?

— Je le sais, c'est tout. Entre Mick et moi, c'était... primitif, animal, presque. Je ne ressens pas les choses ainsi lorsque je pense à Adam.

— Vraiment ? Parce que, au cas où tu ne l'aurais pas remarqué, il est drôlement sexy, insista Sue Ann.

— J'aurais l'impression de sortir avec lui uniquement pour faire plaisir à mon entourage.

Sue Ann fronça les sourcils.

— Ah !

— Et d'être la femme que Terrence jugeait incapable de se lâcher au lit. Pour se lâcher au lit...

— Ou dans les bois, ou dans la cuisine, ajouta Sue Ann.

— ... il faut être inspirée. Or Adam Becker, si beau soit-il, ne m'inspire pas.

— Voyons... Réfléchissons. En somme, tu ne peux te lâcher qu'avec des types sexy, terrifiants et tatoués... Tiens ! Et si on allait traîner devant la prison ?

Jenny ne put s'empêcher de sourire.

— Très drôle. Sauf que je te l'ai dit, à partir d'un certain moment, Mick ne m'a plus fait peur du tout.

— Hmm... Je me demande si Mike Romo est tatoué. Il est plutôt hargneux, mais pas terrifiant. Enfin, d'une manière ou d'une autre, nous finirons bien par trouver quelqu'un qui te convienne, j'en suis sûre.

— Sauf qu'il y a deux petits problèmes auxquels tu n'as pas pensé.

— Lesquels ?

— Un : si je ne cesse de passer d'un homme à l'autre pour me consoler, je vais virer à la fille facile. Et deux : l'idée qu'un autre que Mick me touche me fiche la chair de poule.

Vaincue, Sue Ann brandit le pot de crème glacée.

— Tu devrais goûter ce truc. C'est un délice, et ça te remonterait le moral.

— Prendre deux kilos ne me remontera pas le moral.

— Je sais, convint Sue Ann. Mais je suis à court d'idées. Et si tu ne me retires pas ce pot des mains, c'est moi qui vais prendre deux kilos.

Quand on frappa à la porte de la cuisine le lendemain aux alentours de midi, Jenny bondit du canapé. Sa première pensée fut que c'était Mick, qu'il était revenu et allait lui expliquer les raisons de sa disparition.

En voyant son père, son cœur se serra, et elle se reprocha sa stupidité. Ce ne pouvait pas être Mick. Il l'avait quittée pour toujours. Elle s'était laissé duper. Elle ne pensait pas qu'il se soit servi d'elle pour cacher son secret. En revanche, elle le soupçonnait d'avoir paniqué, d'avoir eu peur de s'engager. En gros, d'avoir décidé qu'elle ne valait pas un tel sacrifice. Après tout ce qu'elle-même avait sacrifié pour lui cet été…

— Tu es encore en pyjama, s'étonna son père.

— Euh, oui. Je… je n'ai pas eu le temps de m'habiller.

En vérité, elle s'était vautrée sur le canapé pour finir le bac de glace de Sue Ann. Pathétique.

Walter parut inquiet.

— Tu ne te sens pas bien ?

Après une légère hésitation, Jenny opta pour la franchise.

— Mick m'a quittée. Je l'aimais.

Elle retourna dans le salon.

— Donc, non, je ne me sens pas bien, acheva-t-elle en retournant s'asseoir sur le canapé.

— Je suis désolé.

— Non, tu ne l'es pas, riposta-t-elle d'un ton brusque. Tu le détestais. Tu ne le connaissais même pas et tu le détestais. Eh bien, c'est ton jour de chance, papa, parce qu'il est parti. Tu es content ?

Le regard baissé, il demeura silencieux un long moment, puis :

— Ma chérie, j'ai agi pour le mieux.

Elle retint un cri, atterrée.

— Oh, mon Dieu ! Qu'as-tu fait ?

Son cœur battait trop vite. S'il ne crachait pas le morceau tout de suite, elle allait perdre la tête.

— Jenny... je suis juste allé lui rendre visite, c'est tout.

— Lui rendre visite ? Quelle sorte de visite ? Dis-moi ce que tu as fait, papa !

Une lueur de culpabilité dansa dans les prunelles de Walter.

— J'ai dit à Mick qu'il valait mieux qu'il parte sur-le-champ et...

Au secours ! Elle allait l'étrangler !

— Et quoi ?

— Ma foi, sans l'énoncer explicitement, je lui ai fait comprendre que je pourrais l'inculper pour avoir hébergé un évadé de prison s'il refusait de s'en aller.

Walter daigna enfin relever la tête. Elle le dévisagea, effarée.

— J'ai tenu la promesse que je t'avais faite, Jenny. J'ai laissé son frère mourir en paix, je ne les ai pas embêtés. Mais une fois Wayne décédé, j'ai pensé qu'il était temps que Mick s'en aille.

Jenny n'en revenait pas.

— Comment as-tu osé ? cria-t-elle. Comment as-tu pu me faire une chose pareille ?

— Jenny, ce type n'est pas pour toi et tout au fond de toi, tu le sais. Terrence t'a profondément blessée, et Mick Brody est arrivé à point nommé, mais tout compte fait...

— Tout compte fait, coupa-t-elle, tu ne sais rien de moi. Tu ignores ce que je ressens, ce que je veux ou quel homme me conviendrait. Et je ne suis pas certaine que cela t'intéresse – sans quoi tu me laisserais vivre ma vie à ma guise !

Sans s'en apercevoir, elle s'était levée et était allée se planter devant lui. Les poings serrés, elle attendait qu'il réponde, se défende, s'emporte à son tour.

À sa grande surprise, il afficha une expression triste, presque compatissante, et déclara d'une voix calme :

— Le problème, c'est qu'il a fichu le camp. Sans demander son reste. S'il était resté, je me serais dit que, peut-être, il valait mieux que ce que je pensais, et j'aurais pu comprendre que tu t'accroches à lui. Mais il ne t'a même pas dit au revoir, n'est-ce pas ? Sinon, tu saurais déjà pourquoi il était parti.

— Non, souffla-t-elle, en se demandant d'où lui venait ce sentiment de honte qu'elle éprouvait soudain. Il ne m'a pas dit au revoir.

— Je sais que tu souffres, mais si notre conversation a suffi pour qu'il déguerpisse, il n'a pas grand-chose d'un homme.

Peut-être avait-il raison. Pour l'heure, elle n'était sûre de rien. Tout ce qu'elle savait, c'était que Mick était parti parce que son père l'avait menacé, et qu'elle était malheureuse comme jamais elle n'aurait imaginé pouvoir l'être.

— Possible, articula-t-elle enfin. Possible aussi qu'il en soit de même de celui qui l'a menacé. Peut-être que vous n'êtes ni l'un ni l'autre dignes de mon amour.

Walter vérifia la cuisson des lasagnes dans le four, le cœur gros. Sans doute aurait-il dû se sentir coupable d'avoir utilisé la recette de Judy pour un dîner auquel il avait invité une autre femme. Même pas. Il ne pensait qu'à Jenny.

Elle avait eu l'air si désespéré. Il s'était attendu qu'elle réagisse, certes, mais pas à ce point.

C'était mieux ainsi, non ? Mick Brody n'était pas un homme pour elle. S'il avait désapprouvé leur liaison d'un été, l'idée que Brody puisse s'incruster à Destiny après la mort de son frère l'avait poussé à intervenir, à protéger sa fille.

Il entendit une voiture se garer. Bruyamment. Remontant le couloir jusqu'au vestibule, il vit Anita descendre d'une vieille Dodge apparemment dénuée de pot d'échappement. Il ne put s'empêcher de penser qu'il avait noué une relation avec cette femme et que cela risquait de changer la façon dont ses concitoyens le considéraient.

Dommage, car si les concitoyens en question voulaient bien lui donner une chance, passer outre son véhicule délabré et ses tenues moulantes, ils ne pourraient que l'apprécier. Ce soir, elle portait un tee-shirt brun clair semé de paillettes dorées qui scintillaient tandis qu'elle remontait l'allée, et il en éprouva une contraction du côté de l'aine.

Il eut l'impression de recevoir une gifle. Était-il hypocrite ? s'interrogea-t-il. Se pouvait-il que Mick Brody soit comme Anita ? Qu'il soit bien davantage que ce qu'il laissait voir de lui ?

Non. Non, les gens ne changeaient pas. Au cours de leur brève rencontre, rien chez Mick Brody ne l'avait impressionné.

Anita, elle, était... un être rare. Suffisamment rare pour qu'il prenne un risque en espérant qu'on ne la jugerait pas trop rapidement.

Il ouvrit la porte alors qu'elle s'apprêtait à gravir les marches de la véranda.

— Bonsoir, Anita. Vous n'avez pas eu de mal à trouver ?

Elle lui adressa un sourire.

— Du tout. Vos indications étaient parfaites. Ce doit être le flic en vous.

— Vous... euh... vous êtes très élégante. Entrez, je vous en prie.

— Merci. Vous aussi, vous êtes chic.

Il avait revêtu un polo bleu marine et un pantalon kaki à pinces dans l'espoir de masquer son ventre un peu proéminent.

Il guida Anita jusqu'à la cuisine et les débuts furent balbutiants.

— Mmm ! Ça sent délicieusement bon ! s'exclama-t-elle.

— Les lasagnes de mon épouse. Pardon, de ma défunte épouse, rectifia-t-il, assailli par un brusque pincement de culpabilité.

Anita ne s'offusqua visiblement pas, et s'attaqua aussitôt à la préparation d'une vinaigrette pendant qu'il coupait le pain.

Voilà pourquoi il appréciait cette femme, songea-t-il. Elle avait le don de le mettre à l'aise.

— Comment va Jenny ? s'enquit-elle tandis qu'ils se mettaient à table. La dernière fois que nous avons discuté, vous vous étiez querellés. J'espère que vous êtes réconciliés depuis.

Walter s'aperçut qu'il avait du mal à avaler sa bouchée de pain. Il ne s'attendait pas qu'Anita aborde si vite le sujet. En fait, il comptait l'éviter à tout prix pour ne pas gâcher la soirée.

— Malheureusement, non, admit-il après un silence. La situation ne s'arrange pas. J'ai... eu des mots avec le type qu'elle voyait et je lui ai ordonné de quitter la ville.

— Walter, non ! s'exclama-t-elle, visiblement déçue.

Il se sentit embarrassé. De toute évidence, sur ce point, Anita n'avait pas l'intention de le mettre à l'aise.

— Bon, je sais que je me mêlais de ce qui ne me regardait pas, mais ce garçon est parti et je m'en félicite. Sauf que... je me demande si Jenny me pardonnera un jour. Je suis passé chez elle et elle était encore en pyjama à midi. Elle m'a avoué qu'elle l'aimait. Jamais je ne l'ai vue dans un état pareil, même après son divorce au printemps dernier. Pourtant, j'ai agi selon ma conscience. Cet homme est... un criminel, lâcha-t-il, sur la défensive.

— Ah ! Il a commis des délits graves ?

— Ne le sont-ils pas tous ?

En face de lui, Anita haussa les épaules.

— Selon moi, tout est relatif. Si c'est un meurtrier, alors oui, vous avez bien fait de l'éloigner de votre fille. S'il est coupable d'un ou deux excès de vitesse... bref, vous me comprenez.

Walter réfléchit, cherchant ses mots.

— Je peux difficilement vous révéler ce qu'il a fait – je ne sais pas trop quoi en penser. Jenny est convaincue qu'il ne faisait rien de mal, mais je ne suis pas de cet avis... À moins que ce ne soit le flic en moi. Peut-être suis-je un peu étroit d'esprit. Plus policier qu'être humain.

Le regard d'Anita se fit soudain lointain, et si triste que Walter s'affola. Dieu du ciel, l'avait-il offensée ?

— Puis-je vous raconter une histoire, Walter ?

— Euh... certainement.

— Voilà, commença-t-elle, plus grave que de coutume. Je ne vous la relaterai qu'une fois car je déteste y penser. Autrefois, j'ai eu moi-même un enfant.

Walter la dévisagea, sidéré. Anita ne lui semblait pas du genre maternel.

Elle déglutit avant de poursuivre :

— Le père de cet enfant était un véritable salaud, croyez-moi. Toutefois, la loi m'obligeait à lui confier le petit. J'ai obtempéré à contrecœur et je m'en mords encore les doigts. Il s'est enfui avec lui, Walter. C'était il y a vingt ans et, depuis, je n'ai revu ni l'un ni l'autre.

« Chaque nuit, je me demande où est mon fils, s'il est en bonne santé, s'il est heureux, s'il mène une vie qui vaut la peine d'être vécue. Je prie pour lui quotidiennement, mais je doute que Dieu prenne en compte les supplications d'une femme comme moi. Si c'était à refaire, je violerais la loi, je vous le garantis. Pour protéger mon enfant. Ce que je veux dire, c'est que parfois on a de bonnes raisons d'enfreindre la loi. Dans la vie, tout n'est pas noir ou blanc.

Walter était à court de mots. Il posa la main sur celle d'Anita.

— Je suis navré, Anita. C'est abominable. Et vous avez raison, bien sûr. Si vous vous étiez enfuie avec votre fils pour le protéger, ce n'est pas moi qui vous l'aurais reproché.

Il en était à se demander s'il avait dit ce qu'il fallait – si tant est qu'il existât des mots pour consoler une mère de la perte de son enfant –, lorsque Anita se ressaisit et déclara :

— N'en parlons plus. Je voulais juste essayer de vous montrer les choses selon le point de vue de Jenny, et de son ami.

Il hocha la tête. Cela ne lui plaisait guère, mais c'était ainsi.

— Concentrons-nous plutôt sur vos lasagnes, enchaîna-t-elle d'un ton enjoué. Quand vous m'avez invitée à dîner, j'étais loin d'imaginer que vous alliez me concocter un repas gastronomique. Quel est votre secret ?

Walter lui répondit du mieux qu'il put, mais ses paroles le poursuivaient. Jenny lui avait fait le même reproche, soulignant son incapacité à nuancer ses notions du bien et du mal. Mais le récit d'Anita l'avait bouleversé et il n'arrivait pas à le chasser de son esprit. Pas étonnant qu'elle soit si forte ! Elle n'avait pas eu le choix.

S'était-il trompé à propos de Mick Brody ?

Jenny prétendait que oui. Anita aussi.

Il s'efforça de se ressaisir. Il avait invité Anita à dîner, il tenait à se montrer d'une compagnie agréable.

À la fin du repas, la nuit était tombée et Walter lui proposa de s'installer sur la véranda à l'arrière de la maison.

— Ma Jenny est astronome, déclara-t-il en renversant la tête pour contempler le ciel.

Cette fois, il omit d'ajouter que Judy avait, elle aussi, adoré scruter le cosmos.

— Si je sais pas mal de choses à propos des étoiles, c'est qu'elle m'a forcé à les observer dans son télescope lorsqu'elle était plus jeune.

— Vous en avez un ? Un télescope ? Je n'ai jamais eu l'occasion de m'en servir.

— Malheureusement, non, dit-il, désolé de la décevoir. Toutefois, je suis sûr que nous pourrions emprunter celui de Jenny un de ces soirs, si cela vous intéresse – du moins, une fois que je me serai rabiboché avec elle.

À son grand étonnement, Anita glissa le bras sous le sien et répondit :

— Ce serait avec plaisir.

Malgré lui, Walter se surprit à penser qu'ils pourraient peut-être traverser le lac en canoë jusqu'à l'endroit dont Jenny lui avait vanté les mérites. Ou aller dans le pré derrière chez Ed et Betty.

— Bien entendu, on peut voir toutes sortes de choses merveilleuses sans télescope, précisa-t-il. Vous voyez cette étoile particulièrement brillante ? enchaîna-t-il en pointant le doigt vers le ciel. Là, suivez la branche la plus longue de cet arbre…

De l'index, il dessina une ligne.

— Là, vous en avez une autre. Maintenant, regardez de part et d'autre de l'astre central… c'est la Croix du Nord.

— Oui ! Oui, je vois ! s'exclama Anita, émerveillée. Que c'est beau.

Il lui indiqua ensuite quelques autres astérismes visibles à l'œil nu par un ciel d'été, le Grand carré de Pégase, la Grande Ourse…

— Ma foi, vous êtes un véritable spécialiste, murmura-t-elle en se tournant vers lui. Que c'est romantique, monsieur l'officier de police !

— Vous trouvez ?

Elle lui serra brièvement le bras et déposa un baiser sur sa bouche. Son premier depuis près de vingt ans.

— Je n'ai pas goûté un tel plaisir depuis longtemps, chuchota-t-il, touché.

Elle lui adressa un clin d'œil.

— La balle est dans votre camp, officier, et il pourrait y en avoir beaucoup d'autres.

Quelques jours après le départ de Mick, Jenny s'efforça de se secouer.

Elle se leva, s'habilla, puis téléphona à Stan Goodman pour accepter le poste de professeur de sciences qu'il lui avait proposé. La rentrée ayant lieu deux semaines plus tard, elle prit rendez-vous avec lui ainsi qu'avec le proviseur Turley dans l'après-midi pour signer son contrat et caler son emploi du temps. L'enthousiasme du proviseur à la lecture de son CV l'enchanta.

En repartant, elle s'arrêta à l'agence immobilière pour annoncer la nouvelle à Sue Ann. Celle-ci bondit littéralement de joie, et c'est tout juste si elle ne grimpa pas sur son bureau pour danser.

— Du calme, fit Jenny. Ça n'a rien de si extraordinaire.

— Tu plaisantes ? C'est fantastique ! Tu restes au moins un an de plus parmi nous. Et puis, cela signifie aussi que tu commences peut-être à te remettre de ton histoire avec Mick, non ? ajouta-t-elle tout bas.

— Pas franchement, non. Mais j'ai besoin de réintégrer le monde des vivants. Et malgré moi, au cours de l'été, je me suis rendu compte que je me plaisais à Destiny.

Sue Ann semblait navrée que son amie continue à souffrir.

— Si tu veux, je peux annuler mes projets avec Jeff pour te voir ce week-end, proposa-t-elle.

— Tu serais prête à renoncer pour moi à un marathon sexuel soigneusement préparé ?

— Tu rigoles ? Évidemment ! Le sexe, ça va, ça vient. L'amitié, c'est pour toujours.

Jenny esquissa un sourire.

— Une chance pour toi, je vais devoir me plonger dans mes préparations de cours. En revanche, on pourrait organiser un après-midi au soleil la semaine prochaine. Tu me raconteras ton escapade coquine.

Sue Ann inclina la tête.

— Ça ne t'ennuie pas que je te soûle avec mes exploits alors que tu en es privée ?

— Il n'y a pas si longtemps, les rôles étaient inversés.

Jenny ne mentait pas. D'ici la rentrée scolaire, elle serait débordée de travail et devrait se préparer mentalement à réintégrer la communauté de Destiny. Principal avantage : ainsi accaparée, elle n'aurait plus le temps de se morfondre sur son cœur brisé.

Car, comme elle venait de le sous-entendre, elle n'était pas moins amoureuse de Mick que quelques jours auparavant. Au contraire, son corps entier se languissait de lui. Une seule chose avait changé : elle avait cessé de pleurer. Elle s'était rappelé qu'elle n'était pas venue à Destiny en quête d'un homme, d'amour ou de folles aventures. Elle y était venue pour se ressourcer et prendre des décisions. Elle en avait enfin pris quelques-unes. *Va de l'avant. Accepte ce poste. Tu es entourée de gens qui t'aiment, profites-en – au moins pendant un temps.*

Certes, si elle comptait son père parmi eux, elle n'en était pas moins furieuse contre lui.

Sa colère n'était toujours pas apaisée lorsque, le soir même, il arriva au chalet à l'improviste, avec des côtes de porc à griller et des excuses sincères.

— Hier soir, j'ai rêvé de ta mère.

Assise à la table de pique-nique du patio malgré la chaleur, elle l'écouta d'une oreille distraite. Cet aveu ne la surprenait guère – il devait rêver de sa mère toutes les nuits.

— J'étais sur la balancelle de la véranda. Elle est apparue et elle est venue s'installer à côté de moi. Elle m'a dit que... que nous avions peut-être été trop exigeants avec toi, que c'était difficile d'être toujours parfait. Elle a ajouté que je devais te laisser trouver ta voie par toi-même. C'était si réel... j'ai eu l'impression qu'elle était vraiment là.

Jenny demeura sans voix. Elle aussi avait souvent rêvé de sa mère, des rêves du même genre, plus vrais que nature. Cela ne lui était plus arrivé depuis longtemps. Pourtant, ce message délivré à son père lui fit penser que, peut-être, Judy veillait sur eux de là où elle se trouvait.

Soudain, elle se remémora le soir où elle s'était interrogée sur Mick, tâchant de se persuader que ce qu'elle éprouvait pour lui n'avait rien à voir avec l'amour. N'avait-elle pas entendu la voix de sa mère ? Un frémissement courut le long de sa colonne vertébrale.

Walter pivota vers elle, une grosse fourchette à deux dents à la main.

— Je suis conscient que cela ne change rien à ce que j'ai fait, ma fille, mais je sais maintenant que j'ai eu tort, et je suis navré de t'avoir causé autant de chagrin. J'espère que tu me pardonneras un jour.

Jenny réfléchit à ses paroles. Elle y retrouvait le père qu'elle avait connu, sentait sa sincérité, et son désir qu'ils partagent de nouveau cette complicité qui avait été la leur.

— J'accepte tes excuses, papa. Et j'essaie de te pardonner, ajouta-t-elle après avoir pris une profonde inspiration. Mais ça risque de prendre un peu de temps. Tu as du mal à le comprendre, mais Mick était ce qui m'était arrivé de plus incroyable de toute ma vie. Tout, avant lui, même Terrence, fait pâle figure comparé au bonheur qu'il m'a donné. D'accord, peut-être me suis-je trompée à son sujet puisqu'il est parti sans même me dire au revoir. Cela dit, tu l'avais mis dans une position horrible, et il avait passé un été épuisant, son frère venait de mourir dans des souffrances effroyables, il avait dû l'enterrer de ses propres mains... Par conséquent, je trouve injuste de le juger sur ce seul choix.

— Tu as raison. J'aimerais tant pouvoir revenir en arrière.

— Pas autant que moi.

Son père la dévisagea un instant, l'air bouleversé.

— Quand tu m'as appelé pour m'annoncer que tu avais accepté le poste au lycée, je me suis dit que tu allais mieux, que tu étais en voie de guérison. Je me trompais, n'est-ce pas ?

— Accepter le poste au lycée et me sentir mieux sont deux choses distinctes. Quant à oublier Mick, je doute que cela arrive un jour.

— Je peux te serrer dans mes bras ?

— À condition de ne pas laisser brûler les côtes de porc.

Il tressaillit, fit volte-face pour retourner les grillades, puis posa sa fourchette et vint vers elle.

Ravalant ses griefs, elle noua les bras autour de sa taille et répondit à son étreinte.

Il était à peine revenu près du gril qu'il déclara :

— J'ai autre chose à te dire.

— Quoi ?

— Je... euh... je vois une femme.

Jenny faillit tomber dans les pommes.

— Pardon ? Je crains d'avoir mal entendu. Tu vois une femme ?

— Oui.

Elle le fixa, bouche bée. Miracle !

— Incroyable.

— Ça… ça ne t'ennuie pas ?

— Au contraire, papa, c'est formidable ! Je crois d'ailleurs me souvenir que c'est moi qui te l'ai suggéré.

— Elle s'appelle Anita, reprit-il. Et c'est la nouvelle propriétaire du *Dew Drop*.

— Sans blague !

— Ça te gêne ? Que je fréquente quelqu'un qui possède un bar ?

— Pas du tout. Ce qui m'étonne, c'est que ça ne te gêne pas, *toi*.

— Eh bien, pour être franc, Anita n'est pas le genre de femme – en apparence – censée m'attirer. Mais elle a un cœur d'or, et quand tu la connaîtras un peu, je pense que tu l'apprécieras.

L'ironie de la situation était telle qu'elle faillit éclater en sanglots. Elle n'en fit rien, cependant. Elle avait assez pleuré.

— Sûrement. De même, tu aurais fini par estimer Mick, toi aussi.

Jenny acheva sa journée par une escapade de l'autre côté du lac avec son télescope. Gravir les rochers en sachant que Mick n'était plus là lui parut étrange.

Comme toujours, observer les étoiles l'apaisa. Après tout, elle n'était qu'une poussière infinitésimale sur une minuscule planète à la lisière d'une galaxie qui en comprenait des milliards. Tout finirait par s'arranger. La douleur s'estomperait.

Elle allait se mettre en quête d'objets célestes plus éloignés quand elle vit une étoile filante se diriger vers une colline sur laquelle elle parut se poser. Bien sûr, elle savait qu'il n'en était rien, que c'était une météorite, un corps solide qui s'était embrasé en traversant l'atmosphère.

Mais la petite fille en elle se rappela cette croyance qui voulait qu'un vœu se réalise quand on les formulait au passage d'une étoile filante. Et sa première pensée fut de demander à oublier Mick et à vivre heureuse sans lui.

Mais comment souhaiter la fin d'un amour si profond ? Paupières closes, elle pensa à l'homme qui l'avait comblée le temps d'un été. *Faites que Mick trouve le bonheur.*

18

Tout ce que je vous demande, c'est d'avoir un minimum de vision. Prenez du recul un instant et contemplez le tableau dans son ensemble. Prenez le risque de saisir une opportunité qui pourrait affecter de façon profonde l'humanité, l'histoire… de l'Histoire.

CARL SAGAN

Debout devant la glace de sa salle de bains, Mick était en train de se raser. D'ordinaire, il le faisait tous les deux ou trois jours, mais en apercevant son reflet au sortir de la douche, il s'était rendu compte qu'une semaine s'était écoulée depuis la dernière fois. Il se fusilla du regard. *Tu t'es débrouillé pour rester propre dans cette cabane minable pendant que Wayne agonisait et tu en es incapable ici alors que tu as tout le confort et mènes une vie normale.* Ça n'avait aucun sens.

N'empêche que depuis son retour à Cincinnati, il n'avait envie de rien. Il avait loué un appartement dans un quartier peu reluisant, mais c'était tout ce qu'il pouvait s'offrir pour le moment. Il n'y avait apporté qu'une partie des affaires qu'il avait mises au garde-meubles. Il se fichait pas mal d'être privé d'un vrai lit ou d'un téléviseur. Il dormait sur son matelas gonflable et se nourrissait de sandwichs.

Ce devait être la chaleur, supposa-t-il. Ça vous sapait toute votre énergie un temps pareil. Cela dit, à Destiny, il n'en avait jamais manqué.

« Tu n'avais pas le choix, se rappela-t-il. Tu devais t'occuper de Wayne... Et tu t'envoyais en l'air. Ça aide. »

Son cœur se serra au souvenir de Jenny s'offrant à lui avec enthousiasme. Il ferma les yeux pour chasser cette image de son esprit. « Le problème n'est pas Jenny. Le problème, c'est que tu as du mal à faire ton deuil de Wayne », tenta-t-il de se convaincre.

En outre, il ne s'était pas complètement laissé aller depuis son arrivée en ville. Il s'était fait couper les cheveux – ils en avaient bien besoin. Il s'était offert un nouveau tatouage – une envie qui le taraudait depuis la disparition de Wayne. Il avait réintégré l'entreprise qui l'employait depuis plusieurs années. Son patron lui en voulait de l'avoir lâché du jour au lendemain mais, de toute évidence, les bons maçons étaient une denrée rare.

Mick avait donc repris le boulot au début de la semaine. Se plier à une routine, se sentir utile l'avaient aidé à remonter la pente. Plus ou moins. Il fallait à présent qu'il finisse d'emménager. Ce week-end, décida-t-il.

Il quitta son immeuble, traversa le parking criblé d'ornières et grimpa dans son pick-up pour se rendre sur le site de son chantier en cours – la construction d'une cheminée pour un particulier bien plus aisé que lui. Ce soir, après le travail, il ferait un tour au bar qu'il avait repéré près de son nouveau domicile. Le genre de lieu où l'on pouvait noyer ses soucis de diverses façons. La perspective de se soûler et de baiser un bon coup sans rien ressentir était tentante. « Alors pourquoi ne pas l'avoir déjà fait ? », s'interrogea-t-il. À vrai dire, il n'en avait aucune idée.

Il n'avait pas quitté Destiny à cause des menaces de Tolliver. Il était parti parce qu'il n'avait plus aucune raison de rester. Celle qui le retenait là-bas l'avait trahi de la pire des façons. Et il ignorait pourquoi.

N'avait-elle pas compris l'importance de l'enjeu ? N'avait-elle pas pris leur relation au sérieux ? N'était-ce pas ce qu'il avait craint par-dessus tout ? Non pas qu'elle lui fasse du mal exprès, mais qu'elle *ait cru* être amoureuse de lui alors qu'au fond, elle n'était pas totalement remise de l'échec de son mariage. Auquel cas, tout raconter à son père lui avait sans doute été plus facile.

Certes, peut-être lui avait-elle tout avoué *avant*, quand leur histoire se résumait encore à une surenchère de sexe. Mais déjà à l'époque, elle avait promis de garder le secret. Il avait compté sur elle. Au fil du temps, il en était venu à lui faire confiance comme jamais il n'avait fait confiance à qui que ce soit, y compris son frère.

Au fond, les « pourquoi » étaient sans importance. Le drame, c'était que tout ce qu'il avait redouté s'était révélé vrai. Il avait commis l'erreur de croire qu'il pouvait s'appuyer sur elle. Un étau lui enserra la poitrine, comme lorsque Tolliver lui avait expliqué comment il avait découvert le pot aux roses.

Il s'arrêta au *Burger King* où il acheta un sandwich et un jus d'orange qu'il avala en route.

Après s'être morfondu pendant plusieurs jours, sa colère à l'égard de Jenny s'était dissipée. Pas la douleur. La sensation d'avoir été dupé. Profondément. Elle lui avait prouvé ce qu'il avait toujours su : ils étaient trop différents pour vivre autre chose qu'une liaison estivale. Il aurait vraiment dû écouter son instinct.

Curieusement, il était presque soulagé. La trahison de Jenny lui avait permis de comprendre avant qu'il ne soit trop tard que leur couple n'aurait jamais pu fonctionner. Quant à tous ses serments des deux derniers jours, les « je t'aime », les « je prendrai toujours soin de toi »… On ne l'y reprendrait pas. Plus jamais. Il était mieux tout seul.

En parvenant devant la maison dans laquelle il devait travailler ce jour-là, son désarroi se métamorphosa en fureur. Une voiture de police au logo de la ville de Destiny était garée devant.

Nom de nom, quoi encore ?

Incapable de se contenir, il claqua violemment la portière de son pick-up et, ignorant les ouvriers déjà sur place, fonça droit sur Walter Tolliver, adossé contre le capot de son véhicule.

— Bon sang ! aboya-t-il. J'ai obéi à vos ordres. Et maintenant, vous me poursuivez jusqu'ici pour me faire des ennuis ?

Tolliver croisa son regard ; il avait l'air étrangement calme. Rien à voir avec leur dernière rencontre à la cabane.

— Je ne suis pas ici pour vous faire des ennuis.

— Ah ouais ? Sauf que le seul fait que votre bagnole soit là indique à tout le monde que j'ai les flics aux fesses. J'ai travaillé dur pour laisser mon passé derrière moi, je n'ai pas besoin qu'on le déterre.

— Du calme, Brody. J'ai dit à votre patron et aux autres que j'étais là pour des raisons personnelles, et c'est la vérité.

Pour des raisons personnelles ? Ben voyons !

— Que pourrions-nous bien avoir à nous dire qui soit d'ordre personnel ? rétorqua Mick.

Après une légère hésitation, Walter le regarda droit dans les yeux.

— Je suis ici pour vous présenter mes excuses.

Mick étrécit les yeux.

— Pardon ?

— Je n'aurais jamais dû me mêler de ce qui ne me regardait pas. Vous pouvez aller où vous voulez.

— Je sais, répliqua Mick d'un ton bourru.

— Et si vous souhaitez revenir à Destiny, cela ne me dérange pas.

Quoique complètement abasourdi, Mick opta pour la franchise.

— Moi, cela me dérange, déclara-t-il. Rien ne m'a été plus agréable que regarder Destiny disparaître dans mon rétroviseur.

— C'est curieux, je pensais que vous envisagiez de rester.

Mick décida de réorienter la conversation.

— Pourquoi ce revirement ? Et pourquoi avoir fait tout ce chemin pour me le dire ?

Walter inspira, expira.

— La vérité, Brody, c'est que j'ai rencontré une femme qui m'a fait comprendre que je vous avais peut-être mal jugé. Jenny m'avait dit que vous aviez changé, mais je ne vous ai laissé aucune chance de le prouver. Je m'efforce d'agir pour le mieux et de réparer mes erreurs. J'ai été injuste envers vous, et je le reconnais, voilà tout.

Mick déglutit avec peine. Au cours de son existence, rares étaient ceux qui lui avaient demandé pardon. Touché, il réfléchit quelques secondes, puis :

— Je pourrais être en prison aujourd'hui. Je ne le suis pas. Me chasser de Destiny était un moindre mal et je ne peux pas vous en blâmer.

— Et Jenny ? Pouvez-vous lui pardonner ? Parce que quand vous avez voulu savoir comment j'avais découvert vos agissements, j'ai omis de vous préciser pourquoi elle m'en avait parlé. Je vais donc vous le dire maintenant. Je ne lui ai pas laissé le choix. Je m'apprêtais à me rendre chez vous. J'avais appris que votre frère s'était évadé et quelqu'un m'avait signalé qu'il s'était peut-être réfugié là-bas. C'est là que Jenny m'a retenu. Si elle s'est confiée à moi, c'était pour vous protéger. Elle m'a fait promettre de vous laisser tranquille. C'était très important pour elle. Sans quoi, en effet, vous seriez derrière les barreaux à l'heure qu'il est. En d'autres termes, Jenny vous a sauvé. J'espère que vous lui pardonnerez.

— Je lui ai déjà pardonné.

— Elle ne le sait pas.

Mick croisa les bras.

— C'est peut-être mieux ainsi. Nous savons tous qu'elle et moi... Bon sang ! marmonna-t-il en baissant les yeux. Quand on doit se cacher pour se voir, ça ne marche jamais. Je regrette de l'avoir blessée, mais vous et moi savons qu'elle n'a pas besoin d'un type comme moi dans sa vie.

— Je n'ai pas dit cela.

— Non, c'est moi qui le dis, riposta Mick en relevant la tête. Merci d'être venu jusqu'ici mais ne vous inquiétez pas, je ne reverrai plus Jenny. J'ai mon boulot ici, elle a le sien là-bas. Ce sera plus facile pour tout le monde que les choses demeurent ainsi.

Mick ne se rendit pas au bar à côté de chez lui ce soir-là. Le lendemain non plus. Ni le surlendemain.

Il se gava d'émissions de télé-réalité en songeant que la plupart des gens ne connaissaient rien à la réalité. La démarche de Walter Tolliver – preuve que les miracles existaient – avait forcé son respect. Sans doute était-ce la raison pour laquelle il lui avait répondu en toute honnêteté.

Quant à Jenny... il n'aimait pas penser qu'elle souffrait à cause de lui, mais lui aussi souffrait, et ce qu'il avait dit à son père – ce serait plus facile pour tout le monde que les choses demeurent ainsi – était vrai. Les habitants de Destiny ne l'accepteraient jamais parmi eux. Seulement deux mois plus tôt, il se moquait de ce que l'on pouvait penser de lui. Et puis, quelque part en route, les choses avaient changé. Il avait commencé à se soucier de l'opinion de Jenny, puis de ceux qui l'entouraient. Et il ignorait si c'était une bonne ou une mauvaise chose.

Il se demandait aussi s'il ne s'était pas trompé, en définitive. Si elle ne l'aimait pas autant que lui l'aimait...

Mais à quoi bon s'interroger ? Il avait bien fait de partir. Elle finirait par rencontrer un homme de son milieu, qui pourrait lui offrir davantage que lui.

Le vendredi, il s'attabla dans sa cuisine pour manger son hamburger-frites en regardant la télévision. La canicule avait repris et les municipalités maintenaient ouverts des refuges pour ceux qui n'avaient pas la chance de posséder un climatiseur. Mick se félicita d'en avoir un, moins sophistiqué que celui de Jenny, mais assez efficace. Par chance, les météorologues prévoyaient un rafraîchissement dans les jours à venir.

Un coup retentit soudain à la porte. Merde. Qui ça pouvait-il être ? Il sentit la panique monter en lui et jeta spontanément un coup d'œil à la photo de Wayne et lui enfants qu'il avait encadrée et posée sur une étagère. Puis il se rappela que Wayne était mort et qu'il ne faisait plus rien d'illégal.

Se disant que c'était probablement un représentant en assurances, il faillit ne pas bouger. Mais les coups se firent plus insistants, et il finit par aller ouvrir.

Il découvrit sur le seuil un gamin débraillé de huit ou neuf ans, un carton entre les mains. Mick se pencha pour voir ce que le môme voulait lui refourguer, et tressaillit en découvrant un minuscule chat roux. Ce dernier leva la tête et lui adressa un miaulement désespéré.

— Vous voulez ce chaton ?

— Euh... non, merci.

— C'est le dernier. Y en avait cinq en tout. Je dois le donner sinon mon père va l'emmener dans la campagne et l'abandonner au bord de la route.

Exactement ce qu'aurait fait son propre père. Sauf que Mick n'avait pas une affection particulière pour les chats. Contrairement à Jenny, il les trouvait sournois et collants. Et celui-ci semblait spécialement geignard.

— Il a un problème ? s'enquit-il. Il a l'air... effrayé.

Le gosse haussa les épaules.

— Il miaule beaucoup, c'est tout.

Épatant !

— Désolé, mais je n'ai pas besoin d'un chat.

— Attendez ! s'écria le gamin alors que Mick s'apprêtait à refermer la porte.

— Quoi ?

— Vous êtes le dernier appartement. J'ai fait les trois immeubles et vous êtes le dernier. S'il vous plaît, prenez-le, monsieur.

Miaou ! Miaou ! Miaou ! On aurait dit que l'animal comprenait ce qui était en jeu. *Sauvez-moi ! Sauvez-moi ! Sauvez-moi !*

Flûte ! Mick l'examina de nouveau. Pauvre bête terrifiée. Il ne put s'empêcher de l'imaginer dans un fossé le long d'une nationale comme celle qui menait à Destiny. Et au lieu de claquer la porte au nez du garçon, il s'entendit demander :

— Tu me donnes aussi le carton ?

— Hein ?

— Je n'ai nulle part où le mettre. Tu me donnes aussi le carton ?

— Monsieur, un chat, ça vit pas dans un carton. On le laisse se promener dans l'appartement.

— Toi, peut-être. Mais si je prends ton chat, je veux la boîte avec.

— D'accord.

Il tendit le tout à Mick.

— Ça fera cinq dollars.

— *Quoi* ?

— Pour le chat.

— C'est toi qui devrais me payer. À présent, dégage.

Il chassa l'enfant de sa main libre, le regarda dévaler l'escalier au bout du couloir.

Puis il baissa les yeux sur le chat. *Bon sang, qu'est-ce qui m'a pris ?*

Le lendemain matin, Mick était prêt à l'étrangler. Ce maudit animal avait miaulé toute la nuit. Mick lui avait pourtant donné un bol de lait et un peu de salade de poulet qui restait dans le réfrigérateur. Que voulait-il de plus ?

Repoussant son drap, il se leva et s'approcha du carton.

— Si tu ne la fermes pas, je te tords le cou, marmonna-t-il.

C'est là qu'il s'aperçut que le fond du carton était trempé.

— Le gosse aurait pu me fournir un mode d'emploi.

— Miaou ! Miaou !

— Oui, je sais, tu es assis dans ta pisse. Il y a de quoi râler, je suppose.

Au fait, où les chats faisaient-ils leur besoin ? Dans une litière, bien sûr. Devait-il courir lui en acheter une ?

Pourquoi diable avait-il accepté de recueillir cette bête ?

Retournant vers son matelas pneumatique, il dénicha une caisse de CD à moitié vide qu'il avait rapportée du garde-meubles. Il acheva de la vider, puis l'apporta près du carton, et attrapa le chat par la peau du cou.

— Tiens ! Une belle boîte toute neuve.

Le chat se mit à miauler de plus belle.

— On se calme. Elle est plus grande que l'autre et *sèche*. Du moins pour le moment. Au lieu de me casser les oreilles, tu devrais me remercier.

Les miaulements continuèrent.

— Décidément, tu as de la suite dans les idées. Je parie que tu veux ton petit déjeuner, à présent. Il ne me reste plus qu'à t'en trouver un.

Le téléphone sonna et Mick sursauta. Il alla décrocher.

— Allô ?

— Bonjour, monsieur Brody. Ici Don, des *Monuments funéraires Winwood*. Votre stèle est prête, vous pouvez passer la prendre quand vous voulez.

Mick était surpris – il avait pensé que ce serait plus long.

— Le magasin est ouvert aujourd'hui ?

— Oui, monsieur. Jusqu'à 17 heures.

Peu après avoir quitté Destiny, Mick avait décidé qu'il ne pouvait pas laisser la tombe de Wayne sans pierre.

Tôt ou tard, la croix finirait par pourrir, et plus rien ne rappellerait qu'un être humain, son frère, gisait à cet endroit. Il en avait donc commandé une à Cincinnati avec l'intention de la transporter lui-même sur les lieux. Pour ne pas éveiller de soupçons, il avait expliqué que c'était pour un vieux cimetière familial perdu dans les bois et s'était contenté d'une inscription toute simple : *W. Brody, frère bien-aimé*. Sans dates.

On était samedi. Tant pis. Plutôt que de finir d'emménager, il irait à Destiny.

Il raccrocha et regarda le chat.

« Hmm, raison de plus pour y aller », songea-t-il. Il ne détestait pas Jenny. Depuis la visite de Tolliver, il avait surmonté sa colère. Ils n'étaient pas faits l'un pour l'autre, il le savait, mais... il avait quelque chose à terminer à Destiny avant de tourner définitivement la page.

Et pourquoi ne pas en profiter pour se débarrasser de cet animal ?

— Fais tes valises, Râleur. On part en voyage.

19

Pour de minuscules créatures telles
que nous, l'immensité n'est supportable
qu'à travers l'amour.

CARL SAGAN

À la grande surprise de Mick, les prévisions de la météo se révélaient justes – l'air s'était enfin rafraîchi après des semaines de chaleur torride. Il put même baisser sa vitre en conduisant. Râleur miaulait sans arrêt, et Mick se demanda furtivement s'il existait des tranquillisants pour chats. À la radio, Eddie Vedder entonna *Hard Sun*. Il faillit éteindre car il n'avait aucune envie de repenser à l'été aussi difficile que brûlant qu'il venait de vivre. Finalement, il augmenta le volume dans l'espoir de noyer le vacarme en provenance du carton au pied du siège passager.

Première étape : il s'engagea dans l'interminable et tortueux chemin menant à la cabane. La brise avait beau être douce, il n'était pas heureux de revenir ici – trop de souvenirs anciens et récents le hantaient.

Traîner la pierre de la camionnette jusqu'à la tombe de Wayne s'avéra une tâche à la fois sinistre et... réconfortante. Par chance, les fleurs de Jenny avaient tenu bon. Les arbres avaient dû les protéger de la chaleur, supposa-t-il.

Il arracha la croix en bois qu'il avait confectionnée et la jeta de côté. S'emparant de la pelle qu'il avait utilisée pour creuser le trou, il dégagea un espace rectangulaire sur le monticule, positionna le marbre, tassa la terre tout autour pour le stabiliser, puis recula d'un pas.

Le résultat lui parut satisfaisant. Ses économies ayant fondu, il avait dû se contenter d'une sépulture à bas prix, mais il ne regrettait pas son investissement.

Il regagna son pick-up, reprit la route en sens inverse jusqu'à la nationale, le chat miaulant de plus belle, et contourna la ville pour gagner la rive sud du lac. En atteignant la voie qui longeait le bord de l'eau, il éprouva une sensation étrange – il ne l'avait pas empruntée depuis l'enfance. À l'époque, il n'avait aucune raison de le faire. Plus récemment, pour rejoindre Jenny, il avait préféré le trajet le plus court – la traversée en barque.

Il s'apprêtait à la revoir pour la dernière fois. Walter Tolliver avait eu le courage d'admettre ses erreurs. Peut-être était-ce ce qui avait poussé Mick à réparer les siennes. À moins que, le temps passant, il n'y vît plus clair. Quoi qu'il en soit, il devait des excuses à Jenny avant de sortir de sa vie pour toujours.

La contempler, lui parler, puis tourner les talons s'annonçait comme une épreuve. Mais il n'avait pas le choix, lui semblait-il.

Au détour d'un virage, il songea que dès le début de leur relation, ni l'un ni l'autre n'avaient su résister à la tentation. Pour la première fois, il se demanda comment il allait réagir tout à l'heure. Et s'inquiéta. Aujourd'hui, il n'était pas question de craquer. Pour de multiples raisons. Il ne devait céder sous aucun prétexte au désir qu'elle ne manquerait pas de lui inspirer. Merde ! Rien que de penser à elle, il bandait.

« Tu tiendras bon, se rassura-t-il. Tu n'es là que pour lui dire au revoir. Pardon et au revoir. »

Il devait la laisser reprendre le cours de son existence, auprès de gens de son milieu.

Il était prêt, se rassura-t-il alors que le petit chalet jaune se matérialisait au bout de la rue. Sauf que... D'où sortaient toutes ces voitures ? Dans l'allée, le long du trottoir ?

C'est alors qu'il remarqua les personnes rassemblées dans le jardin où Jenny et lui avaient fait l'amour sous la pluie. Des femmes en robes légères, des hommes en bermudas et polos, des enfants qui se pourchassaient en riant. Tout le monde souriait, assiette en carton ou gobelet à la main tandis que deux types enfonçaient des piquets dans le sol à l'aide de maillets pour une partie de fer à cheval.

Mick sentit un grand froid l'envahir. Jamais il ne s'était senti aussi bêtement seul.

— Merde, marmonna-t-il.

Il continua à rouler, jeta un coup d'œil au chat.

— On ferait peut-être mieux de repartir. Mais alors, il faudra que tu vives avec moi, et ça ne marchera jamais. Nom de Dieu ! tonna-il en abattant le poing sur le volant.

Il était passé devant la maison quand il l'aperçut, de l'autre côté. Son estomac se noua et les paroles d'une vieille chanson de Tommy Tutone lui revinrent en mémoire : *Puis-je encore me tourner vers toi, Jenny ?* Comme toutes ses invitées, elle avait mis une jolie robe. Elle bavardait avec son père et une femme pulpeuse en tenue extramoulante qui ne semblait pas du tout à sa place parmi ces gens – ce qui ranima le courage de Mick.

Sans se donner le temps de réfléchir, il se gara au bout de la rangée de véhicules. Autant en finir au plus vite. D'ailleurs, le fait que Jenny ait organisé une fête était plutôt bon signe, non ? D'une part, c'était la preuve qu'il n'avait pas de place dans sa vie. D'autre part, il lui serait impossible de se laisser aller à son désir.

En se penchant vers le carton, il se rendit compte que le chat s'était tu depuis quelques minutes. Mick préféra toutefois le mettre en garde :

— Écoute-moi bien, Râleur. Tu vas devoir te comporter de manière raisonnable. Évite de miauler comme un malade et montre-toi agréable ou tu risques de tout gâcher. Compris ?

Râleur lui répondit d'un miaulement, un seul.

— Parfait. Et cesse de prendre cet air désespéré, d'accord ?

Ramassant le carton, il descendit du pick-up et claqua la portière. Et tandis qu'il remontait l'allée, il pensa aux étoiles. *L'univers est immense et tes soucis, minuscules. Dans cinq minutes, ton supplice aura pris fin – pour toujours.*

— Jenny, voici mon amie, Anita. Anita, ma fille.

Jenny dut lutter pour masquer son ahurissement. Mince alors ! En dépit des mises en garde de son père, Anita n'était pas du tout comme elle l'avait imaginée. Ses longs cheveux roux cascadaient sur ses épaules, et sa robe épousait ses formes admirables.

— Très heureuse de vous connaître, articula-t-elle.

— Vous êtes aussi jolie que votre père me l'avait dit. Merci infiniment de me recevoir. Je vous ai apporté des œufs farcis, ajouta-t-elle en baissant les yeux sur la boîte en plastique qu'elle tenait à la main. J'espère que cela vous convient.

— C'est parfait, assura Jenny, omettant de préciser qu'au moins trois de ses invitées avaient eu la même idée.

— Walter ! appela Betty en surgissant au coin de la maison. Tu peux venir aider Ed ? Il n'est pas habitué à ces barbecues modernes et j'ai peur qu'il ne fasse tout exploser.

À peine Walter avait-il disparu qu'Anita regarda Jenny droit dans les yeux et déclara :

— Entre nous, Jenny, je suis un peu nerveuse. Je ne connais personne ici hormis votre père, et je crains de ne pas être à ma place.

La spontanéité de cet aveu força le respect de Jenny. Elle était flattée qu'Anita se soit confiée à elle alors qu'elles n'avaient a priori pas grand-chose en commun. Elle lui réitéra donc la promesse qu'elle avait faite à Mick.

— Vous le serez. J'y veillerai.

Anita lui pressa brièvement la main.

— Votre père avait raison, vous êtes adorable, murmura-t-elle avant d'ajouter : Je vais poser mes œufs sur la table du buffet.

— Je vous rejoins dès que j'aurai sorti les chaises pliantes, promit Jenny. D'ici là, souriez, extasiez-vous sur le temps, la ville et les mets préparés par les uns et les autres.

Anita opina en lui adressant un clin d'œil complice.

— Compris. Merci.

Chacune s'éloigna dans la direction opposée.

Jenny avait décidé d'organiser un pique-nique pour le long week-end de la Fête du travail, une façon pour elle d'annoncer qu'elle restait à Destiny, au moins pour un temps. La rentrée des classes s'était bien passée. Elle avait déjà prévu une sortie avec ses élèves les plus âgés un soir du mois suivant et cette réinsertion professionnelle réussie lui faisait du bien.

Bien sûr, jusqu'à la veille, elle s'était inquiétée du temps. Pour rien, car il faisait très beau, l'air était doux, le ciel parsemé de nuages légers. Une parfaite journée de fin d'été.

Enfin, pour être vraiment parfaite, il aurait fallu que Mick soit là.

Les semaines passant, elle commençait à s'habituer à sa vie sans lui. Dommage qu'elle se soit si vite cramponnée à l'idée d'une vie *avec* lui. Souvent, en rentrant du lycée, elle se surprenait à contempler l'affiche de Van Gogh en se demandant ce que Mick faisait. La nuit, seule dans son lit, elle se languissait de lui, du bonheur de dormir dans ses bras.

Elle s'agenouillait pour décrocher le treillage sous le porche et en extirper quelques chaises de jardin supplémentaires quand Lettie apparut.

— Sue Ann demande où elle doit mettre son plat de haricots blancs à la sauce tomate.

— S'ils sont déjà chauds, sur la table de pique-nique. Sinon, dans le micro-ondes. Tiens… Peux-tu apporter ces sièges à Mary Katherine et l'aider à installer Miss Ellie à l'ombre ?

Jenny remit le treillage en place et ramassa les chaises qui restaient. Elle leva les yeux et… son cœur s'arrêta de battre.

— Oh, mon Dieu ! s'exclama-t-elle en lâchant son chargement.

L'homme le plus séduisant qu'elle eût jamais vu traversait la pelouse dans sa direction. Et c'était Mick ! Mick était *là*.

Elle s'efforça d'afficher une expression nonchalante alors même qu'elle arrivait à peine à respirer. Et se rendit compte à quel point elle était encore éprise de lui.

— Minou, fit-il à mi-voix en cherchant son regard.

— Bonjour, Mick, parvint-elle Dieu sait comment à articuler.

Il paraissait incertain, un peu fatigué, mais… beau à croquer.

— Je ne te retiendrai pas longtemps. Je vois que tu as du monde.

— Un pique-nique pour le long week-end de la Fête du travail. Je… je suis étonnée de te voir.

Il hocha la tête avant d'indiquer l'autre rive du lac de sa main libre. Il avait un carton sous le bras, mais Jenny était si fascinée par son visage qu'elle ne s'interrogea pas à son sujet.

— J'arrive de la cabane, expliqua-t-il. J'ai acheté une pierre tombale. J'ai pensé que ce serait mieux.

— C'est bien. J'en suis heureuse.

— Si tu voyais les fleurs que nous avons plantées. J'étais sûr qu'elles seraient fanées, mais non, elles sont magnifiques.

— Je vais les arroser régulièrement, avoua-t-elle.

Le regard de Mick s'adoucit, lui rappelant combien il pouvait se montrer tendre parfois.

— C'est gentil, Minou. Merci.

Elle haussa les épaules, s'efforçant de contenir son émotion.

— Ce n'est rien.

— Non, ce n'est pas rien, insista-t-il. Pour en venir à la raison de ma présence ici, je suis venu te présenter mes excuses.

— Ah !

— Je te demande pardon d'avoir filé à l'anglaise.

— J'ai trouvé cela assez… horrible, reconnut-elle.

Il baissa les yeux et elle ne put s'empêcher d'éprouver de la satisfaction à l'idée de l'avoir blessé.

— Je n'ai jamais voulu te faire de mal, Jenny. Tu es la meilleure chose qui me soit arrivée dans la vie.

Ah ! Vraiment ?

— Dans ce cas, pourquoi es-tu parti ?

Il releva les yeux.

— Ton père m'a plus ou moins menacé.

— Il paraît, oui. C'est nul… Cependant, tu n'as jamais semblé du genre à fuir devant la menace. Tu ne m'as même pas dit au revoir. Si c'était la seule raison, tu serais venu me dire au revoir.

Il poussa un soupir, fourra sa main libre dans la poche de son jean.

— Exact. J'ai agi ainsi parce que j'étais furieux contre toi. Parce que tu avais parlé de moi à ton père et des circonstances qui m'avaient amené ici. Ça m'a bouleversé. Je t'avais fait confiance… Mais, enchaîna-t-il en transférant son poids d'un pied sur l'autre, maintenant, je sais pourquoi tu lui as tout raconté. Je n'aurais pas dû t'abandonner comme je l'ai fait. Je suppose que j'étais au bout du rouleau. J'en perdais ma lucidité. Je venais de passer un été infernal. À certains égards, je veux dire.

— Je sais, chuchota-t-elle. Comment vas-tu ?

— Mieux, j'imagine.

Il ne paraissait guère convaincu.

— Tu imagines ?

Il haussa les épaules, éludant le sujet.

— Je m'en sors. Plus important, comment vas-tu, *toi*, Minou ?

— Pas trop mal.

C'est alors qu'elle aperçut un nouveau tatouage qui dépassait de sous la manche de son tee-shirt. La curiosité la poussa à soulever ladite manche.

— Qu'est-ce que c'est ? s'enquit-elle en découvrant une croix mince au-dessus de laquelle étaient calligraphiées les initiales *W. B*, le *W* d'un côté, le *B* de l'autre.

— Avant qu'il meure, j'ai promis à Wayne de ne jamais l'oublier. J'ai pensé que c'était un moyen de tenir ma promesse.

Mick avait une manière toute personnelle de manifester son amour, mais il l'exprimait avec force, et Jenny se sentit fondre. Qu'allait-elle faire ? Elle avait tant espéré le revoir, mais, maintenant qu'il était là... Seigneur, lorsqu'il repartirait...

— Bref. Euh... je t'ai aussi apporté ce chat.

Il désigna le carton. Elle jeta un coup d'œil dedans. Un adorable chaton roux s'y dressait sur ses pattes arrière et la fixait d'un air suppliant.

— Oh ! Que tu es mignon ! roucoula-t-elle spontanément. Mais... un chat ? ajouta-t-elle à l'adresse de Mick. Pour moi ?

— Il a besoin d'un foyer. Je me suis dit qu'il pourrait peut-être remplacer Flocon... et qu'il te tiendrait compagnie. Je l'ai appelé Râleur, mais il ne rouspète pas tant que ça.

Aussitôt, le chat se mit à miauler avec force.

— Merde ! marmonna Mick. Tu t'étais bien tenu jusque-là... Il se lamente beaucoup, mais il est gentil.

Réprimant un sourire, Jenny prit le chaton dans ses bras. Il continua de miauler, mais elle le serra contre sa poitrine et le caressa jusqu'à ce qu'il se calme.

— Il a peur, c'est tout, dit-elle. Une fois habitué à moi, tout ira bien.

Son regard croisa celui de Mick, et la tendresse qui passa entre eux fut si palpable que Jenny crut qu'elle allait pleurer. Puis Mick battit des paupières, rompant le charme.

— J'en déduis que tu acceptes de le prendre sous ton aile ?

En se levant ce matin-là, elle n'avait pas envisagé une seconde de s'offrir un animal de compagnie. Mais déjà, celui-ci avait conquis son cœur. Alors pourquoi pas ?

— Oui.

— Tant mieux. Il... euh... il m'a fait penser à toi. J'étais certain que tu saurais prendre soin de lui.

— Tu es sûr que c'est un mâle ? fit-elle en s'efforçant de sourire.

— Il me semble, mais je ne suis pas expert en la matière.

Lorsqu'elle retourna le chaton et lui écarta les pattes, Mick parut décontenancé.

— Il est trop jeune pour que j'en sois sûre à cent pour cent, déclara-t-elle, mais, apparemment, tu as raison... c'est un mâle.

Elle sourit, Mick aussi – oh, à peine ! –, mais elle dut se retenir pour ne pas lui caresser la joue.

— Bon, je ferais mieux de te laisser t'occuper de tes invités, fit-il.

— D'accord, murmura-t-elle, la gorge serrée.

— Fais attention à toi, Minou.

Il tourna les talons, et Jenny le suivit des yeux. Elle avait l'impression qu'il emportait une partie d'elle-même avec lui. Celle qu'il avait éveillée au plaisir des sens et libérée. Celle à laquelle il avait appris que tout n'était pas noir ou blanc dans la vie, et qu'il fallait défendre ce que l'on croyait juste quels que soient les risques.

Il avait presque atteint le trottoir quand elle réalisa qu'elle ne pouvait pas le laisser partir ainsi. Pas encore.

— Mick, attends ! cria-t-elle.

Il s'immobilisa, la regarda par-dessus son épaule. « Et maintenant ? », s'interrogea-t-elle. Il ne lui fallut qu'une seconde pour trouver la réponse : « Lâche-toi. Une dernière fois. » Elle déposa le chaton dans le carton et rejoignit Mick. S'arrêtant devant lui, elle plongea son regard dans le sien.

— Je t'aime toujours, Mick. Follement. Tu me manques.

Elle sut tout de suite – sans l'ombre d'un doute – que c'était réciproque. Mick inspira à fond, baissa les yeux un long moment avant de se risquer à la regarder de nouveau.

— Minou, je me suis senti atrocement seul sans toi. Et malheureux. Si je ne suis pas revenu, même une fois ma colère contre toi apaisée, c'est parce que... Regarde-toi. Regarde *ça* !

Il montra sa robe, le jardin, les voitures dans l'allée, la maison derrière laquelle on entendait des gens rire.

— Je n'ai pas ma place ici. Et là où j'ai ma place... ce ne serait pas assez bien pour toi. Tu mérites cet univers-là, cette existence-là.

— Toi aussi. Si tu en as envie.

Mick secoua la tête, sceptique. Cette attitude agaça Jenny au point que, incapable de dissimuler son irritation, elle serra le poing et tapa du pied.

— Nom de nom, Mick, qu'est-ce qui a changé ? Avant l'intervention de mon père, tu étais presque prêt à t'installer ici avec moi, en tout cas à essayer. Pourquoi ce revirement ?

— Je suis retombé sur terre, déclara-t-il comme si c'était une évidence. Je ne ressemble en rien à ces personnes que tu as invitées, Jenny. Je ne me comporte pas comme elles.

— Je ne te le demande pas. Je veux juste qu'ils voient toutes les qualités que moi, j'ai décelées en toi. Et inversement. Je sais que c'est possible à condition que tu me fasses confiance. De nouveau.

Comme il demeurait silencieux, elle lui prit les mains.

— Mick, si tu m'aimes, reste avec moi. Toi aussi, tu es la meilleure chose qui me soit jamais arrivée.

Contre toute attente, il parut sidéré.

— Moi ?

Visiblement, il n'avait pas compris à quel point son amour pour lui était profond, à quel point elle croyait en lui, à quel point sa présence lui était vitale.

— Tu m'aimes tout entière. La bonne fille comme a mauvaise, et même celle qui se mêle de ce qui ne la regarde pas. Sais-tu combien c'est rare ? Merveilleux ? Jamais avec personne je ne me suis sentie aussi *libre* intérieurement. Depuis ton départ, je m'efforce de le rester, d'être celle que je veux être, mais parfois, j'ai du mal à respirer tellement je me sens mal sans toi.

Lui encadrant le visage de ses mains, elle ajouta avec ferveur :

— Donne-nous une chance. Je t'aime, Mick. Je t'aime, je t'aime, je t'aime.

Et elle l'embrassa. Ce fut un baiser à la fois doux et d'une sensualité exquise.

Puis elle attendit. Car elle n'avait rien d'autre à lui offrir que ce baiser vibrant d'amour et de promesses. S'il ne suffisait pas à Mick pour accepter de prendre le risque de rester avec elle, rien ne suffirait.

Finalement, il glissa la main derrière sa tête pour rapprocher son visage du sien, et murmura :

— Embrasse-moi encore comme ça, Minou, et je ferai tout ce que tu voudras.

Elle ne se fit pas prier. Et lorsque leurs lèvres se séparèrent, ce fut comme si une digue avait cédé.

— Je t'aime, Jenny Tolliver, dit-il d'une voix rauque. Je t'aime tant. J'ai été idiot de te quitter. Je me fiche de ce que ces gens pensent de moi. Ce qui compte, c'est ce que *toi*, tu penses. Tant que tu m'aimeras, mon cœur, ma vie sera plus belle que dans mes rêves les plus fous. Tu es tout ce dont j'ai besoin, Minou. Tout.

Ils s'embrassèrent encore, à perdre haleine, jusqu'à ce que Jenny s'écarte légèrement et demande, le regard rieur :

— Une question demeure : pourras-tu vivre avec Râleur ?

Une lueur coquine s'alluma dans ses prunelles lorsqu'il répondit :

— Pour toi, Minou, je suis prêt à tout.

Quelques minutes plus tard, Jenny entraînait Mick de l'autre côté de la maison, là où se trouvaient ses invités. Le premier à les repérer fut Walter, qui s'approcha avec un grand sourire.

— Je me demandais où tu étais passée, ma fille. À présent, je le sais. Content de vous voir, Mick.

Pris de court, Mick se reprit cependant très vite et tendit la main.

— Merci. Je suis... content d'être là.

Anita les rejoignit ; elle avait l'air déjà tout à fait à l'aise.

— Jenny, j'ai rencontré votre voisine, Miss Ellie. Quel phénomène. Sauf qu'elle est persuadée que je travaille dans un car, pas dans un bar.

Jenny s'empressa de faire les présentations.

— Voici Anita, l'amie de mon père. Anita... mon ami, Mick Brody.

Walter et Anita s'excusèrent pour retourner aider Ed, et Mick pivota vers Jenny, les yeux comme des soucoupes.

— C'est l'*amie* de ton père ? Mince alors !

Elle s'esclaffa.

— N'est-ce pas ?

Sue Ann se précipita vers eux en claironnant qu'elle craignait une rupture de stock des assiettes en carton.

— Qu'est-ce qu'elles ont toutes à apporter des œufs farcis ? grommela-t-elle, avant de tressaillir. Euh...

salut ! bafouilla-t-elle, stupéfaite, en découvrant le beau gosse qui tenait la main de Jenny.

— Voici Sue Ann, dit celle-ci. Sue Ann, Mick.

— Hon-hon, fit Sue Ann, à court de mots.

— Il revient s'installer à Destiny. Avec moi.

Les deux amies échangèrent un regard. Celui de Jenny semblait dire : « Tu vois ? Je ne mentais pas quand je te disais qu'il était super sexy. » Et celui de Sue Ann : « Je confirme : tu ne mentais pas. »

— Je suis... ravie de l'apprendre, articula-t-elle, se ressaisissant enfin.

— Jenny m'a beaucoup parlé de vous, fit Mick. Vous avez probablement des doutes à mon sujet, non sans raison, mais j'espère que vous me laisserez une chance de vous prouver que je suis l'homme qu'il lui faut.

Peu après, alors que Mick se retrouvait à discuter barbecue avec Walter et Ed, Sue Ann se tourna vers Jenny.

— Tu ne m'avais pas précisé qu'il était aussi diplomate que nonchalant.

— Je l'ignorais, avoua Jenny. Crois-moi, il a plus d'un tour dans son sac.

— Comme cette apparition soudaine aujourd'hui ?

Jenny opina en retenant un sourire.

— Il semblerait qu'il ait agi comme un imbécile, qu'il n'aurait jamais dû me quitter et que je suis toute sa vie.

Sue Ann porta la main à son cœur.

— Incroyable ! Je suis tellement heureuse pour toi.

Après qu'ils eurent mangé, mais avant le grand jeu de fer à cheval auquel Jeff, le mari de Sue Ann, avait persuadé Mick de participer, Jenny présenta ce dernier à Tessa, à Amy et à Lettie Gale, entre autres. Toutes se montrèrent très polies, mais eurent du mal à cacher leur étonnement – et leur admiration. Et tandis qu'ils s'éloignaient, Jenny entendit Amy confier à Tessa :

— J'en étais sûre ! Je savais qu'elle avait un amant secret.

— Tu sais, répondit Tessa, je l'ai toujours trouvé sexy, mais je n'ai jamais osé le dire.

Sur ce, Jenny entraîna Mick vers le vieil érable pour le présenter à Miss Ellie.

— *Miss Ellie*, cria-t-elle. *Voici Mick Brody. Mon petit ami.*

Elle s'attendait que la vieille dame déforme ses paroles, comme d'habitude, mais celle-ci avait très bien entendu.

— Ma foi, quel progrès par rapport à Terrence.

— *Pourquoi dites-vous cela, Miss Ellie ?*

— Serais-tu aveugle, ma chère enfant ? Regarde-le. Il est sacrément sexy.

Épilogue

L'été suivant

Jenny et Mick traversaient le lac à bord du canoë, le télescope posé entre eux.

— Bientôt, nous n'aurons plus à pagayer comme des malades pour aller observer les étoiles, déclara-t-il.

Le jour, il travaillait comme maçon sur le site du nouveau lotissement, mais le soir, il construisait un balcon au-dessus de la véranda afin qu'ils ne soient plus gênés par les arbres. Ayant racheté le chalet à Walter, ils étaient désormais libres de le rénover à leur guise. Quant aux souvenirs de Judy, ils étaient dans un carton chez Walter, là où était leur place. Anita était compréhensive, mais pas au point d'accepter que son ami accroche une photo géante de sa défunte épouse dans le salon. Heureusement, il semblait comprendre.

— Je suis pressée que le balcon soit terminé, reconnut Jenny. Mais j'espère que nous continuerons à nous rendre de temps en temps sur la rive sud.

— Ce qui te plaît, c'est ce qu'on fait dans les bois, riposta-t-il en riant.

Ce n'était jamais prémédité, mais parfois, lorsqu'ils repassaient devant les lieux de leurs premiers ébats, ils revivaient cette rencontre.

— Peut-être, répliqua-t-elle d'un ton taquin.

— *Peut-être ?*

— Bon, d'accord. Sûrement. Mais ce n'est pas qu'une affaire de sexe. Je ne t'aurais jamais revu si je n'étais pas venue ce soir-là observer les étoiles. Nous ne nous serions pas mariés dans le magnifique jardin de Miss Ellie, tu ne serais pas le champion officieux de Destiny au jeu de fer à cheval. D'ailleurs, j'ignorais complètement que tu y jouais jusqu'à ce que tu battes tout le monde lors du pique-nique.

Il haussa les épaules.

— Que veux-tu ? J'ai des talents cachés.

— Ce n'est pas moi qui te contredirai… Et puis, tu reprendras goût à cette promenade une fois qu'on aura rasé la cabane et clôturé le cimetière.

C'était leur projet pour l'été suivant.

— Sans doute. Toutefois, n'oublie pas ce que je t'ai dit au sujet de tes études. Je me plais beaucoup ici, mais si tu décides de retourner à l'université à plein-temps pour perfectionner tes connaissances en astronomie, je suis partant. J'en veux encore à ce salopard de t'avoir volé ton rêve.

Jenny poussa un petit soupir. Jamais elle n'avait été aussi heureuse. Elle adorait son boulot, et vivre si près de son père et de ses amis la comblait. Alors pourquoi s'appesantir sur le passé ? Cela dit, que Mick la soutienne comme il le faisait la réjouissait.

— Et toi, Mick ? demanda-t-elle soudain. Quel était ton rêve quand tu étais jeune ?

Son visage s'éclaira.

— Vivre de ton côté du lac. Trouver ma place parmi les gens d'ici. Tu vois, mon ange, mon rêve s'est réalisé, plaisanta-t-il, mais au fond, il était sérieux, elle le savait.

Quand le canoë s'immobilisa sur le banc de sable, ils en descendirent et Mick s'empara du sac imperméable contenant le matériel de Jenny. Elle le précéda dans les bois, mais à mesure que les arbres se resserraient autour d'eux, elle ralentit l'allure.

À un moment, Mick glissa la main sur sa taille, sous son débardeur.

— Que fais-tu ? souffla-t-elle.

Il se pencha et l'embrassa sur la nuque.

— Je me dis que… les étoiles peuvent attendre.

Jenny chavirait déjà de plaisir anticipé, pourtant elle protesta :

— Le ciel est *parfait*, là, Mick. Et la météo annonce des nuages, voire de la pluie vers minuit. Et j'ai très envie d'essayer mon nouvel objectif.

— Dommage. Moi, j'ai très envie de toi. Ici.

La proposition était tentante, mais…

— Allez, Mick. Les étoiles d'abord, le sexe ensuite. Promis.

— Le sexe maintenant, insista-t-il d'une voix rauque en pressant son érection contre son postérieur.

— Mmm, s'entendit-elle gémir, avant de déclarer fermement : Allez, poursuivons notre chemin.

Elle lui prit la main et le tira à sa suite. Jusqu'à ce qu'il l'arrête, comme la première fois, en la contournant pour se mettre en travers de son chemin.

— Écoute, ma belle, tu n'iras pas en haut de cette colline, déclara-t-il.

— Sinon ? répliqua-t-elle.

Il croisa les bras, haussa un sourcil.

— Je devrais… prendre des mesures, menaça-t-il, d'un ton plus séducteur qu'intimidant.

Elle leva les yeux au ciel.

— Des promesses, toujours des promesses !

En réponse, Mick la plaqua contre un arbre, le corps si brûlant de désir qu'elle s'embrasa.

Une fois de plus, Mick Brody l'envoya au septième ciel, dans le bois de l'autre côté du lac de Blue Valley. Seulement, désormais, il était l'amour de sa vie.

Remerciements

Mes remerciements les plus sincères à Renee Norris, première lectrice extraordinaire. Ta sagacité m'a été d'une aide vitale, et les mots ne suffisent pas pour te dire combien j'apprécie le temps que tu m'as consacré, tes propositions et ton enthousiasme. Merci aussi à Joe Roberts (Rocket-Roberts.com) d'avoir si gentiment pris le temps de répondre à toutes mes questions concernant l'astronomie – j'espère ne pas avoir commis d'erreurs. Merci, Lindsey Faber, pour tous tes efforts merveilleux à mon égard – tu es vraiment super ! Enfin, merci à May Chen et à toute l'équipe d'Avon Books avec qui ce fut un réel bonheur de travailler, sans oublier Meg Ruley et Christina Hogrebe de l'agence Rotrosen – les meilleures meneuses de claque de la planète !

Découvrez les prochaines nouveautés des différentes collections J'ai lu pour elle

Le 6 mars

Inédit **_Abandonnées au pied de l'autel - 2 - Le scandale de l'année_** ∞ **Laura Lee Guhrke**

Au premier regard, Julia a su qu'Aidan Carr, le duc de Trathen, avait en lui l'âme d'un diable, qui brûlait de la posséder. Alors, quand treize ans plus tard la jeune femme cherche un prétexte compromettant pour obtenir son divorce, Aidan semble incarner la réponse à toutes ses prières…

Inédit **_Scandale en satin_** ∞ **Loretta Chase**

Sous ses grands yeux bleus d'apparence innocents, Sophy Noirot est en réalité une vraie friponne, dont les principaux atouts sont le sens du scandale et de la réclame. Quoi de mieux quand on tient une boutique de robes pour se faire connaître ? Et bientôt, elle croise le chemin du comte de Longmore…

Les Highlanders du Nouveau Monde - 1 - Sur le fil de l'épée ∞ **Pamela Clare**

1755. Exilé au Nouveau Monde avec ses deux frères, Iain MacKinnon est enrôlé de force dans l'armée anglaise. Un jour, il sauve la vie d'une certaine Annie Burn. Écossaise, elle voit en lui un ennemi. Pourtant, aux confins de cette terre sauvage, elle va accepter sa protection, et plus encore.

Le 20 mars

Inédit *Les chevaliers des Highlands - 1 - Le chef*

Monica McCarty

Chef de l'un des plus puissants clans d'Écosse, Tor MacLeod ne se laisse dominer par personne. Pas même par sa jeune épouse, Christina, qui lui a été donnée pour former une alliance contre les Anglais, qui tentent d'envahir le pays. Et si Tor se détourne de Christina, elle, de son côté, espère bien le conquérir…

Inédit *Les Frazier - 1 - Amante ou épouse ?*

Jade Lee

Fille d'actrice, Scher Martin n'a jamais réalisé son rêve le plus cher : fonder un foyer. Désabusée, elle accepte de devenir la maîtresse du vicomte Blackthorn. Mais quand le cousin de ce dernier lui propose le mariage, Scher comprend qu'elle devra faire un choix entre devenir une femme respectable ou une amante scandaleuse…

La ronde des saisons - 3 - Un diable en hiver

Lisa Kleypas

Après ses amies Annabelle et Lillian, c'est au tour de la timide Evangeline Jenner de se trouver un mari. Et quel mari ! Lord Saint-Vincent est un débauché notoire et un aristocrate plein de morgue, qui vient de trahir son meilleur ami en tentant d'enlever sa riche fiancée. Et c'est pour échapper aux griffes de sa famille qu'Evangeline va signer un pacte avec ce diable d'homme.

Le 6 mars

PROMESSES

Inédit ***Friday Harbor - 1 - La route de l'arc-en-ciel***

Lisa Kleypas

Artiste de talent, Lucy Marinn voit son univers s'effondrer quand son petit ami lui annonce qu'il la quitte… pour convoler avec sa propre sœur ! Lucy fuit au bord de la mer. Elle y fait la rencontre d'un charmant étranger. Sam Nolan. Une belle amitié naît entre eux, mais leur attirance devient bientôt irrépressible...

Le 20 mars

CRÉPUSCULE

Inédit ***Les ombres de la nuit - 8 - Le démon des ténèbres***

Kresley Cole

Sur une île mystérieuse, les humains détiennent captives toutes sortes de créatures, utilisées à des fins scientifiques. Carrow est l'une d'elles. Pour retrouver sa liberté, la sorcière accepte le marché que lui proposent ses bourreaux : partir à la recherche d'un être rare et d'une violence inouïe, mi-démon, mi-vampire... Malkom Slaine.

Inédit ***La chronique des Anciens - 1 -Le baiser du dragon***

Thea Harrison

Mi-humaine, mi-dragonne, Pia Giovanni a été choisie pour une mission ultra dangereuse : dérober un élément du trésor de Dragos Cuelebre, le dragon le plus redoutable au monde. Simple pion dans la guerre qui oppose le roi Faë à Dragos, Pia va bientôt subir la colère de la ténébreuse créature...

Le 20 mars

Romantic Suspense

Inédit

Les anges gardiens - 1 - Témoin en détresse

ꟹ **Roxanne St. Claire**

Témoin d'un meurtre, nul doute que Samantha Fairchild sera la prochaine cible du tueur qu'elle a aperçu. En désespoir de cause, elle fait appel à la journaliste et détective Vivi Angelino, sans savoir que cette dernière va charger son frère, Zach, de la protéger. Ironie du sort : Sam a connu quelques nuits torrides avec cet ex-membre des forces spéciales. Une mission l'avait appelé ailleurs et il avait disparu du jour au lendemain.

Mais la jeune femme a mis le doigt sur une conspiration qui va les mener dans les bas-fonds de Boston. Pour doubler le tueur à gages qui les traque, ces deux-là vont devoir apprendre à se faire confiance.

Inédit

Scandale meurtrier ꟹ **Pamela Clare**

Chargée de couvrir le meurtre d'une adolescente, la journaliste Tessa Novak apprend qu'un mystérieux homme a été repéré aux abords de la scène du crime. Elle voit immédiatement en lui un suspect et le traque sans relâche. Fausse piste : il s'agit de Julian Darcangelo. Cet agent du FBI sous couverture est sur la piste du véritable tueur, un trafiquant des plus dangereux. Mais les accusations de Tessa ont déjà attiré l'attention sur eux : trop tard pour faire marche arrière, il leur faudra avancer main dans la main… ou mourir.

Et toujours la reine du roman sentimental :

Barbara Cartland

« Les romans de Barbara Cartland nous transportent dans un monde passé, mais si proche de nous en ce qui concerne les sentiments. L'amour y est un protagoniste à part entière : un amour parfois contrarié, qui souvent arrive de façon imprévue.
Grâce à son style, Barbara Cartland nous apprend que les rêves peuvent toujours se réaliser et qu'il ne faut jamais désespérer. »

Angela Fracchiolla, lectrice, Italie

Le 6 mars
L'artiste

10161

Composition
FACOMPO

Achevé d'imprimer en Italie
par GRAFICA VENETA
le 6 janvier 2013.

Dépôt légal : janvier 2013.
EAN 9782290059135
L21EPSN000981N001

ÉDITIONS J'AI LU
87, quai Panhard-et-Levassor, 75013 Paris

Diffusion France et étranger : Flammarion